Os Simpsons e a ciência

Paul Halpern

Os Simpsons e a ciência

O que eles podem nos ensinar sobre física, robótica, vida e universo

Tradução

Samuel Dirceu

Editora Novo Conceito

Publicado pela John Wiley & Sons, Inc., Hoboken, New Jersey.

EDITORA: Bete Abreu
ASSISTENTES EDITORIAIS: Marília Mendes e Sonnini Ruiz
PRODUTOR GRÁFICO: Samuel Leal
TRADUÇÃO: Samuel Dirceu
REVISOR TÉCNICO: OTÁVIO CESAR CASTELLANI
PREPARAÇÃO DE TEXTO: Veridiana Maenaka
REVISÃO DE TEXTO: Henrique Zanardi de Sá e Beatriz Simões Araújo
DESIGN DA CAPA E ILUSTRAÇÃO: PAUL MCCARTHY
DIAGRAMAÇÃO E EDITORAÇÃO: Megaart Design

Dados Internacionais de Catalogação na Publicação (CIP)
(Câmara Brasileira do Livro, SP, Brasil)

Halpern, Paul, 1961-
Os Simpsons e ciência : o que eles podem nos ensinar sobre física, robótica, a vida e o universo / Paul Halpern ; tradução Samuel Dirceu. – São Paulo : Novo Conceito Editora, 2008.

Título original: What's science ever done for us?.
ISBN 978-85-99560-31-0

1. Ciência - Obras de divulgação 2. Simpsons (Programa de televisão) 3. Tecnologia - Obras de divulgação I. Título.

08-05371 CDD-500

Índices para catálogo sistemático:
1. Ciências : Obras de divulgação 500

Editora Novo Conceito

Rua Sansão Alves dos Santos, 102 – 2º Andar – Cj. 21 – Brooklin Novo
São Paulo – SP – CEP 04571-090
Telefones: 11 5102-4770 e 5102-4834
www.editoranovoconceito.com.br

Para meus filhos, Eli e Aden.

"Ciência? O que a ciência já fez por nós?"
Moe Szyslak, garçom, "Lisa the Skeptic"

Sumário

Parte quatro Springfield, o universo e além

introdução

Aprendendo ciência com a família nuclear de Springfield

E não há nada mais excitante que a ciência. Você se diverte muito só ficando sentado, quieto, anotando números, prestando atenção. A ciência tem tudo.
Diretor Seymour Skinner, em "O Cometa Bart"

Um viva para a ciência! Uau!
Bart Simpson, em "O Cometa Bart"

As nuvens de cúmulos se juntam e se separam, revelando um céu azul sem fim sobre a cidade de Springfield. Tudo está ensolarado e brilhando, da fileira de casas reluzentes até as cintilantes lojas e tavernas. Assomando acima de todas, estão as torres de resfriamento da usina nuclear de Springfield, competentemente administrada – o protótipo do modelo de eficiência, pelo menos de acordo com seus relatórios e informativos. Os residentes se beneficiam do calor da caldeira, uma fonte permanente de energia e de empregos.

Se você mora em Springfield – ou em qualquer outra cidade, no que diz respeito a este tema –, não deixará de ser afetado pela ciência. Se sua casa não for iluminada por energia nuclear, então o combustível que ela utiliza é carvão, querosene, força do vento, energia hidrelétrica, energia solar, ou qualquer outra. Mesmo que você viva em uma tenda em uma praia, há o Sol, a Lua, e as estrelas – e talvez uma fogueira crepitante ao ar livre – fornecendo a você luz e calor. Para aqueles que residem em cavernas bem profundas, há os vaga-lumes. Cada fonte de energia existe por causa de um mecanismo físico único. Você simplesmente não pode fugir da ciência.

O benfeitor por trás da genuína utopia de Springfield – a figura paternal da qual a preciosa energia escorre – é ninguém menos que o empresário mais importante da cidade, C. Montgomery Burns. Ele não liga a mínima se as pessoas ficam no escuro – quanto à ciência, bem entendido. Enquanto as moedinhas para pagar cada quilowatt-hora continuarem a fazer sua caixa registradora tilintar, ele estará muito satisfeito. "Exxxcelente", ele sempre cacareja para seu leal assistente, Wayland Smithers.

Manter a usina e a cidade seguras é tarefa de alguém que *deveria* saber um bocado sobre ciência – Homer Jay Simpson, um americano comum. Por ocupação, se não por experiência, ele está bem ligado à ciência – houve até quem especulasse que ele é o elo perdido de Darwin. Seu trabalho como inspetor de segurança da usina requer o mais alto conhecimento tecnológico: determinar qual botão deve pressionar em seu monitor, para liberar qual mensagem de alerta, o que dá a ele tempo para comer uma rosquinha ou tirar uma soneca. Embora não seja um intelectual clássico, Homer exibe seu ar pensativo e reflexivo diante de qualquer assunto desafiador. Faça-lhe a mais difícil das perguntas e conte sempre com sua resposta. Você quase verá as engrenagens girando, atrás dele, no maquinário, enquanto ele fita o espaço. Avesso a responder rapidamente, ele faz uma pausa, e hesita. E após um longo silêncio cheio de significado, como se você estivesse assistindo a um filme de Ingmar Bergman, ele faz outra pausa. E hesita mais uma vez, temeroso de que as palavras erradas saiam de sua boca. *Zzzzzz.* Algumas vezes, mesmo os problemas mais prementes têm um jeito de se resolver por si mesmos.

Quando é a hora do almoço na usina, Homer compartilha momentos agradáveis com os amigos Lenny Leonard e Carl Carlson. Embora Carl tenha pós-graduação em física nuclear, ele e Lenny são apenas bebedores contumazes de cerveja. Lenny tem um problema crônico no olho, por isso precisa segurar o copo de bebida da maneira mais correta. Lenny e Carlson, muitas vezes, se juntam a Homer depois do trabalho na taverna dirigida pelo cínico, e às vezes portador de idéias suicidas, Moe Szyslak. Moe não tem exatamente gosto pela ciência; uma vez ele fez pouco caso da ciência depois de ver uma televisão ativada pela voz (veja a citação que é o título deste livro). Dirigir uma taverna não chega a ser um trabalho que exija inteligência e habilidade, de modo que ele nunca tentou se qualificar.

Springfield, em poucas palavras, apresenta nítidos contrastes em sua atitude quanto à ciência. Ter uma usina nuclear no coração da cidade, a qual gera a maioria de seus empregos, força seus habitantes a se confrontarem com temas tecnológicos todos os dias. Além disso, a cidade é estranhamente acometida por uma parcela de calamidades maior que o razoável – desde colisão de cometas e invasão de alienígenas, passando pela materialização de buracos negros em lojas e supermercados, até o apagão do Sol – esta última, uma artimanha diabólica arquitetada por Burns. Vocês poderiam pensar que o pessoal da cidade estaria clamando por um sólido conhecimento científico. Contudo, qualquer especialista é sempre menosprezado ou ignorado. O gênio residente na cidade, John Frink, um verdadeiro professor aloprado (como no filme de Jerry Lewis, não na continuação), é tratado como um pária. Talvez sua falta de traquejo social e seu modo incoerente de falar – com um amplo uso de palavras sem sentido como *glaven** – o isolem de seus pares. Contudo, dada sua extraordinária inventividade, você pensaria que os residentes o procurariam e talvez até o elegessem prefeito, em vez do alcoviteiro e mulherengo Joe Quimby, que atualmente exerce aquele cargo.

Também na medicina, muitas vezes, a mediocridade vence a capacidade. Embora a cidade tenha um médico perfeitamente competente, o dr. Julius Hibbert, pacientes costumam preferir a charlatanice do dr. Nick Rivera. Talvez seja pelo fato de o dr. Hibbert cobrar uma fortuna e dar risadinhas em momentos inoportunos, como na hora de fazer diagnósticos sombrios. Ele entende que dar conforto ao lado da cama não é algo coberto pela maioria dos planos de saúde. O dr. Nick, ao contrário, tem a competência médica de um toco de árvore, mas é amigável, não ri quando você lhe pede que faça procedimentos médicos constrangedores e é relativamente barato.

---

* Substantivo. Na verdade, qualquer substantivo usado sempre que parecer adequado (fonte: *Urban Dictionary* [Dicionário Urbano, um dicionário de gírias do inglês norte-americano em que qualquer pessoa pode colaborar com um verbete ou definição]) (N. do T.).

Muitos residentes de Springfield freqüentam a igreja do reverendo Timohty Lovejoy, que parece ser completamente hostil à ciência. Entre os maiores devotos do rebanho de Lovejoy está Ned Flanders, o afável e pudico vizinho de Homer, que muitas vezes encolhe-se de vergonha quando Flanders grita "Olá, vizinho", ou outras variações de sua saudação, preparando-se para uma severa reprimenda moral. O "idiota", como Homer o chama, parece não saber como relaxar e gozar a vida – pelo menos da perspectiva de um viciado em televisão, devorador de rosquinhas e bebedor de cerveja. Ainda assim, Flanders parece feliz em sua fé, encontrando prazeres simples ao ajudar os oprimidos. É quando a fé e a ciência divergem que a ansiedade de Flanders aflora e ele se prepara para a batalha, geralmente com o apoio de Lovejoy. Por exemplo, juntos lutaram para eliminar toda menção à evolução nos livros escolares de Springfield.

E onde fica o diretor da escola elementar de Springfield, Seymour Skinner? Ele claramente ama a ciência, como demonstrado em suas pesquisas astronômicas amadoras, com as quais ele espera descobrir um cometa e dar seu nome a ele. Ele descobriu um, uma vez, mas foi passado para trás por um certo diretor Kohoutek.* Contudo, com a coluna vertebral de uma água-viva, Skinner muitas vezes perde o controle sobre os cursos da escola. Sua mulher, Agnes, seus alunos e até sua outrora namorada/noiva, a professora Edna Krabappel – ninguém parece respeitá-lo. O superintendente distrital Chalmers constantemente o repreende aos gritos, deixando-lhe pouco espaço para manobra. Ele só tem o jardineiro Willie, um orgulhoso escocês que faz trabalhos pouco qualificados, com quem passa o tempo. A não ser, isto é, quando ele é temporariamente rebaixado a assistente de Willie, como quando ele é brevemente substituído como diretor por ter feito comentários inapropriados sobre as alunas e a matemática.

Outros personagens da série são muito envolvidos com seus *hobbies* para se preocuparem com a ciência. A única ligação do motorista do ônibus escolar Otto Mann com a química são as substâncias que ele ingere ou a música *heavy metal*. O comediante Krusty, o Palhaço, nascido Herschel Krustofski,

* Referência ao cometa Kohouteck (C/1973 E1), descoberto pelo astrônomo tcheco Lubos Kohoutek em março de 1973 (N. do E.).

está muito ocupado preparando seu hilário programa de televisão, administrando seu império de *fast-food* e tentando se reconciliar com o pai, um rabino. O antigo assistente de Krusty, Robert "Sideshow Bob" Terwilliger III, vive obcecado em matar um garoto que ele detesta. Seu amigo, e criminoso, Snake Jailbird está determinado a ganhar uma fortuna com roubos à mão armada. Seu principal alvo, Apu Nahasapeemapetilon, gerente da loja de conveniência Kwik-E-Mart, só encontra tempo, entre os assaltos, para vender a saborosa bebida Squishee e proteger seu armário de revistas, que ele muito enfaticamente explica não ser uma biblioteca que empresta publicações. É uma pena, pois ele tem um doutorado em ciência da computação que nunca foi de muita utilidade, a não ser para impressionar as mulheres em seus tempos de solteiro. Outro dono de loja, Jeff Albertson, mais conhecido como o Cara dos Quadrinhos, pelo menos tem uma paixão por ficção científica. Em sua loja, a Masmorra do Andróide, ele vende mais revistas informativas, como as aventuras do famoso Homem Radioativo e seu companheiro, Caidaço Boy, que as que podem ser encontradas em minimercados.

O verdadeiro florescimento da ciência em Springfield pareceria quase impossível, não fossem seus diversos ilustres (mas raramente vistos) residentes. O falecido e aclamado paleontólogo Stephen Jay Gould aparece em um dos melhores episódios da série, como ele próprio, trabalhando no Museu de História Natural. Gould examina estranhos restos de esqueletos encontrados sob um edifício.

Um outro cientista famoso, o físico de Cambridge, Stephen Hawking, dá as caras em dois episódios. Consta que Hawking é um grande fã da série, e que ficou "enormemente orgulhoso com sua aparição".[1] Parece que ele se divertiu muito com suas participações – especialmente a segunda, em que ele trabalha na pizzaria Little Caesars local. Diferentemente do que acontece com Frink, o pessoal da cidade parece ter mais respeito pelas opiniões de Hawking; é uma pena que ele não esteja lá mais vezes para corrigir as concepções erradas dos moradores.

Um terceiro renomado cientista que também apareceu no seriado é Dudley Herschbach, o coganhador do Prêmio Nobel de Química de 1986, cuja pequena participação em um episódio envolve a entrega de um Prêmio Nobel a Frink.

Outro notável que fez "aparições" é o arredio autor Thomas Pynchon; seu personagem é mostrado sempre com um saco de papel na cabeça. Embora não seja um cientista, Pynchon estudou engenharia física durante dois anos em Cornell. Muitos de seus escritos contêm amplas alusões à ciência, desde *Entropy* [Entropia], um de seus contos, até o aclamado romance *O Arco-íris da Gravidade*, e seu recente *Against the Day*, romance que inclui o físico Nikola Tesla. Para grande surpresa e prazer de seus fãs, embora Pynchon tenha evitado dar entrevistas, deixar-se fotografar ou gravar depoimentos, ele emprestou sua voz e agilidade verbal à série.

Qualquer cidade que tenha Gould, Hawking, Herschbach e Pynchon como residentes (ou pelo menos como visitantes) pareceria muito propensa a uma atitude salutar em relação à ciência, particularmente se a geração mais jovem pudesse ser persuadida a seguir os passos desses ilustres pensadores. Será que a indiferença ou a hostilidade em relação à ciência, expressa por certos adultos de Springfield, poderia ser derrotada pela inteligência dos jovens? Nesse caso, a esperança reside em uma jovem e extraordinária estudante, Lisa, a precoce filha de 8 anos de Homer.

Intelectualmente, Lisa está acima dos colegas da escola, exceto talvez do inteligentíssimo Martin Prince. Toda vez que o diretor Skinner quer impressionar os visitantes com uma "estudante típica" que demonstra o elevado grau do ensino da escola, Lisa é apresentada. Outros alunos vão desde o infantil e limítrofe Ralph Wiggum – cujo pai, Clancy, é chefe de polícia –, passando por Millhouse Van Houten, o pretendente de Lisa, desajeitado e de óculos, até os valentões da escola, que adoram agredir estudantes indefesos: Jimbo Jones, Dolph, Kearney e seu líder Nelson Muntz, um delinqüente juvenil. O bordão de Nelson, "Ha-ha!", repetido cada vez que ele presencia uma desgraça ou descobre um ponto fraco em alguém, não é páreo para a eloqüência tranqüila de Lisa. Da mesma forma, outros alunos, como as gêmeas Sherri e Terri ou o estudante de intercâmbio alemão Üter, não oferecem nenhuma competição.

Na família de Lisa, embora ela seja a irmã do meio, ela é claramente o gigante intelectual. A despeito do trabalho tecnológico e da ativa imaginação de Homer – evidenciada por seus sonhos bizarros – falta-lhe um giz de cera para ter a caixa completa. De fato, o giz que falta está localizado em seu cérebro, como revelado no episódio "Homr", livremente baseado na obra *Flores para*

Algernon,* do norte-americano Daniel Keyes. Quando o giz de cera é cirurgicamente retirado, o QI de Homer sobe 50 pontos. O crescimento do intelecto tem, contudo, suas desvantagens. Homer, percebendo todas as violações das disposições de segurança da usina, faz um relatório para a Comissão Reguladora Nuclear, o que provoca o fechamento temporário da usina. Lenny e Carl, então sem emprego, ficam ressentidos, para dizer o mínimo. Descobrindo que a inteligência não pode comprar a felicidade, Homer pede a Moe, que faz procedimentos cirúrgicos secretamente, que recoloque o giz de cera em seu cérebro. A partir daí, Homer parece ainda ter menos capacidade mental, se isso é possível. Mas a despeito das óbvias falhas de Homer, Lisa ama o pai com todo o coração.

Marge, nascida Marjorie Bouvier, a mulher de Homer e a matrona da família, parece ser a segunda mais inteligente da turma (ou pelo menos da turma que *fala*), ao menos por seu notável senso comum e seus muitos talentos práticos, incluindo uma aptidão para a mecânica. No colégio, ela gostava de cálculo, até que Homer a convenceu a desistir. Considerando suas importantes habilidades, ela poderia ser mais assertiva. É tolerante e se recusa a tomar partido por temor de ofender alguém. Sua omissão, às vezes, exaspera Lisa, que gostaria que a mãe pesasse os fatos e assumisse uma posição. Contudo, muitas vezes Lisa também tem opiniões conflitantes que ela receia expressar, por isso aparenta não ser, de fato, uma pensadora científica. Nesses momentos de dúvida, ela é capaz de entender melhor os pontos de vista da mãe.

Maggie, o bebê da família, é um grande ponto de interrogação, pois nunca pudemos ouvi-la expressar-se – apenas alguns ruídos e balbucios, umas poucas primeiras palavras (como "papai") e principalmente os sons da sempre presente chupeta sendo sugada. Mesmo nos episódios que especulam sobre o futuro da família, ela continua sem oportunidade de falar. Apenas em alguns dos especiais sobre Halloween ("A Casa da Árvore dos Horrores") – que tratam de pesadelos ou realidades alternativas, e não da história real da família – Maggie fala sentenças completas. Então ela pode se transformar na mais inteligente dos Simpsons, o que é sugerido em vários episódios. Por exemplo,

* Um homem com baixo QI submete-se a uma experiência para aumentar sua inteligência. O experimento é bem-sucedido e o transforma em um gênio (N. do E.).

durante um jogo de Scrabble* com a família, ela escreve "EMCSQU" ($E=mc^2$) com suas pedras.

Finalmente chegamos ao *enfant terrible* da série, o garoto de 10 anos que transformou expressões como "Vai te catar!" e "*Don't have a cow!*" em bordões internacionais, imortalizados em camisetas e em livros de histórias em quadrinhos. Ele é o garoto do *skate* cuja canção de estrondoso sucesso *Do the Bartman!* resgatou o rádio comercial do completo esquecimento. (Claro que aqui estou exagerando, mas era uma canção nova e engraçada.) Estou falando, naturalmente, de ninguém menos do que Bartholomew Simpson, mais conhecido como Bart – ou, como Homer o chama, enquanto torce seu pescoço, "Ora, seu ... !".

Embora Bart tenha uma aguda curiosidade, ele acha a escola um desafio completo, e é muito mais feliz pregando peças nos outros. Quando se trata de descoberta científica, ele tende a ser um observador mais passivo – tropeçando acidentalmente em novas descobertas – que um pensador original. Por exemplo, quando Skinner pune Bart obrigando-o a se interessar por astronomia, Bart acaba descobrindo um cometa. Ele fica feliz quando joga um *videogame* que tem um conteúdo científico, até que percebe seu caráter educativo, o que faz Bart desistir. Ele se interessa por misturar produtos químicos, desde que seja para produzir lindas explosões, e não por causa de uma tarefa escolar. Com uma notável antipatia pelo aprendizado formal, ele, contudo, pode ser facilmente fisgado pelo desejo de conhecimento.

Alguém como Bart poderia aprender ciência por uma fonte informal, como um livro, uma revista de histórias em quadrinhos ou um desenho? Sem dúvida nenhuma. Se *O Homem Radioativo*, sua história em quadrinhos favorita, ou *Comichão e Coçadinha*, seu adorado desenho exibido pela televisão, estimulam os aficionados a realizar projetos de química e física para ajudar os personagens, e até a pesquisar a história e os antecedentes dessas experiências, você pode apostar que Bart estaria à altura dessas tarefas. Muitos garotos aprendem rapidamente a diferença entre "ciência divertida" e aquilo em que eles – acredite! – se graduam. Naturalmente eles tendem a gravitar em torno da primeira, exceto talvez para amealhar informação antes de um exame.

* Jogo de tabuleiro em que os participantes tentam formar palavras que se interligam (N. do E.).

Neste aspecto, *Os Simpsons* oferecem um campo perfeito para a educação científica. É um dos poucos programas de televisão sem trilha sonora de risadas e cheio de inteligência. Na falta de uma autoridade lhe dizendo quando rir ou aprender, você é obrigado a vasculhar por entre o cortante sarcasmo, as opiniões conflitantes e, ocasionalmente, as representações enganosas para reconhecer a verdade.

Muitos redatores da série têm ligações científicas e adoram deixar transparecer isso nos personagens. Entre os redatores estão David X. Cohen, bacharel em física por Harvard e mestre em ciência da computação pela Universidade da Califórnia em Berkeley; Ken Keeler, doutor em matemática aplicada por Harvard; Bill Odenkirk, doutor em química inorgânica pela Universidade de Chicago; e Al Jean, o produtor-executivo e redator principal, formado em matemática por Harvard. Outro redator, Jeff Westbrook, é doutor em ciência da computação por Princeton e foi professor associado de ciência da computação em Yale durante anos antes de se juntar à série. Ele participou do episódio "Girls Just Want do Have Sums", de 2006, relacionado à recente controvérsia surgida em Harvard por causa dos comentários do reitor da escola sobre a presença das mulheres na matemática.[2]

Dado o grau de especialização acadêmica da equipe de redatores da série, não é surpresa que grandes doses de ciência, matemática e tecnologia sejam polvilhadas em muitos dos episódios. Os temas incluem tudo, desde astronomia até zoologia, genética e robótica; você terá de cavar fundo, algumas vezes, para perceber. Como Kent Brockman, o âncora do noticiário de TV na série, você precisa ser um repórter investigativo – isto é parte do divertimento que é a descoberta científica. Em vez de revelar os mexericos por trás do verniz superficial dos personagens sérios, você estará descobrindo os verdadeiros fatos científicos ocultos pela contagiante estupidez da série. Como Krusty poderia dizer em uma de suas reflexões, há sempre uma história séria por trás da risada. "Hehe!"

Os acadêmicos já tinham descoberto inesperadamente essa tendência oculta do desenho. É raro um desenho da televisão desencadear uma discussão intelectual ou gerar artigos publicados. Contudo, *Os Simpsons* inspiraram publicações sobre cuidados médicos, psicologia, evolução e outros temas. É uma série vista por muitos cientistas e, portanto, escrutinada quanto a sua veracidade e implicações de uma maneira sem precedentes. Cada risada, cada manifestação de espanto, cada gargalhada, foi testada em laboratório quanto a sua integridade; portanto, garotos, prestem muita atenção!

Este livro pretende ser um guia para a ciência da série. Mesmo quando você estiver rolando de rir no chão, poderá aprender com as abundantes referências a biologia, física, astronomia, matemática e outras áreas. Impressione os amigos e deixe os inimigos perplexos com seu detalhado conhecimento do pano de fundo de cada episódio. Satisfaça sua curiosidade intelectual enquanto aquece a casa com o brilho da tela da televisão. Responda a questões candentes com a revigorante Buzz Cola do fato científico, disponível na máquina de vender pelas ondas eletromagnéticas, que é a TV. Recline-se na poltrona e deixe as lições começarem.

Ao longo de mais de duas décadas de exibição (incluindo diversas temporadas como parte de *The Tracy Ulman Show*), vários segmentos de *Os Simpsons* levantaram intrigantes questões sobre o funcionamento da ciência contemporânea. A amplitude dessas questões é surpreendente. Por exemplo, de que maneira, paleontólogos como Gould determinam a idade de restos de esqueletos como os que Lisa descobre e leva para ele? Quais fatores provocam mutações, como Blinky, o peixe com três olhos e que nada nas águas poluídas de Springfield? Por que as estrelas e os planetas sobre Springfield não podem ser vistos com clareza à noite? Os andróides, como o robô que substituiu Bart em um dos episódios de Halloween, podem ter consciência? As descargas das bacias sanitárias dos hemisférios norte e sul giram em direções opostas, como Lisa constatou no episódio em que a família viaja para a Austrália? De que os cometas são feitos, como o que Bart descobre, e como eles podem ameaçar a Terra? Se existem extraterrestres, por que eles não visitaram a terra, ou fizeram contato conosco, à maneira de Kang e Kodos, os residentes alienígenas na série? O tempo pode ser invertido ou parado, como Homer e Bart fizeram em várias ocasiões?

Antes de atacar esses temas científicos de grande amplitude, vamos considerar um dos maiores mistérios da série, e que eu chamo de *Enigma de Marilyn Monstro.** Trata-se da incomum diversidade entre os membros da família, que pode ser discutida à luz dos debates contemporâneos sobre natureza *versus* educação. Se Lisa é uma Simpson, por que ela é tão inteligente?

* Marilyn Munster: referência à personagem Marilyn do seriado norte-americano *Os Monstros*, da década de 1960: Marilyn era a única pessoa "normal" de uma família de monstros (N. do E.).

Parte um

Está vivo!

Acho que você está presa a seus genes.
Dr. Julius Hibbert, "Lisa, a Simpson"

Não há nada de errado com os genes dos Simpsons.
Homer Simpson, "Lisa, a Simpson"

1

O gene dos Simpsons

Famílias comuns são todas iguais; mas cada família incomum é incomum de seu próprio jeito. Os Simpsons são, sem sombra de dúvida, uma espécie própria. Comecemos com os fanáticos desejos de Homer, suas bizarras afirmações ilógicas, seus sonhos nada convencionais, seus pensamentos infantis únicos e seu completo alheamento. Acrescente as histórias tortuosas e extravagantes de Vovô, cheias de recordações implausíveis e inconsistentes sobre a Segunda Guerra Mundial, e sua inexplicável antipatia pelo Estado do Missouri. Misture a propensão de Bart para as mais completas travessuras e seu absoluto desrespeito pela autoridade. Observe-os insultar-se, gritar e até estrangular um ao outro. Nem mesmo Tolstoi, que escreveu bastante sobre famílias anormais, seria capaz de manter-se atualizado sobre todas as reviravoltas e loucas maquinações da série, para não mencionar o pobre pescoço de Bart.

Pode-se colocar toda a culpa nos homens da família. No tempestuoso caldeirão que eles carinhosamente chamam de lar, as mulheres normalmente conseguem manter a calma. Envolvidas em situações que confundiriam até quem tem nervos de aço, elas oferecem a calma voz da razão. Até o contínuo suga-suga da chupeta de Maggie soa como um mantra calmante que parece colocar as coisas em perspectiva.

O que poderia explicar as profundas diferenças entre os sexos na família Simpson? Seria puramente uma diferença de expectativas e de condições ambientais – no caso de Bart, por exemplo, um reduzido fornecimento de oxigênio através de sua traquéia que ocorre a intervalos regulares – ou poderia haver um componente genético? No episódio "Lisa, a Simpson", esta questão vem à tona quando Lisa se pergunta se está condenada à idiotice por simplesmente fazer parte da família, e sente um grande alívio quando fica sabendo que seu gênero pode tê-la poupado.

O episódio começa com Lisa temerosa de estar perdendo seus dotes intelectuais, como resolver problemas matemáticos ou arrancar notas de *jazz* de seu saxofone. Ela tem muito orgulho de seu intelecto – o que é demonstrado, por exemplo, no episódio em que ela se veste como Albert Einstein num concurso de fantasias de uma festa de Halloween. Ela claramente não quer crescer e ficar como o resto da família. Homer e Bart, muitas vezes, a constrangem com suas brincadeiras infantis, Marge não é completamente realizada e Lisa sinceramente espera que sua mente perspicaz lhe propicie uma vida melhor. Mas e se seu intelecto ficar confuso antes disso e ela terminar como os outros membros da família?

As aflições de Lisa atingiram o ápice quando Vovô lhe fala sobre o "gene dos Simpsons", uma predisposição genética para o declínio mental que se ativa na metade da infância. Como crianças, Vovô explica, os Simpsons agem de forma perfeitamente normal. Aos poucos, contudo, o gene dos Simpsons dispara a deterioração do cérebro, levando a vidas completamente medíocres, ou até piores. Naturalmente, Lisa fica aterrorizada com a possibilidade de que isso aconteça com ela.

Tentando dissipar os temores provocados pela teoria de Vovô e animar Lisa, Homer convida vários parentes para uma visita. Ele lhes pede que descrevam o que fazem na vida, na esperança de que os relatos impressionem a menina. Alguns dos homens falam primeiro e, para horror de Lisa, se revelam completos fracassados. Seu tio-avô Chet saiu-se muito mal administrando uma empresa de venda de camarões. Seu primo de segundo grau Stanley perambula por aeroportos e atira em passarinhos. Outro se joga na frente dos carros para receber dinheiro de seguros. Nenhum deles dá a Lisa muita esperança.

Felizmente, diversas mulheres Simpson apresentam vívidos relatos de carreiras de sucesso. Uma delas, a muito fluente dra. Simpson, explica que o gene defeituoso está alojado no cromossomo Y e é transmitido apenas de homem para homem. Lisa percebe que só os homens Simpson é que estão condenados; as mulheres não têm problemas.

Essa revelação não apenas significa que Lisa vai crescer como uma pessoa normal, ela também implica que seus filhos estarão a salvo. Mas para Bart e outros homens da família, ter filhos seria arriscado. Essa roleta genética é o exato oposto do beisebol – se você for eliminado, você ganha um Homer.

É uma teoria interessante, mas será que um único gene poderia criar tamanha disparidade intelectual entre as mulheres e os homens de uma família? A inteligência é um tema complexo; a vivacidade intelectual e o sucesso dependem de uma variedade de fatores, tanto ambientais quanto genéticos, muitos dos quais ainda não são completamente compreendidos. Na verdade, essa complexidade é apresentada em outros episódios da série, em que as diferenças entre mulheres e homens da família Simpson não são tão evidentes. Por exemplo, no episódio "Irmão, Onde Estarás?", Homer se encontra com Herb, seu meio-irmão há muito desaparecido, que se revela rico e extremamente bem-sucedido. Em "Os Monólogos da Rainha", Homer viaja para a Inglaterra e encontra Abbie, sua meia-irmã também há muito desaparecida, que é espantosamente semelhante a ele na voz, no aspecto e na inteligência. Então, diante disso, as características de Homer não devem ser exclusivas dos homens; deve haver outros fatores.

Além disso, como mencionado na introdução, pelo menos parte das dificuldades de Homer deriva de um giz de cera alojado em seu cérebro desde que ele era criança. Traumas da infância em alguns casos geram deficiências que se estendem até a idade adulta. Mesmo sem um incidente específico, um ambiente totalmente hostil ao aprendizado poderia ter repercussões profundamente negativas por toda a vida de uma pessoa.

As crianças têm uma extraordinária capacidade de se adaptar a qualquer ambiente em que nasçam. A criança que se desenvolve em um lar cuidadoso e estimulante poderia ter deficiências se nascesse em uma situação de tristeza e falta de amor. Ao imitar os membros de sua família e seus amigos, as crianças, muitas vezes, assumem atitudes e normas culturais daqueles que as cercam. Se uma sociedade altera radicalmente seus valores – por exemplo, renunciando à violência depois de um período de militarismo ou se tornando aberta e democrática depois de uma era de totalitarismo –, é surpreendente como a maior parte de sua juventude começa a ecoar as novas disposições. Dessa forma, o ambiente e a cultura desempenham papéis muito importantes na formação do indivíduo.

Em virtude dessa profunda influência dos fatores ambientais, é tentador pensar que toda criança tem um potencial ilimitado de sucesso em qualquer área. Contudo, devemos reconhecer que a herança genética influencia o ritmo de desenvolvimento humano, afetando as limitações físicas e mentais dos indivíduos. Nenhum garoto típico de 10 anos, por mais bem treinado, pode levantar um peso de 200 quilos ou memorizar todos os nomes de uma lista telefônica. Seria ridículo esperar que uma criança que praticasse um instrumento 10 horas por dia pudesse repetir os feitos de Mozart ou ter suficiente habilidade para integrar uma orquestra profissional. Atletas olímpicos potenciais devem ser identificados bem cedo, não apenas pelas habilidades demonstradas na época, mas também por seu possível potencial herdado.

O genoma, ou o conjunto completo dos genes, constitui o código segundo o qual o corpo se desenvolve e funciona. Cada gene codifica uma proteína particular que serve para um determinado papel biológico, desde o colágeno da pele até as fibras musculares do coração. Duas cópias dos aproximadamente 33 mil genes do corpo humano estão dispostas em 23 pares de cromossomos. Uma cópia de cada gene vem da mãe, e a outra vem do pai, garantindo que todo mundo tenha uma mistura dos atributos de ambos.

Os genes assumem diferentes variações de sequências, chamadas de alelos. Cada alelo cria uma diferença na constituição da proteína que dado gene codifica. Por exemplo, diferentes alelos para os genes ligados à cor dos olhos correspondem a proteínas de pigmentação distintas que, em dupla, podem levar a variações nesse traço. O padrão específico dos genes é chamado de genótipo – diferente de fenótipo, o conjunto de características que exprimem as reações do genótipo diante das circunstâncias particulares do desenvolvimento do indivíduo, isto é, de seu meio. Muitos padrões genéticos diferentes poderiam acabar produzindo o mesmo traço, ou seja, uma gama de genótipos poderia levar ao mesmo fenótipo. Enquanto os fenótipos são qualidades muitas vezes observáveis, como a textura do cabelo ou a capacidade de enrolar a língua, determinar um genótipo geralmente exige um sequenciamento genético (o mapeamento do padrão de genes).

Se os cromossomos são os capítulos do código do corpo, e os genes são as importantes páginas com as receitas para cada proteína, a sequência específica de bases na cadeia dupla em espiral de moléculas, chamada de ácido desoxirribonucléico (DNA, na sigla em inglês), constitui a linguagem detalhada para essas instruções. Existem quatro "letras" diferentes no "alfabeto" do DNA: as bases adenina, timina, citosina e guanina, conhecidas por A, T, C e G. Cada base liga-se a um par na fita oposta do DNA: A com T, e C com G. O arranjo particular dessas bases produz as instruções para a fabricação de um grande número de proteínas diferentes.

Os genes, contudo, não podem sintetizar diretamente as proteínas. Por um processo denominado transcrição, a dupla fita em espiral de DNA cria moléculas de cadeia simples, chamadas de ácido ribonucléico (RNA, na sigla em inglês), que carregam informações semelhantes, mas servem a um propósito diferente. O RNA difere do DNA de várias maneiras, incluindo seu número de cadeias e a presença da base uracil no lugar da timina. Um tipo de RNA, denominado de RNA mensageiro (mRNA), forma um tipo de fábrica de montagem de proteína. Cada conjunto de três bases, denominado de códon, produz um tipo específico de aminoácido. A cadeia de aminoácidos criada nesse processo produz um certo tipo de proteína.

As células do corpo humano carregam (exceto no caso de erros) versões idênticas de DNA, mas quando os embriões se desenvolvem no útero, as células se dividem e se diferenciam, expressando seu conteúdo genético de formas diferentes. Consequentemente, logo depois da concepção, depois que um número suficiente de divisões tenha ocorrido, as células começam a se especializar em células de pele, células nervosas, células musculares e assim por diante. A posição relativa da célula no embrião em desenvolvimento parece desempenhar um papel importante. O processo de diferenciação tem sido um dos maiores mistérios da biologia, e atualmente é um tema essencial de estudos.

O fator fundamental da hereditariedade é o fato de que os cromossomos vêm em pares – um conjunto de contribuição genética de cada um dos pais. Dado gene poderia aparecer sob a forma de alelos, diferentes ou semelhantes – isto é, poderia haver uma ou duas cópias de cada alelo. Os alelos podem ser dominantes ou recessivos, dependendo de suas propriedades bioquímicas. Se um alelo é dominante, então mesmo que haja só uma cópia, a característica associada àquele alelo se manifesta e se torna parte do fenótipo. No caso do alelo recessivo, porém, são necessárias duas cópias para aquela característica aparecer. Essas regras foram descobertas no século XIX pelo botânico tcheco Gregor

Mendel, que desenvolveu extensos estudos das características da ervilha. Ele descobriu, por exemplo, que alelos altos sempre eram dominantes em relação aos pequenos, significando que as plantas altas cruzadas com plantas altas ou pequenas sempre produziam plantas altas.

Algumas características herdadas são específicas do sexo e se manifestam diferentemente nos descendentes masculinos ou femininos. O 23º par de cromossomos, conhecidos como os cromossomos do sexo, é composto de duas variedades, X e Y. As mulheres quase sempre têm um par XX, e os homens quase sempre têm um XY. (Há condições raras com outras combinações.) O cromossomo X é muito maior e tem muito mais genes que o Y. Com aproximadamente 1.100 genes, consistindo mais de 150 milhões de pares básicos, o cromossomo X forma mais de 5% do total dos genes humanos. Compare isto com o cromossomo Y, que tem só 78 genes. Em anos recentes, esses genes foram completamente mapeados pelos pesquisadores Richard Wilson e David Page, da Universidade de Washington, em Saint Louis, Missouri. Wilson e Page notaram que os genes do cromossomo Y estão principalmente ligados ao funcionamento da reprodução humana – formação dos testículos, esperma para a reprodução e assim por diante. Como esses poucos genes são tão importantes para a propagação da espécie, o cromossomo Y evoluiu com várias cópias sobressalentes do conjunto. Essa duplicação garante que mesmo que um grupo de genes reprodutivos masculinos seja defeituoso, outro conjunto pode tomar seu lugar.

Daí, pelo menos em termos do cromossomo Y, a redundância parece ser um traço masculino essencial. Isto é, em genética, a repetição é um importante aspecto da masculinidade. Em outras palavras, os homens, pelo menos no que diz respeito aos genes do cromossomo Y, muitas vezes se repetem. Vejamos, de que outra forma eu poderia repetir isto?

Agora que o perfil genético do cromossomo Y está bem conhecido, não parece que ele contenha nenhum gene que afete diretamente a inteligência e o senso comum (a não ser que você esteja falando da distração típica dos adolescentes em virtude dos hormônios da puberdade). Então os genes dos Simpsons não poderiam ser encontrados no cromossomo Y e não poderiam ser ligados apenas aos homens. Infelizmente, se um tal gene existisse, ele não poderia ser transmitido exclusivamente de homem para homem, e, portanto, Lisa não teria nenhum garantia de escapar de seus efeitos.

É possível, contudo, que esse gene estivesse no cromossomo X, uma situação chamada de "ligada ao sexo". Ironicamente, um traço ligado ao sexo, embora associado a um gene de cromossomo X, poderia aparecer mais comumente em homens, se o alelo causal fosse recessivo. É por isso que para as mulheres há uma escolha entre dois diferentes cromossomos X, mas para os homens só há uma possibilidade. Daí, alelos recessivos em um cromossomo X masculino geralmente se manifestam.

Um filho recebe seu cromossomo X exclusivamente da mãe. Portanto, se ele herda um traço ligado ao sexo, ele deve ter vindo do lado materno. Qualquer traço ligado ao sexo que Bart tenha adquirido, por exemplo, deverá ter sido uma contribuição genética de Marge, e não de Homer. Da mesma forma, a calvície de Homer, uma característica ligada ao sexo, pode ser creditada a um gene recessivo passado mais provavelmente por sua mãe, Mona, que por seu pai, Abe.

Há uma conhecida característica ligada ao sexo relacionada a aspectos da inteligência – uma condição hereditária denominada *síndrome do cromossomo X frágil*, chamada assim por causa de uma perceptível falha ou região frágil no cromossomo X. Essa síndrome se deve a alterações em um gene denominado FMR1, as quais o impedem de produzir uma proteína chamada FMRP,* ou proteína frágil de retardo mental. Uma determinada sequência tripla de bases no gene FMR1 – citosina-guanina-guanina (CGG) – é normalmente repetida 30 vezes. Para alguns indivíduos, ocorre uma alteração denominada pré-mutação que aumenta significativamente o número de repetições triplas até 200 vezes. Alguns pesquisadores acreditam que uma pré-mutação do FMR1 poderia levar a sutis déficits nas áreas do intelecto ou do comportamento. Se alguém com uma versão pré-mutada do FMR1 tem um filho, sua descendência tem uma chance aumentada de herdar aquele gene na forma completamente alterada. Naquela versão, a sequência CGG é repetida mais de 200 vezes, normalmente deflagrando o processo que impede a produção do FMRP e conduz à síndrome do cromossomo X frágil. A síndrome tem sido associada a uma série de efeitos, incluindo dificuldades cognitivas e de aprendizado, bem como alterações na aparência física que emergem durante a idade adulta. À parte a

* Sigla em inglês para "Fragile X Mental Retardation Protein" (N. do T.).

síndrome de Down, uma perturbação não relacionada a uma desordem cromossômica, os cientistas acreditam que a síndrome do cromossomo X frágil é a causa mais importante da deficiência mental. E como é ligada ao sexo, a síndrome do cromossomo X frágil afeta muito mais os homens que as mulheres.

Nem todas as características herdadas que afetam homens e mulheres de forma diferente são ligadas ao sexo. Algumas vezes, os genes localizados em autossomos (cromossomos não sexuais) respondem diferentemente à bioquímica masculina ou feminina e produzem traços distintos. Nessa situação, os traços são chamados de influenciados pelo sexo. Daí é possível que um gene dos Simpsons pudesse ser influenciado pelo sexo, mais que ligado ao sexo. Nesse caso, tanto Bart quanto Lisa podem tê-lo herdado de Homer, e talvez suas bioquímicas dessemelhantes provocassem diferentes respostas de cada um.

A inteligência representa um conjunto muito complexo de habilidades que se diferenciam de indivíduo para indivíduo. Os pesquisadores não concordam sobre todos os componentes da inteligência, para não mencionar qual gene exatamente a controla. Também não é claro o quanto ela depende da natureza ou da criação. Certas condições que se relacionam a habilidades cognitivas, como o cromossomo X frágil, já foram mapeadas, contudo a pesquisa genética ainda tem um longo caminho pela frente antes de ser capaz de explicar por que membros de uma família, como os Simpsons, agem de maneira tão divergente.

A vida tem muitos mistérios, e o conjunto preciso de fatores que influenciam o comportamento errático de Homer parece ser um deles. Ele é um enigma envolto em calças azuis com *stretch*. Mesmo o Projeto Genoma Humano não consegue revelar por que o *Homer sapiens* (como talvez ele pudesse ser classificado) muitas vezes age por motivações tão bizarras. Como poderíamos explicar, por exemplo, a ocasião em que Homer tentou comercializar um híbrido de tomate e tabaco produzido por radiação?

2

Você diz tomate, eu digo tomaco

Alguns conceitos necessitam de tempo para amadurecer, até que floresçam com resultados deliciosos. Outras noções simplesmente apodrecem nos galhos. É difícil dizer onde se encaixa a idéia de combinar tomates com tabaco – é um provocante desafio ao campo da botânica ou apenas uma bobagem gritante?

Tomates frescos são alimentos extremamente nutritivos, plenos de vitamina C e antioxidantes. Alguns estudos mostram que eles podem diminuir o risco de certos tipos de câncer. O tabaco, ao contrário, é cheio de substâncias carcinogênicas conhecidas. Ler as advertências nas embalagens de cigarro é suficiente para provocar traumas. Com relação à saúde, as duas plantas não poderiam ser mais distintas.

Contudo, no episódio "Homer, o Fazendeiro",* Homer consegue encontrar um terreno comum entre as duas espécies. É um caso curioso de solo fértil transformado em cinzas, poeira transformada em rapé, quando os Simpsons se mudam para a velha fazenda de Vovô e tentam estabelecer-se como agricultores. De início, Homer não demonstra ter uma boa mão – nada que ele semeia brota –, até que decide utilizar a substância que fez o

* No original, "E-I-E-I-(*Annoyed Grunt*)". A expressão *annoyed grunt* é usada para designar o som familiar de exasperação de Homer, "d'oh", nos títulos de episódios de *Os Simpsons* (N. do T.).

*Amazing Colossal Man** atingir alturas recordes. Seu ingrediente secreto não faz apenas seu dedo ficar verde, mas também brilhar – é o plutônio despachado para ele por Lenny. Logo a fazenda é agraciada com uma produção vigorosa do que parecem ser tomates. Bem, talvez *vigorosa*** não seja a palavra adequada, já que ao ser fatiado o tomate revela um interior marrom, amargo e provoca dependência por causa de perigosas doses de nicotina.

Percebendo que a dependência gerada pela planta tem um certo potencial comercial, Homer nomeia a planta de "tomaco" e instala um quiosque na beira da estrada. Servidos rapidamente, alqueires do produto nuclear são vendidos como panquecas – ou talvez devêssemos dizer *yellowcake*.*** Todo mundo que passa pelo quiosque quer provar uma amostra, até mesmo Ralph Wiggum, o estudante limítrofe, que afirma que "o sabor é de comida da vovó". Assim que os clientes provam uma amostra, a nicotina entra em cena, e eles pedem mais e mais.

Logo a companhia de tabaco Laramie (uma empresa fictícia mencionada em vários episódios) interessa-se em promover a venda do produto de Homer, principalmente porque é permitido por lei vender tomacos às crianças, mas não tabaco. A companhia tenta negociar um contrato de US$ 150 milhões, mas Homer exige absurdos US$ 150 bilhões. A Laramie recua e depois tenta sem sucesso roubar uma das plantas. No final, toda a lavoura de tomaco é devorada pelos animais da fazenda, viciados em nicotina, deixando Homer sem nada para comprovar seus esforços na área agrícola.

Embora o tomaco tenha, desde então, desaparecido da série, ele surpreendentemente invadiu o mundo real, um caso de vida imitando a arte. Inspirado pelo episódio, Rob Baur, um analista de operações de uma estação de tratamento de água do Estado do Oregon, plantou e colheu tomates com algumas das características do tabaco, incluindo um traço de nicotina. A enxertia, o método que ele usou, é uma maneira bastante testada para produzir híbridos e que não tem nada a ver com a abordagem de Homer.

---

* Referência ao protagonista do filme norte-americano de mesmo nome, de 1957 (dirigido por Bert I.Gordon). O *Amazing Colossal Man* é um mutante, resultado de um acidente nuclear que o tornou gigante (N. do E.).

** O autor faz um trocadilho com o adjetivo *healthy*, saudável (N. do T.).

*** Trocadilho entre *hotcakes*, panquecas, e *yellowcake*, nome do óxido de urânio processado (N. do T.).

Como qualquer biólogo reconheceria, fertilizar plantas com plutônio não as faria assumir as características de outras. O plutônio é uma substância radioativa perigosa, tóxica mesmo em quantidades mínimas. Ele não existe de forma natural, e é produzido e armazenado em condições extremamente rigorosas.

A exposição à radiação nuclear pode destruir células e provocar câncer, além de gerar mutações – alterações no material genético de uma célula ou grupo de células. Se essas alterações ocorrem nas células reprodutivas, podem passar para os descendentes e se manifestar como alterações nas funções ou na aparência.

A maior parte das mutações é causada pela cópia genética de erros durante o processo da divisão celular. Algumas mutações derivam da radiação (normalmente de fontes radioativas naturais), de agentes químicos (chamados de mutagênicos), de vírus e de outras fontes. A natureza construiu várias barragens para bloquear os resultados de mutações não favoráveis; o corpo tem mecanismos de conserto muito efetivos para reparar danos genéticos. Além disso, como os cromossomos são em pares, o organismo tem duas cópias de cada gene. Como já vimos, o próprio cromossomo Y tem diversas cópias sobressalentes de seus genes principais. Presumindo-se que uma mutação seja recessiva, um organismo vai favorecer a versão mais saudável do gene durante a reprodução. Se, ao contrário, a mutação é dominante e perigosa, em geral ela é eliminada rapidamente do conjunto de genes. Algumas mutações não fazem absolutamente nenhuma diferença. Em ocasiões extremamente raras, uma mutação acaba sendo benéfica, dando aos descendentes características que favorecem a sobrevivência e, consequentemente, a reprodução. Por exemplo, uma mutação poderia oferecer grande resistência a uma doença fatal. Pelo processo de seleção natural de Darwin, as alterações úteis predominam com o passar do tempo e levam à evolução de novas espécies.

Expor sementes de tomate ao plutônio seria uma maneira extremamente improvável de criar uma safra de híbridos. A chance de o material genético de muitas sementes diferentes se alterar sempre da forma certa para gerar características do tabaco, como a nicotina, seria ínfima. E a radiação não pode tirar genes de uma planta para inseri-los em outra. Essa modificação genética precisaria ser desenvolvida em uma situação muito mais controlada.

A modificação genética de safras tornou-se, nos últimos anos, um tema controverso, ao migrar das fazendas para o laboratório. Os fazendeiros utilizaram técnicas de polinização cruzada durante mais de um século para desenvolver plantas com mais resistência a pragas ou com propriedades mais favoráveis – por exemplo, transferindo genes do centeio para cromossomos do trigo. Com a introdução de métodos da genética molecular, a modificação ficou muito mais precisa e, portanto, diminuiu o temor da criação de novas variações danosas. Alimentos com ingredientes geneticamente modificados passaram a ser conhecidos informalmente como *Frankenfoods*.

A enxertia, técnica que Baur usou para produzir o tomaco, é outro método tradicional da horticultura para misturar propriedades de plantas, que antecede muito a genética molecular. Envolve cortar e unir a parte inferior de uma planta, incluindo suas raízes, com o caule, flores, folhas ou frutos de uma outra. Depois que os cortes são feitos, as duas plantas são cuidadosamente unidas de maneira que permita a livre passagem de água e nutrientes. Elas são, então, mantidas no lugar até que o crescimento ocorra e se transformem em uma única planta. O resultado é a combinação conhecida como enxerto quimera ou enxerto híbrido.

Para que a enxertia tenha sucesso, as duas espécies originais precisam fazer um bom casamento. Baur percebeu que tomate e tabaco, pertencentes à mesma família de plantas, tinham compatibilidade suficiente. Ele se lembrou de um estudo feito em 1959, no qual os pesquisadores relataram o cruzamento com sucesso de duas espécies, e imaginou se os roteiristas de *Os Simpsons* não tinham lido o mesmo trabalho. Então, enxertou um tomateiro nas raízes de uma planta de fumo.

A experiência de Baur gerou fruto – um só, de início. Quando o fruto foi testado, ele não tinha nenhuma nicotina que pudesse ser detectada. As folhas também foram testadas e revelaram conter alguma nicotina. Então, a planta de tomaco preencheu os requisitos de um verdadeiro híbrido por enxertia; tinha algumas características das duas espécies. Baur não pôs o produto à venda, portanto não espere encontrar adesivos de *ketchup* com sabor de nicotina na farmácia mais próxima.

Como anos de experiências demonstraram, a engenharia genética, a enxertia e outras técnicas hortícolas parecem ser imensamente mais efetivas que a radiação para a produção de plantas híbridas. E quanto ao reino animal? A radiação poderia produzir anomalias zoológicas como o peixe de três olhos? Vamos dar um mergulho nas "águas puras" de Springfield e ver o que descobrimos.

3

Blinky, o peixe de três olhos

Desde o início da civilização a água tem múltiplos usos, desde aplacar nossa sede até lavar nossa sujeira. A Revolução Industrial acrescentou aplicações como fornecer vapor a máquinas e impedir seu superaquecimento. Também gerou novas formas de poluição que devastaram muitos regatos e rios durante séculos, inspirando a lírica descrição do compositor Tom Lehrer, de 1960, sobre escovar os dentes e enxaguá-los com "resíduos industriais".[1]

Em 1969, o rio Cuyahoga, que atravessa Cleveland, no Estado de Ohio, "pegou fogo", possivelmente por causa da ignição de uma trilha de óleo em sua superfície. O fogo ardeu por 30 minutos, até ser apagado. O incidente despertou a indignação da população contra a poluição da água. Um artigo publicado na revista *Time* descreveu as horripilantes condições do Cuyahoga: "Nenhuma vida visível. Que rio! Da cor de chocolate escuro, oleoso, borbulhando com gases abaixo da superfície, ele mais escorre do que corre".[2]

A indignação pública provocada pelo fogo no Cuyahoga e por outros exemplos da poluição industrial se transformou em manifestações a favor de reformas ambientais, inspirando a criação da Agência de Proteção Ambiental dos Estados Unidos, em 1970, e a aprovação do *Clean Water Act* [Lei da Água Limpa], em 1972, bem como outras medidas relacionadas ao longo dos anos. Em muitos lugares, isso resultou em uma representativa melhoria da qualidade da água. Embora em nenhuma área urbana seja aconselhável beber água diretamente do rio, pelo menos muitos peixes (ou, como Homer os chama, "espetos de peixe não processados") voltaram a nadar e a se divertir.

Por causa do sucesso do *Clean Water Act*, é chocante constatar que há ainda industriais míopes que tentam burlar as regulamentações. Trancados em luxuosas mansões, bem servidos de água pura de fontes remotas nas montanhas, com cães ferozes para protegê-los de invasores sedentos, eles cacarejam maldosamente ao ler nos jornais notícias sobre ambientalistas insatisfeitos. Para eles, o tilintar das moedas é mais melodioso que as risadas das crianças brincando em borbulhantes águas puras.

C. Montgomery Burns, o chefe de Homer, seria um tipo desses? Pergunte a seu intimidado assistente, Wayland Smithers, e você não vai ouvir nada que sugira isso. Escrutine-o com olhos bisbilhoteiros. Em vão. Contudo, episódios como "O Peixe de Três Olhos" pintam uma história mais sinistra.

No começo daquele episódio, Lisa e Bart estão pescando no rio abaixo da usina nuclear de Springfield e conseguem fisgar um peixe de aspecto bizarro, com três olhos. Observando o animal, Dave Sutton, um repórter investigativo em busca de uma boa história, descobre, como os britânicos, que peixe e jornal fazem uma combinação vencedora, e não só quando o peixe está embrulhado no jornal. Sutton denuncia a poluição provocada pela usina, o que leva os inspetores nucleares até Springfield pela primeira vez em décadas. Eles descobrem práticas abomináveis, como o uso de cola para fechar uma rachadura em uma torre de resfriamento e uma vareta de plutônio utilizada como peso de papel. Burns tenta subornar os inspetores, mas eles são honestos. Então, ele decide que a melhor coisa a fazer é concorrer ao cargo de governador.

Candidatos a cargos públicos precisam evitar chamar a atenção para suas fraquezas, muitas vezes fazendo incidir sobre elas a melhor luz. Para Burns, sua principal desvantagem tem cheiro de peixe e três olhos brilhantes. Ele precisa desesperadamente retirá-lo das páginas dos tablóides e mostrá-lo como um troféu. Então, lança uma astuta campanha, protagonizada por um ator que personifica Charles Darwin, um peixe de três olhos chamado Blinky em um aquário e ele próprio. Na TV, Burns pergunta a Darwin sobre sua teoria da seleção natural. Baseado na explicação, Burns garante que Blinky tem uma vantagem evolutiva sobre os outros peixes; na verdade, ele é um "superpeixe". A campanha dá resultado e coloca Burns na dianteira da disputa.

Darwin e Burns falham em ressaltar para sua ávida audiência que a seleção natural exige que as variedades de sucesso mantenham uma vantagem sobre as outras em termos de sobrevivência e reprodução. Essa vantagem normalmente leva várias gerações para se estabelecer. Se Burns fosse escrupuloso, teria examinado os peixes de três olhos durante um tempo, para ver se sua característica ocular lhe permitiria evitar os predadores, identificar mais rapidamente fontes de alimento, proteger seus ovos (o que somente alguns tipos de peixe fazem) e assim por diante. Se eles não fazem isso, então os exemplares com essa variação terão sua população reduzida com o tempo e serão ultrapassados por peixes mais convencionais.

Burns afirma no comercial que os peixes de três olhos são mais saborosos. Se esse fosse o caso, os humanos poderiam aumentar a população dessa variedade criando-a em cativeiro, dando-lhe uma vantagem artificial sobre tipos menos apetitosos. Contudo, a afirmação de Burns é colocada em xeque quando ele é convidado para jantar na residência dos Simpsons; Marge lhe serve um peixe de três olhos e ele o cospe. A mídia publica fotos do óbvio nojo de Burns e faz sua campanha ir por água abaixo.

No mundo além de Springfield, peixes de três olhos raramente aparecem nos jornais. Talvez alguns se lembrem do hadoque de três olhos, de 1927, mostrado no suplemento em rotogravura do *New York Times* no dia 16 de outubro daquele ano. A foto tinha a seguinte legenda: "O mais estranho peixe do mar (...) um hadoque pescado na costa de Boston, que se verificou ter três olhos, o terceiro no meio da cabeça".[3]

O dr. E. W. Gudger, do Museu Americano de História Natural, viu a foto, leu um anúncio anterior no *New York Herald Tribune* e achou que aquilo era história de pescador. Aprofundando sua investigação, ele pediu outras fotos ao *Times* que as forneceu. As imagens adicionais mostraram um hadoque com um terceiro olho semelhante aos outros dois, embora um pouco mais atrás na cabeça. Quando Gudger tentou ver o peixe, contudo, não teve sucesso. Aparentemente ele tinha sido comprado por um colecionador.

Gudger se lembrava de pouquíssimos casos de peixes de três olhos. Os que tinham sido examinados por cientistas se revelaram embriões malformados ou embustes muito bem-feitos. No primeiro caso, eles eram "monstros de duas cabeças", essencialmente gêmeos ligados em que o terceiro olho era compartilhado pelas duas cabeças. Ele não conseguiu encontrar nenhum caso de embriões de três olhos que sobreviveram até a idade adulta.

Quanto às fraudes, em 1910, o professor Alexander Meek desmascarou uma em Northumberland, Inglaterra. Tratava-se de um peixe de três olhos encontrado no mercado de North Shields. Meek descobriu a fraude quando um exemplar foi encaminhado a ele para exame e, após a dissecação, ele verificou que o terceiro olho estava completamente separado dos outros dois, como se tivesse sido inserido na cabeça. Ele afirmou em seu relatório:

> Percebi um pequeno corte transversal, não completamente visível, atrás do terceiro olho, e mesmo assim fiquei surpreso ao descobrir que o terceiro olho em questão estava muito solto na cavidade atrás do olho direito normal. Ele não estava ligado a nada dentro da cabeça.[4]

Estranhamente, vários dias depois da dissecação de Meek, um homem o procurou para saber se alguém já tinha pescado um peixe de três olhos. Quando Meek lhe contou sobre a fraude, o homem perdeu o controle e confessou que havia planejado tudo. Ele tinha aprendido como abrir um peixe, inserir um olho extra e fechar tudo tão cuidadosamente que nem um experiente pescador perceberia algo errado. Havia espalhado algumas dessas fraudes no mercado de North Shields, aparentemente com a intenção de ver se alguém perceberia.

De maneira curiosa, tudo isso aconteceu apenas dois anos antes de uma fraude muito mais famosa, a escavação de um falso "Homem de Piltdown". Da mesma forma que o peixe de três olhos de Northumberland, o Homem de Piltdown foi planejado com o objetivo de fazer os cientistas pensarem que tinham encontrado um novo tipo de criatura. A fraude aconteceu em uma época em que os paleontólogos estavam envolvidos em uma intensa procura pelo "elo perdido": o imediato precursor do *Homo sapiens,* mas com algumas características dos símios. Imaginavam que variações desse ser, por mutação ou outro meio, foram prevalentes através dos anos e evoluíram para os seres humanos modernos, de cérebro grande e completamente eretos. (Veja o comportamento de Homer no tribunal no episódio "The Monkey Suit" para uma vaga idéia sobre como este elo perdido poderia ter sido.)

Em 1912, Charles Dawson descobriu o primeiro de dois crânios de Piltdown em uma pedreira em Sussex, Inglaterra. Com uma testa semelhante à humana, mas uma mandíbula rudimentar como a de um macaco, o achado parecia feito sob medida para completar o registro da evolução humana. Todavia, especialistas descobriram, no final dos anos 1940 e depois, que o crânio tinha, na verdade, menos de 150 anos de idade na época do achado, e claramente havia sido colocado lá por alguém. Historiadores apontaram vários possíveis responsáveis, sendo Dawson (que morreu em 1916) o mais forte suspeito. Felizmente, o mutilador de peixes de Northumberland confessou, do contrário os especialistas poderiam estar especulando sobre o caso até hoje.

O sujeito que suturou o hadoque de três olhos examinado por Gudger, porém, nunca se identificou. Contudo, em 1928, Gudger encontrou um relato feito por um pescador experiente (de algum modo lembrando o personagem náutico de *Os Simpsons*, o Sea Captain) que pareceu confirmar suas suspeitas. O pescador contou sobre

> um velho companheiro (que) era extremamente hábil em fazer incisões realmente muito capaz com uma faca. Bem, ele estava trabalhando na cabeça de um hadoque, com muito cuidado, tirou um olho de peixe do bolso e o enfiou no buraco, com maestria e perícia. Sem dizer uma palavra, colocou o peixe de três olhos de volta junto dos outros peixes e, no dia seguinte, as pessoas vinham de grandes distâncias para ver a última maravilha do mundo: o hadoque de três olhos.[5]

Desde a época de Meek e Gudger não existem muitos escritos sobre peixes de três olhos, exceto por referências culturais a Blinky e especulações sobre deformidades provocadas por radiação nuclear. Como a dra. Anne Marie Todd, da San Jose State University, apontou, Blinky serve como uma lembrança visual do choque entre a polêmica oficial e os fatos ambientais, mesmo que peixes de três olhos realmente não nadem nos rios perto de usinas. Todd observou:

> Esse episódio condena a manipulação do poder político e econômico para esquivar-se da responsabilidade ecológica e transferir a culpa por problemas ambientais. A série comenta a falta de comprometimento com os padrões de segurança e critica a aceitação indiferente de inspeções ambientais não obrigatórias. Enfim, esse episódio criti-

ca explicitamente os manipuladores da informação que distorcem os impactos da degradação ecológica provocada por empresas ricas como a usina nuclear.[6]

Na verdade, quando o público se depara com temas referentes à energia nuclear, o debate geralmente se volta para a possibilidade de mutações que provocam deformidades. Imagens de animais com três olhos e cabeças múltiplas são impressionantes. Há evidências, contudo, que parecem indicar que esse foco erra o alvo. Embora haja muitas questões sérias sobre a energia nuclear – incluindo os custos envolvidos na construção e na desativação das usinas, o problema do descarte dos dejetos nucleares e o perigo de materiais passíveis de fissão caírem em mãos de grupos terroristas –, não tem havido nenhum aumento estatístico de anomalias herdadas nas proximidades de usinas nucleares em funcionamento. O desastre de Chernobyl, na Ucrânia, em 1986, o pior da história da indústria nuclear em todo o mundo, é um caso diferente, por ter provocado prejuízos incalculáveis à saúde das pessoas e ao meio ambiente da região. Ele teve maior impacto que o incêndio de Winscale, na Inglaterra, e o acidente em Three Mile Island, nos Estados Unidos – os dois acidentes nucleares anteriores mais conhecidos.

O projeto de Chernobyl era particularmente ruim, com o núcleo de cada um de seus quatro reatores composto de grafita, um material inflamável, e com um sistema de *backup* inadequado no caso de incêndio. Cada estrutura de grafita era cheia de fendas que abrigavam os elementos nucleares de combustível que acionavam os reatores. Como acontece em todos os reatores comerciais, esses elementos produziam energia pelo processo de fissão, que deve ser cuidadosamente controlado em uma usina nuclear. Contudo, em Chernobyl, a falta de salvaguardas adequadas levou a um incêndio e à liberação de materiais radioativos danosos.

Fissão é a divisão de um núcleo atômico pesado: os conjuntos de prótons (partículas carregadas positivamente) e de nêutrons (partículas neutras) que constituem os núcleos dos átomos. Quando um material físsil como o urânio 235 é bombardeado com nêutrons relativamente lentos, cada núcleo se divide em vários fragmentos, produzindo energia e mais nêutrons no processo. Esses nêutrons, por sua vez, produzem mais materiais físseis que se dividem, provocando uma reação em cadeia. Os subprodutos são vários isótopos (variações de elementos com diferentes números de nêutrons), alguns dos quais são radioativos. Enquanto o reator está funcionando, uma parte do calor produzido gera vapor, que aciona uma turbina para a geração de eletricidade. Essa eletricidade pode suprir comunidades com uma fonte estável de energia.

Normalmente, hastes de controle colocadas entre as hastes de combustível modulam o processo absorvendo os nêutrons. Abaixar e levantar essas hastes conforme a necessidade, garante que o reator funcione eficientemente e não saia dos limites. Um resfriador (água fria) banha as hastes, evitando que elas fiquem muito quentes. No caso do desastre de Chernobyl, contudo, demasiadas hastes de controle foram removidas do núcleo de um dos reatores em uma hora em que havia muito pouco resfriador. A água que havia virou vapor, e a temperatura do núcleo começou a subir, fora de controle. Enorme pressão estabeleceu-se do lado de dentro, e a parte superior do reator se deslocou, permitindo que o ar entrasse na câmara. Diferentemente de reatores em outras partes do mundo, ele não era equipado com um vaso de pressão de contenção. A grafita quente, misturada ao oxigênio, gerou monóxido de carbono e pegou fogo. Rolos de fumaça radioativa, contendo produtos físseis e dejetos, espalharam-se pela comunidade, contaminando fazendas e cidades por centenas de quilômetros. Embora o reator tivesse sido desligado, enchido de nitrogênio líquido para ser resfriado, coberto com areia para apagar o fogo e mais tarde envolvido por grossas paredes de concreto, um dano horrendo já havia ocorrido.

Quando material radiativo é espalhado por uma ampla região, ele pode aumentar o número de casos de câncer e provocar morte de células e mutações muito além do esperado em virtude dos níveis de radiação natural e outras causas. Especialistas estimam que Chernobyl provocou milhares de mortes por câncer, envenenamento por radiação e outros efeitos. O *Guardian* noticiou em 2001 que a taxa de mutação para os filhos dos trabalhadores que ajudaram a limpar o local era 600% o maior que a normal. Esse número foi determinado por testes genéticos, não pelo levantamento dos sintomas, porque as alterações no DNA não foram suficientes para produzir deformidades, pelo menos por uma geração. Então, mesmo uma tragédia da magnitude de Chernobyl, que causou tantas mortes, não criou anomalias como malformações nas pessoas ou peixes de três olhos.

O temor da repetição de uma tal calamidade é uma razão pela qual a segurança nuclear continuou a ser uma grande preocupação pública. O meio ambiente mundial não pode agüentar um outro Chernobyl. Portanto, ainda que casos semelhantes a Blinky não sejam vistos na natureza, mesmo nas águas perto dos reatores, sua imagem grotesca capta muito bem nosso mais profundo temor dos perigos nucleares.

As preocupações atuais quanto aos perigos da radiação mostram como mudou nossa atitude: um século atrás, ela era vista como uma panacéia. Quando Burns apregoa os benefícios da radiação, sua mensagem é uma volta àqueles dias em que o rádio, um elemento naturalmente radiativo, era mal manuseado em virtude da ignorância sobre seus perigos. Ele chegava a ser considerado um "tônico para a saúde", que supostamente dava a seus usuários mais vitalidade e um "brilho saudável". Realmente Burns tem esse brilho, mas se ele é saudável ou não é outra história.

4

O brilho radiante de Burns

Toda grande cidade tem estabelecimentos famosos com iguarias e bebidas, para onde os intelectuais mais proeminentes convergem. Nova York tem o legendário Algonquin, com sua lendária Round Table. Viena tem seus Café Central, Café Sacher e inúmeros outros cafés, onde filósofos argumentam, discutem, replicam e comem tortas. Paris tem uma gama que vai do grã-fino Maxim's a pequenos bistrôs. Embora não se inclua na mesma turma de Nova York, Viena e Paris (e, de acordo com seus residentes mais esnobes, nem na da vizinha Shelbyville), Springfield pode ostentar sua Taverna do Moe, espartana, mas confortável, que serve a gelada e refrescante cerveja Duff.

Da mesma forma que nos dias de George Bernard Shaw e Oscar Wilde, a brincadeira espirituosa na Taverna (*bons mots*, talvez) é sempre precedida por alguns drinques. E quanto mais inspirado o indivíduo, mais incomum é o drinque. No episódio "Arquivo S", Homer decide ser bem criativo e tentar uma nova formulação chamada "Red Thick Beer" [Cerveja Espessa e Vermelha]. Logo seu nível de embriaguez, se não de criatividade, atinge as proporções de um Ernest Hemingway. Um teste com um bafômetro confirma isso, e Moe insiste que Homer vá para casa.

Pelo menos um dos caminhos da Taverna do Moe até a residência dos Simpsons serpenteia por uma floresta fechada e escura. Homer, em seu estado de embriaguez, decide tomar esse caminho. No meio da mata, ele vê a distância o que parece ser um alienígena verde, de formato estranho e olhos brilhantes arregalados. Naturalmente, Homer fica aterrorizado. Quando o ser tenta tranquilizá-lo com uma voz suave, Homer grita e sai correndo. Em casa, fica aborrecido porque ninguém acredita que ele encontrou um alienígena. Sua embriaguez na hora da visão torna a história ainda menos crível. Quem em Springfield confiaria nele o suficiente para ajudá-lo a fazer uma investigação? Ou a ajuda de que ele necessita poderia vir de algum lugar além?

Esse episódio é o que no jargão televisivo é chamado de *crossover*. O termo tem vários significados. Em biologia, o *crossover* ocorre durante o processo de divisão celular, quando cada um de dois pares de cromossomos, um de cada pai, se divide em um ponto determinado e troca pedaços de material genético. Isso estimula o conjunto de alelos (formas diferentes do mesmo gene), criando a possibilidade de uma nova combinação de traços. Ao lado da mutação, essa é uma das principais formas de variação biológica – alterações que podem ser neutras, negativas ou positivas. No melhor cenário, a mistura produz novas características que aumentam a adequação ambiental do indivíduo. Variações favoráveis, em longo prazo, promovem o processo de evolução. Na televisão, porém, o *crossover* ocorre quando personagens de uma série aparecem em outra, normalmente dentro da mesma rede. Muitas vezes, essa estratégia produz novas tramas que aumentam a audiência da série.

O *crossover*, neste caso, envolve Mulder e Scully, os brilhantes investigadores paranormais e agentes do FBI de *Arquivo X*, a popular série dos anos 1990, interpretados por David Duchovny e Gillian Anderson. Sabendo do ocorrido com Homer, eles visitam sua casa e tentam desvendar o mistério. Homer os conduz até a mata onde viu o ser resplandecente. De repente, alguém emerge das moitas. É Vovô, que estava perdido por lá havia dias. Irritada, Scully vai embora; Mulder também vai, depois de fazer um longo discurso sobre os mistérios do universo.

Só depois de uma nova visita à floresta, dessa vez sem a ajuda dos agentes do FBI, Homer e os habitantes de Springfield descobrem a verdade. Eles têm a companhia de Leonard Nimoy, ator que interpretava o vulcano Spock na série *Jornada nas Estrelas* (é ele mesmo quem dubla). Nimoy também está ansioso para explicar o inexplicável. Quando a criatura reaparece, transmitindo uma mensagem de amor, Lisa a ilumina com uma lanterna. Eles descobrem que o "alienígena" é, na verdade, sr. Burns, o qual vinha recebendo um tratamento médico que afetou sua aparência e seu comportamento. Gotas de colírio dilataram suas pupilas, tratamentos quiropráticos alteraram sua postura, um procedimento nas cordas vocais modificou sua voz, e analgésicos aumentaram artificialmente sua disposição. A razão pela qual o tratamento parece tão bizarro é que seu médico é o consumado charlatão dr. Nick Rivera.

E a sinistra luminescência? Burns explica que trabalhar toda a vida em uma usina nuclear lhe deu um "um brilho verde saudável". Por uma razão não explicada na série, o brilho aparece apenas nas excursões noturnas na mata depois do tratamento médico.

Na história do charlatanismo, tem havido muitas relações como essa entre Burns e o dr. Nick. A riqueza atrai os charlatães como a carne fresca atrai os lobos. Um dos mais notórios exemplos de um charlatão que explorou um empresário diz respeito a um "tônico para a saúde" com uma infusão de rádio. O único benefício do incidente foi uma divulgação pública maior sobre os perigosos efeitos da radiação.

O rádio, elemento de número 88 na tabela periódica, foi quimicamente identificado no final dos anos 1890 por Marie e Pierre Curie, em um laboratório de Paris. Sua identificação é parte de uma série de importantes descobertas da época, relacionadas às propriedades da radioatividade. Em 1895, o físico alemão Wilhelm Roentgen descobriu emissões invisíveis, chamadas raios X, achado que desempenhou um papel essencial na obtenção de imagens da estrutura óssea do corpo humano. No ano seguinte, o físico francês Antoine Henri Becquerel descobriu que sais de urânio emitiam raios invisíveis que podiam imprimir painéis fotográficos recobertos. Assim, o urânio se tornou a primeira substância radiativa conhecida. Hoje sabemos que materiais radiativos emitem principalmente três diferentes tipos de radiação: partículas alfa, também conhecidas como os átomos do núcleo do hélio; partículas beta, ou elétrons; e raios gama, luz invisível com alta energia. Para entender a causa das emissões pelos sais de urânio, Marie e Pierre Curie fizeram uma intensa pesquisa, que culminou com o isolamento de dois elementos em 1898: o polônio (em homenagem à Polônia, país de Marie) e o rádio. Eles descobriram que ambos os elementos são extremamente radiativos.

Estimulada pelas propriedades da radiação invisível, uma espécie de "radiomania" varreu o mundo. Marie Curie tomou como missão pessoal encontrar uma utilidade para o rádio no diagnóstico e tratamento de doenças. Pacientes com tumores ficaram muito satisfeitos ao ver que uma aplicação de rádio poderia ajudar a encolher os tumores. Hoje, a terapia com radiação, sob condições muito mais controladas, ainda é usada para reduzir tumores cancerígenos, especialmente quando a remoção cirúrgica e outras formas de tratamento são impossíveis.

No começo do século XX, contudo, ninguém tinha idéia dos enormes perigos do envenenamento pelo rádio. Na esperança de rejuvenescimento, pessoas ingênuas se banhavam em rádio nos *spas* especializados e bebiam tônicos com esse elemento químico. Minérios radioativos eram extraídos com pouquíssima precaução. Tudo isso chegou a um fim, porém, com a publicidade que cercou a horrível morte de uma proeminente figura, vítima de um "remédio" fraudulento.

Eben Byers era uma usina de força física e um gigante industrial. Atleta excepcional com uma forte constituição, aos 26 anos venceu o campeonato de golfe amador dos Estados Unidos de 1906. Durante os anos 1910 e 1920, foi um *socialite* muito conhecido e um magnata da indústria do ferro, presidente da AM Byers Iron Foundry e dono de mansões em Nova York, Pittsburgh, Carolina do Sul e Rhode Island. Quando os jornais noticiaram, em março de 1932, seu falecimento prematuro provocado por envenenamento com rádio e revelaram a horrível condição de sua morte, não apenas os amigos e membros da família ficaram chocados, mas também o público em geral. Roger Macklis, um especialista em câncer causado por radiação e por remédios fraudulentos, descreveu:

> Quando Byers morreu, seu corpo encolhido era quase irreconhecível para os amigos que o conheceram quando era um robusto atleta que atraía as mulheres. Ele pesava apenas 50 quilos. Seu rosto, outrora jovem e escancaradamente bonito, emoldurado por cabelos negros sempre com brilhantina e de olhos profundos, tinha sido desfigurado por uma série de cirurgias feitas como último recurso e que tinham retirado a maior parte do maxilar e do crânio, em uma vã tentativa de impedir a destruição dos ossos. A medula e os rins tinham parado de funcionar, dando a sua pele um aspecto horripilante. Embora um abscesso cerebral o tivesse feito ficar quase mudo, ele permaneceu lúcido até o fim.[1]

Quem foi o inescrupuloso "Nick Rivera" que enganou esse homem infeliz com uma falsa cura mortal? A culpa foi toda do médico charlatão William Bailey e sua poção venenosa chamada Radithor. Bailey tinha um histórico de medicações fraudulentas, incluindo um tratamento para a impotência que incluía a estricnina como agente ativo. Em 1918, foi multado por anunciar sua droga perigosa como uma panaceia, mas isso não o deteve. Então, em 1921, depois que Marie Curie completou uma viagem pelos Estados Unidos divulgando as possibilidades do rádio, Bailey ficou extremamente interessado em seu trabalho. Ele começou a investigar e a desenvolver diferentes tipos de tratamentos com rádio, incluindo pingentes radiativos que podiam ser usados em várias partes do corpo para promover um metabolismo saudável. Finalmente, fabricou seu produto líder de vendas: uma solução de extrato de rádio em água destilada. Anunciado como um tônico revigorante para os médicos de todo o país (aliado a um desconto promocional), Radithor foi um tremendo sucesso, extremamente lucrativo para seu inventor. Embora crescentes evidências indicassem que mesmo a ingestão de doses mínimas de rádio podia ser letal, Bailey insistia que seu produto era inofensivo.

Byers começou a usar Radithor em 1927, quando um médico o recomendou como tratamento para ferimentos que ele havia sofrido durante uma queda. De início, o elixir de rádio o fez sentir-se animado e vigoroso. Entusiasmado com o remédio, Byers começou a bebê-lo cada vez mais. O rádio foi absorvido por seus ossos e começou a destruí-los. Quando ele parou de usar a droga, já era tarde; o dano era irreversível.

Pouco antes de Byers morrer, um radiologista experiente o examinou e diagnosticou envenenamento por rádio. A *Federal Trade Commission* [Comissão Federal de Comércio], que já investigava Bailey por práticas fraudulentas, fechou seu negócio. Surpreendentemente, Bailey conseguiu achar caminho para novas falcatruas e sofreu apenas repercussões muito pequenas diante do grande mal que havia provocado. Contudo, o escândalo levou a exigências maiores para a regulamentação das drogas, particularmente restrições à venda de remédios radiativos.

Atualmente, os médicos tomam grande cuidado para minimizar a exposição dos pacientes a formas de radiação potencialmente danosas, a menos que sejam um componente de um tratamento essencial para a saúde deles. Mesmo a radiação em níveis pequenos passou a ser cada vez mais controlada. Embora na mídia a exposição à radiação tenha sido associada ou a horríveis deformações (peixes de três olhos) ou a impressionantes superpoderes (como na história em quadrinhos favorita de Bart, *O Homem Radioativo*, cujo protagonista adquiriu enorme força após uma explosão nuclear), a realidade envolve alterações internas invisíveis que em casos infelizes se tornam letais com o tempo.

Da mesma forma, entre todos os riscos da exposição à radiação, não podemos mencionar uma pele resplandecente. A despeito do relato de Burns, sua longa exposição a emissões nucleares não poderiam tê-lo feito brilhar como ponteiros fosforescentes de relógio no escuro, a menos que ele se pintasse da cabeça aos pés com a tinta radioativa usada pelos pintores desses relógios no início do século XX. Mas quem sabe quais outras moléstias a radiação infligiu ao empresário mais importante de Springfield, dados os terríveis padrões de segurança de sua usina?

Inquestionavelmente, Burns não está bem. Mesmo com toda sua riqueza, ele não pode adiar a decadência de seu corpo indefinidamente. Células humanas diferenciadas (especializadas) não podem se dividir para sempre; biólogos descobriram que replicações fiéis ocorrem em um número finito de vezes antes que cópias imperfeitas sejam feitas. De maneira intrigante, células-tronco (células não especializadas antes da diferenciação) e células tumorais podem se dividir indefinidamente, pelos menos em laboratório. Pesquisadores de células-tronco estão tentando entender a diferença de comportamento dessas células, e talvez aprendam a reverter o envelhecimento. Até que essa descoberta importantíssima seja feita, o número limitado de vezes que uma célula pode produzir cópias saudáveis de si mesma mostra que a vida não é infinitamente renovável.

Algum dia, talvez, como Eric Drexler sugeriu em seu original livro *Engines of Creation* [Motores da Criação], os cientistas vão usar a nanotecnologia para projetar agentes robóticos de tamanho molecular (da ordem de um nanômetro, ou um milionésimo de milímetro) capazes de vagar pelo corpo e consertar defeitos celulares. Isso poderia levar a uma dramática extensão da duração da vida.

Estes nanoagentes precisariam ser hábeis, capazes de navegar por estreitos canais e fazer julgamentos instantâneos. Até certo ponto, eles precisariam ser como versões em miniatura de fiéis operários não sindicalizados desenvolvendo tarefas árduas sob circunstâncias difíceis. Se eles pudessem ser injetados no corpo de Burns, talvez eles pudessem rejuvenescê-lo. Algum voluntário? Exxxcelente.

5

Todos nós vivemos em um submarino do tamanho de uma célula

O nível perturbador de disfuncionalidade dos Simpsons sugere que seus problemas poderiam ser reduzidos se a família passasse por um encolhimento.* Quando eles foram encolhidos, contudo, seus problemas só aumentaram.

Em "A Casa da Árvore dos Horrores XV", no episódio "In the Belly of the Boss", o mais importante cientista da cidade, o professor Frink, constrói uma "máquina de raios de encolher" a fim de reduzir uma gigantesca cápsula de vitamina (cheia de nutrientes para toda uma vida) ao tamanho convencional, de modo que o sr. Burns possa engoli-la. Mas, momentos antes de a cápsula ser miniaturizada, Maggie entra nela e é reduzida e engolida com a cápsula. Sem dúvida é uma pílula amarga para Marge e Homer ver a filha pequena dentro do estômago do patrão de Homer.

Protegida pela cápsula, Maggie tem um pouco de tempo antes de os sucos digestivos a destruírem. Portanto, Homer, Marge, Bart e Lisa decidem tentar um resgate. Ao estilo do filme *Viagem Fantástica*, de 1966, eles entram em um submarino e são reduzidos à milésima parte de um milímetro, então são injetados no corpo de Burns por Frink, e partem em busca de Maggie.

* Trocadilho intraduzível com a palavra "*shrink*", que significa tanto o verbo "encolher" quanto o substantivo "psicólogo", em linguagem coloquial (N. do E.).

Frink passa instruções detalhadas à tripulação pelo rádio, as quais Homer, em seu estilo típico, ignora completamente. Depois que Homer pressiona insensatamente todos os botões no painel de controle do submarino, este fica preso, e os Simpsons precisam ir para fora para removê-lo. Enquanto eles estão na corrente sanguínea, células brancas atacam as roupas de Maggie, mas espantosamente elas sabem exatamente quando parar antes de revelar demais. A operação para "desencalhar" o submarino dá resultado, e os Simpsons são capazes de encontrar e resgatar Maggie. Infelizmente, com a presença de Maggie, o submarino fica com excesso de peso e um dos membros da tripulação precisa ser deixado para trás. Homer é o escolhido, e os outros conseguem escapar. Quando o efeito do raio de encolher cessa, os Simpsons retornam ao tamanho normal. Homer readquire sua circunferência abdominal quando ainda dentro de Burns, transformando o par em uma espécie de hidra de duas cabeças. O episódio termina com os dois ainda unidos, cantando e dançando ao som do grande sucesso de Frank Sinatra, "I've got you under my skin". A duplicidade é suficiente para fazer arrepiar a pele.

Dos clássicos épicos de fantasia como *As Viagens de Gulliver* e *Alice no País das Maravilhas*, até comédias do cinema como *Querida, Encolhi as Crianças*, a miniaturização sempre foi um dos tópicos favoritos para especulação. A natural variação da raça humana quanto à estatura inspirou relatos ficcionais sobre gigantes colossais ou pequenos elfos. Será que as pessoas poderiam crescer tanto quanto um campanário ou se tornarem minúsculas como um dedal? Poderia haver terras desconhecidas onde Golias apanhassem reses com as mãos em concha e mastigassem 12 de cada vez? Ou, ao contrário, lugares onde seres liliputianos corressem como formigas diante da visão de uma aranha comum?

Embora seja um conceito maravilhoso, a miniaturização de pessoas seria uma tarefa extremamente difícil para a ciência. Encolher alguém ao tamanho de um minúsculo grão de poeira exigiria reduzir sua quantidade de células, tornando-as consideravelmente menores, ou comprimir o espaço dentro das moléculas e átomos que formam as células. Cada um desses passos quase certamente destruiria o indivíduo.

Por exemplo, a eliminação das células necessárias do corpo de alguém para torná-lo menor tornaria quase todos seus órgãos inoperantes. O coração precisa de uma certa quantidade de tecido muscular para funcionar adequadamente, e o cérebro requer um número mínimo de neurônios. Em doenças nas quais o cérebro diminui de tamanho, como os estágios mais avançados do Alzheimer, a pessoa perde uma grande parte de suas funções cognitivas. Mesmo essa diminuição é muito inferior à que seria necessária para miniaturizar uma pessoa. Então podemos excluir a possibilidade da eliminação de células.

Uma segunda opção seria preservar o número de células de um indivíduo, mas encolhê-las. Contudo, isso também não poderia funcionar. Encolher alguém de 1,5 metro para alguns milésimos de centímetro exigiria que cada célula humana, que normalmente tem centenas de bilhões de átomos, ficasse tão pequena que não poderia conter um único átomo. Isso porque a redução no diâmetro por um certo fator implicaria uma diminuição em volume por esse mesmo fator elevado ao cubo. Se a Terra fosse encolhida tanto assim, ela ficaria menor que uma casa, e claramente não poderia conter a mesma quantidade de material. O mesmo se aplica a células reduzidas a uma escala subatômica: elas certamente não poderiam abrigar as macromoléculas (cadeias moleculares maiores) – proteínas, material genético, carboidratos (açúcares e amido para combustível), e assim por diante – de que necessitariam para funcionar.

Em 1998, a *National Academy of Sciences* [Academia Nacional de Ciências] organizou uma conferência para examinar a crítica questão: "Qual é o menor tamanho de um organismo livre vivo?".[1] Os participantes do encontro discutiram os ingredientes mínimos para células primitivas viáveis. Quais seriam os requisitos indispensáveis para que elas se reproduzissem, mantivessem sua forma e conteúdo e realizassem os processos bioquímicos básicos que associamos à vida? O consenso foi que a menor célula viável exigiria aproximadamente de 250 a 450 genes e 100 a 300 tipos de proteína. Se a célula tivesse mil cópias de cada tipo de proteína, então seu diâmetro mínimo ficaria entre 200 e 300 nanômetros, ou milionésimos de milímetro. Note que esses parâmetros se referem à mais simples das células; as células de organismos avançados como os humanos são muito mais complexas.

Os biólogos classificam as células em três tipos básicos, baseados em seu grau de complexidade. A mais simples das células, chamada de procariótica, inclui organismos unicelulares como as bactérias e as cianobactérias (também chamadas de algas azuis). De longe o tipo mais comum, as células procarióticas são organizadas de maneira básica: primeiro, elas têm uma única molécula de DNA sob a forma de uma cadeia longa e espiralada de genes, envolvida pela densa região central da célula, chamada de nucléolo. Nada separa o nucléolo do resto da célula, permitindo um contato próximo entre a fita de DNA e os centros espalhados, chamados de ribossomos, nos quais o RNA, ou ácido ribonucléico, sintetiza aminoácidos e proteínas. Outros conteúdos essenciais incluem as próprias proteínas, os carboidratos e as gorduras. Envolvendo o interior da célula, existe uma fina camada, chamada de membrana da célula, que a protege, permitindo que seja penetrada apenas por material selecionado. Em geral, mas nem sempre, a procariótica está alojada dentro de uma rígida parede celular, um tipo de fortaleza que a ajuda a manter sua forma e ainda a protege contra invasores.

Outro tipo básico de célula, uma nova categoria descoberta somente nos anos 1970, é a *archaea*. Como as procarióticas, elas são organizadas de maneira simples e não têm uma estrutura interna complexa. Contudo, sua composição e as camadas externas são diferentes, permitindo-lhes a prosperar em condições extremamente difíceis, como fontes de água quente, produtos químicos corrosivos e fissuras termais (rachaduras no assoalho do oceano por onde o magma borbulha, vindo do interior ígneo da Terra). Se Burns quisesse criar animais de estimação nos condutores de calor e não quisesse pagar a tarifa de manutenção, a *archaea* seria uma escolha promissora.

As eucarióticas, a terceira categoria de células, são consideravelmente maiores e mais complexas que os dois outros tipos. Em geral mais de mil vezes maior em volume que as procarióticas, as eucarióticas são organizadas em subestruturas especializadas, chamadas de organelas, as quais desempenham uma variedade de tarefas. Se as procarióticas são como pequenos Kwik-E-Marts, onde um *mix* de itens é imediatamente acessível, as eucarióticas são semelhantes a grandes hipermercados, onde os itens são agrupados em departamentos específicos, cada um com uma destinação. Por exemplo, o núcleo da célula, semelhante ao escritório central, abriga o principal material genético da célula. (Atenção para o fato de que o núcleo da célula não deve ser confundido com o núcleo atômico; são coisas completamente diferentes, tanto no tamanho quanto na função.) As mitocôndrias, agindo como fornalhas, produzem a energia da célula por processos bioquímicos, além de abrigarem seus próprios grupos de material genético, o que as faz parecer células dentro de células. Os lisossomos digerem os resíduos, os retículos endoplasmáticos sintetizam e armazenam as proteínas em formatos funcionais, e o complexo de Golgi termina o processo de armazenar as proteínas, sintetiza açúcares em amido e liga proteínas com açúcar para formar glicoproteínas. Além disso, elas incluem uma estrutura básica de proteína denominada citoesqueleto, uma substância gelatinosa chamada citoplasma, numerosos ribossomos, uma membrana celular e diversos outros componentes. Seres mais complexos, incluindo os humanos, são feitos de vários tipos de células eucarióticas, o que permite um nível de funcionamento muito mais sofisticado que o dos organismos unicelulares, como as bactérias.

Por causa de suas estruturas incrivelmente detalhadas, as menores células eucarióticas, como as dos glóbulos vermelhos dos mamíferos, possivelmente não poderiam ficar mais compactas que seu tamanho normal de oito micrômetros (oito milésimos de milímetro) de diâmetro. Por isso, a estatura de um ser humano adulto apresenta variações pequenas, não apenas por causa do número mínimo necessário de células, mas também pelas exigências estruturais mínimas das células eucarióticas.

Finalmente, consideremos um terceiro meio potencial de miniaturização: a redução do tamanho dos próprios átomos. Se os raios de encolhimento devem tornar todas as coisas menores, incluindo os objetos inanimados, eles precisam encolher os tijolos atômicos de construção que constituem todos os tipos de materiais sobre a Terra. Átomos estáveis, contudo, têm um espectro restrito de tamanhos, limitados, por sua vez, pelos princípios da mecânica quântica, e não poderiam ser comprimidos sem alterar significativamente suas propriedades.

A mecânica quântica foi desenvolvida nas primeiras décadas do século XX para explicar certos mistérios da relação entre a matéria e a radiação. No século XIX, o brilhante físico escocês James Clerk Maxwell mostrou que a luz é um amálgama de campos elétricos e magnéticos, conhecidos como radiação eletromagnética. Um campo é a medida de potência e direção de forças em várias partes do espaço. Quando uma carga elétrica oscila, ela gera campos elétricos e magnéticos que estão em ângulos retos em relação uns aos outros, e se movem através do espaço como uma onda. Percebemos esse fenômeno como luz. O índice dessas oscilações determina o que é denominado frequência da luz.

A descoberta dos raios X provou que a luz assume formas tanto visíveis quanto invisíveis. No caso visível, a frequência da luz se manifesta como cor. A frequência mais alta da luz visível é o violeta, e a mais baixa, o vermelho, com as outras cores formando no meio o arco-íris, e tudo isso é chamado de espectro visível. O espectro eletromagnético completo, contudo, inclui uma ampla faixa de formas invisíveis de radiação, desde as frequências baixas das ondas de rádio, as micro-ondas e a radiação infravermelha até a alta frequência de radiação violeta, os raios X e os raios gama – a frequência mais alta de todas.

É fácil observar o espectro visível expondo um prisma ou uma rede de difração (um dispositivo plano com finos sulcos) contra uma fonte de luz e conferindo o resultado em uma tela. Cada um desses dispositivos óticos quebra a luz em seus componentes dentro do espectro em um ângulo diferente. Para uma fonte comum de iluminação, como uma lâmpada, a imagem na tela representaria uma completa paleta de cores. Contudo, para uma lâmpada que contenha um elemento puro em forma gasosa, como o hidrogênio, o hélio ou o neon, apenas algumas cores, relativas a certas frequências, seriam vistas, como linhas finas separadas por sulcos.

A existência desses padrões fixos de espectro representou um grande mistério para a comunidade de físicos na virada do século XX, particularmente porque os valores dessas frequências seguiam fórmulas matemáticas previsíveis. Por exemplo, a fórmula desenvolvida pelo matemático suíço Johann Balmer, e generalizada pelo físico sueco Johannes Rydberg, previa exatamente onde certas linhas do espectro do hidrogênio cairiam. Os físicos ficaram perplexos com o fato de o arco-íris do hidrogênio ter espaços previsíveis.

Em 1900, o físico alemão Max Planck fez uma grande contribuição ao propor que a energia é quantizada – ou encontrada apenas em minúsculos pacotes. Examinando um fenômeno chamado radiação de corpo negro (energia emitida por um perfeito absorvedor de luz), ele observou que a distribuição da frequência em uma dada temperatura poderia ser bem modelada por uma fórmula que assume valores de energia múltiplos da frequência da luz e uma constante física agora conhecida como constante de Planck. (Uma constante física é uma quantidade natural fundamental que se acredita mantenha sempre o mesmo valor. Outros exemplos incluem a velocidade da luz no vácuo e a menor quantidade de carga elétrica para uma partícula livre.)

O cálculo de Planck era semelhante a determinar o número de moedas em um cofrinho, sabendo-se o valor do dinheiro contido e os valores das moedas. É como dizer a um grupo de pessoas que no cofre há US$ 5 em moedas e pedir-lhes que digam quantas moedas existem ali. Alguém que ache que as moedas são todas de 1 centavo fará uma estimativa diferente de alguém que acredite serem as moedas uma mistura equilibrada de moedas de 1, 5, 10 e 25 centavos. Se uma terceira pessoa achar, erroneamente, que as moedas americanas existam em quaisquer valores, incluindo as de 2 ou 3 centavos, provavelmente fará uma outra estimativa. Da mesma forma, afirmar que fótons (partículas de luz) podem ter apenas valores de energia determinados produz uma estimativa para a distribuição das frequências do corpo negro diferente da suposição de que eles podem ter qualquer valor. Planck demonstrou que a primeira hipótese produzia a distribuição correta – um marco para a física moderna.

Em 1905, a hipótese de Planck fortaleceu-se quando Albert Einstein propôs o efeito fotoelétrico. A descoberta de Einstein, que lhe rendeu o Prêmio Nobel, previu o que aconteceria se feixes de luz em várias frequências fossem dirigidos a uma peça de metal e liberassem elétrons dessa superfície. A teoria tradicional de ondas sugeria que quanto mais intenso (brilhante) o feixe, mais energia ele transmitiria aos elétrons e, uma vez liberados da superfície, mais rapidamente eles se moveriam. Como Einstein previu, contudo, não é isso o que ocorre. Ao contrário, a energia transferida da luz aos elétrons é transmitida em quantidades fixas ou múltiplas, ou seja, a constante de Planck multiplicada pela frequência. Isso provou, definitivamente, que a luz é quantizável; ela vem em pequenos "pacotes" de fótons, e não em ondas contínuas.

Com o conceito quântico de Planck bem estabelecido, em 1913, o físico dinamarquês Niels Bohr o aplicou ao mistério do átomo e descobriu uma engenhosa maneira de reproduzir os padrões das linhas do espectro. As contribuições pioneiras de Bohr renderam-lhe não apenas um Prêmio Nobel (em 1922, um ano depois Einstein recebeu o seu), mas também uma rápida menção em

Os Simpsons. No episódio "O Ataque do Papai Furioso", um dos programas favoritos de Homer na televisão é substituído pelo programa *The Boring World of Niels Bohr* [O Mundo Tedioso de Niels Bohr]. Homer fica tão contrariado que agarra um sanduíche de sorvete, mira-o contra a tela como um controle remoto, espreme o conteúdo e borra a imagem de Bohr. Em contraste com a reação de Homer, a maioria dos físicos só tem elogios para Bohr, cujas idéias revolucionárias deram forma ao conceito moderno do átomo.

O modelo atômico de Bohr tem diversos postulados-chave. Primeiro, conforme experiências do físico e químico neozelandês Ernest Rutherford, o modelo prega que os átomos consistem em um núcleo carregado de carga positiva, em redor do qual orbitam elétrons carregados negativamente. Já vimos como grandes núcleos atômicos se dividem no processo da fissão nuclear; o tipo que Bohr levava em consideração era muito mais simples. O núcleo mais básico – o do hidrogênio – é apenas um único próton.

O segundo postulado de Bohr é que a força que faz os elétrons orbitarem é apenas a força elétrica, obedecendo à lei de Coulomb, segundo a qual sua força varia inversamente com o quadrado das distâncias entre as cargas. Em outras palavras, quando os elétrons se aproximam do núcleo, a força de atração do núcleo fica cada vez mais forte. Portanto, os elétrons gostam de ficar cada vez mais perto, sempre que podem.

O que, então, evita que os elétrons mergulhem em centros atômicos, tornando toda a matéria instável? Bohr supôs que o momento angular de um elétron (essencialmente sua massa multiplicada por sua velocidade multiplicada por seu raio) pode assumir apenas pequenos valores – números inteiros múltiplos da constante de Planck divididos por 2 ϖ. O múltiplo específico do número inteiro – 1, 2, 3, 4, e assim por diante – é chamado de número quântico principal. Admitindo que o momento angular, como a energia, é quantizável, os elétrons são forçados a seguir órbitas fixas de raios específicos.

Um outro postulado de Bohr permitiu-lhe reproduzir as fórmulas de Balmer, Rydberg e outros para prever a frequência do espectro do hidrogênio. Ele supôs que os elétrons pudessem saltar de uma órbita para outra, emitindo ou absorvendo um fóton durante o processo. Se um elétron salta para uma órbita inferior, ele libera um fóton que carrega a diferença de energia entre os níveis. Como a energia é proporcional à frequência, a cor da luz depende de quanta energia o elétron perde. Um salto maior pode gerar uma cor violeta, por exemplo, e um menor, o vermelho. Inversamente, se um elétron absorve um fóton com a energia certa, ele pode mover-se para uma órbita mais alta.

E até que ponto se pode ir? Essa indagação é irrespondível se aplicada às eleições para prefeito de Springfield; contudo, ela tem aplicações precisas para os elétrons atômicos. A órbita de elétrons mais interna, chamada de estado fundamental e com um número quântico principal igual a 1, é o mínimo absoluto. Os elétrons simplesmente não podem chegar mais perto. Para o hidrogênio, o estado fundamental tem um raio de aproximadamente $5{,}3 \times 10^{-11}$ metros (um bilionésimo de centímetro), conhecido como raio de Bohr.

A teoria rudimentar de Bohr foi mais tarde suplantada por uma abordagem mais completa da mecânica quântica, desenvolvida no final dos anos 1920 pelos físicos Louis de Broglie, Werner Heisenberg, Max Born, Erwin Schrödinger, e outros. Em sua forma mais abrangente, a mecânica quântica estabelece que os elétrons podem ser representados por funções de onda, entidades sem localização exata, mas distribuídas como nuvens em certas posições médias. Mesmo na teoria revista, contudo, a previsão básica de Bohr de estados de elétrons quantizáveis permaneceu verdadeira. Então, procurando o mais que puder, você nunca vai encontrar um átomo de hidrogênio com um elétron em estado fundamental centrado em uma região menor que o seu raio de Bohr.

A presença de um raio atômico mínimo é um obstáculo para a nossa esperança final de miniaturização: encolher os átomos. Os átomos simplesmente não podem ser reduzidos de tamanho arbitrariamente. Em todo o universo, elementos naturais parecem ter espectros-padrão, indicando que não existe uma coisa como hidrogênio, oxigênio ou carbono encolhidos, e assim por diante – algumas das moléculas essenciais para a formação da vida. Então, nessa democracia cósmica, os eleitores atômicos do prefeito Quimby teriam a mesma amplitude, profundidade e alcance de todo mundo. A igualdade universal, pelo menos em escala microscópica, é uma firme lei da natureza.

Assim, da próxima vez que os Simpsons forem solicitados a buscar um encolhimento, eles poderiam perceber que os átomos em seu sangue são os mesmos de todas as formas de vida baseadas em carbono, e que, portanto, de acordo com princípios físicos, não podem ser reduzidos. Fundamentalmente, a mensagem "Don't tread on me" [Não me pise]* parece estar escrita em nossas células como em uma bandeira. Dos vários cenários fantásticos, a miniaturização não parece estar incluída no reino da possibilidade científica, pelo menos de acordo com o nosso atual entendimento da física quântica.

* Inscrição em uma histórica bandeira dos Estados Unidos, antes da independência, de fundo amarelo com o desenho de uma cascavel pronta para o bote (N. do T.).

6

A receita de Lisa para a vida

De Golem a Frinkenstein (monstros apresentados em "A Casa da Árvore dos Horrores XVII e XIV"), uma das especialidades de *Os Simpsons* é soprar vida nos inanimados. Talvez isto seja uma lembrança do que os próprios roteiristas e artistas das séries fazem quando colocam seus personagens em movimento na tela. Criar a *ilusão* de vida é uma forma antiga de expressão artística, de Punch e Judy* à realidade virtual. Mas e se fosse possível criar vida *verdadeira*, e modelar seres vivos genuínos a partir de material sem vida? Será que a humanidade vai ser capaz um dia de desvendar os segredos da gênese?

De todas as personagens da família Simpson, aquela que mais se preocupa com temas ligados à vida e à morte é a Lisa. Como vegetariana e budista, seu voto solene é tratar todos os seres vivos como sagrados. A última coisa que ela deseja é bancar Deus e decidir quais criaturas devem sobreviver e quais devem morrer.

Quando Lisa, no especial de Halloween "The genesis tube", assume o papel de criadora e mantenedora de uma inteira civilização em miniatura, ela se vê em uma posição incômoda. Embora geralmente seja incentivadora da ideia de trazer novos conhecimentos científicos ao mundo e receba com entu-

* Punch e sua mulher, Judy, são personagens de um show de marionetes extremamente popular na Inglaterra, com raízes na *commedia dell'arte* da Itália no século XVI, gênero de comédia com elementos circenses em que uma trupe de menestréis, poetas e artistas se apresentava de forma itinerante (N. do T.).

siasmo descobertas que irão ampliar nosso entendimento, ela percebe que ser criador é um peso colossal, da mesma forma que uma fonte de realização.

O episódio começa com Lisa desenvolvendo um projeto científico. Uma de suas bonecas acabou de perder um dente, então ela o coloca em uma vasilha e derrama sobre ele Buzz Cola, para examinar os efeitos corrosivos do refrigerante. Bart, como de hábito, não é muito solidário. Maldosamente, ele toca Lisa e lhe dá um choque elétrico estático, que ela transmite para o dente. Miraculosamente, o choque faz o dente imerso no refrigerante começar a criar formas minúsculas de vida em seu redor. Por um processo aceleradíssimo de evolução, uma próspera cidade cheia de minúsculas pessoas surge. Lisa acabou de criar seu próprio mundo.

Ao ouvir a voz de Lisa, os microcidadãos aprendem inglês e adotam o desdém de Lisa pelas brincadeiras de Bart. Eles desenvolvem uma religião que associa Lisa e Bart a papéis divinos e diabólicos, respectivamente. Um professor Frink em miniatura inventa uma máquina que ele usa para reduzir Lisa ao tamanho deles. Adorada por todos os pequenos seres, Lisa é colocada em um trono e instada a solucionar as mais profundas questões teológicas. Enquanto isso, Bart, em tamanho normal, assume o crédito pela experiência de Lisa. Frustrada por sua incapacidade de retomar o tamanho normal e por fracassos em suas tentativas de comunicar-se com o mundo externo, Lisa aceita, com relutância, seu papel de líder da civilização. Ao criar uma raça minúscula, ela se vê forçada a compartilhar seu destino e a guiar seu futuro.

A ideia de pessoas em miniatura deve ser abordada com extrema cautela. Os cérebros humanos são extraordinariamente complexos, com cerca de 100 milhões de neurônios, cada um com uma célula extremamente intrincada. Como, então, seres microscópicos, do tamanho de esporos de mofo, poderiam possuir algo semelhante ao *know-how* humano? Além disso, se a evolução terrestre se repetisse e produzisse algum ser similar a uma pessoa, será que esse processo não levaria uma escala de tempo comparável e geraria seres humanos de tamanhos similares aos dos atuais?

A ciência aprendeu nos últimos anos que as escalas de tamanho geralmente não são acidentais. Das galáxias aos átomos, cada um dos agentes da natureza tem proporções determinadas pelas leis fundamentais e condições do universo. Portanto, não espere criar uma galáxia, uma estrela, um planeta ou mesmo um ser mais avançado na pia de sua cozinha – apenas, talvez, se você se esforçar, uma impressionante corrida de fungos.

Vamos deixar de lado o tema da criação de pessoas minúsculas e retornar à questão mais realista da possibilidade de se gerar vida a partir de materiais inanimados. Esse antigo enigma toca fortemente em outra questão: a vida é uma ocorrência comum no universo? Quanto mais facilmente a vida tenha surgido na Terra, maiores as chances de ela ter florescido em outros lugares.

Um dos primeiros e mais citados projetos de pesquisa dedicados a essa questão foi a experiência Miller-Urey, estabelecida em 1953 pelo estudante de graduação Stanley Miller, sob a supervisão do ganhador do Prêmio Nobel Harold Urey, na Universidade de Chicago. A experiência tentou recriar as condições primitivas da Terra para verificar se surgiriam materiais orgânicos necessários para a vida. Dentro de um labirinto de tubos de vidro e frascos esféricos, Miller combinou quatro diferentes substâncias que existiam na atmosfera da Terra há bilhões de anos: metano, amônia, água e hidrogênio. Em uma série de ciclos, ele aqueceu a água até que ela evaporasse, aplicou descargas elétricas na mistura (para simular as tempestades elétricas primitivas) e depois esfriou a água até que ela se condensasse. Depois de uma semana de experiência, ele testou a mistura usando a técnica de papel cromatográfico para determinar sua composição. Surpreendentemente, identificou um certo número de substâncias orgânicas comuns, incluindo vários aminoácidos (como a glicina), que servem como elemento constitutivo das proteínas.

Desde a época da experiência Miller-Urey, o campo da biologia sofreu uma extraordinária revolução na habilidade dos pesquisadores de produzir e manipular os requisitos para a vida. Uma das maiores descobertas foi o desenvolvimento de métodos para cortar e fatiar cadeias de DNA, para formar o que é chamado de DNA recombinante (rDNA). Esses modelos genéticos feitos sob medida são inseridos em células hospedeiras – bactérias ou células eucarióticas –, que podem ser induzidas a produzir proteínas recombinantes. Uma ampla gama de proteínas sintéticas tem sido produzida dessa forma, desde a insulina sintética humana até o hormônio sintético do crescimento humano. Graças a novas biotecnologias, a ciência médica tem sido capaz de desenvolver novos tratamentos para a preservação da vida, e pode até corrigir um certo número de moléstias genéticas.

Mesmo que nosso entendimento da genética se torne cada vez mais sofisticado, a ciência ainda está insegura sobre como, exatamente, células simples emergiram do primitivo caldo orgânico há bilhões de anos. Um pesquisador que devotou muitos anos a esse assunto é Jack Szostak (não confundir com Moe Szyslak), biólogo molecular de Harvard. Como parte do programa "Origens da vida no universo", de iniciativa da universidade, Szostak investigou a teoria de que os ácidos graxos e o RNA, quando suplementados com certos tipos de barro, poderiam ter se reunido em células primitivas com membranas. Como Szostak uma vez descreveu sua pesquisa, "as membranas da célula se reúnem sob as condições certas. Se você borrifa um pouco de barro nessas reações, o barro as acelera".[1]

Como um proeminente especialista em biotecnologia, Szostak foi um dos pioneiros da pesquisa sobre o DNA recombinante e tem estudado o papel da telomerase, uma enzima importante que evita que as cadeias de DNA se tornem menores a cada divisão da célula. Sem essa enzima, o DNA se deteriora com o tempo. Szostak está examinando ligações entre a telomerase, o processo do envelhecimento e o câncer.

Muitos pesquisadores esperam que nosso crescente entendimento sobre o processo da replicação genética e sobre a divisão da célula eventualmente mostre maneiras de retardar ou mesmo reverter as manifestações físicas do envelhecimento, tais como o declínio da força e da flexibilidade, a morosidade nos processos de cura e a perda de memória. Por meio de um regime especial com medicamentos ou da engenharia genética, no futuro, as pessoas de 100 anos terão o mesmo nível de vigor físico que os trintões de hoje. Centenários magnatas do setor nuclear, por exemplo, poderiam se revitalizar e manter suas empresas tanto quanto quisessem, para o grande deleite de seus assistentes pessoais (isto é, se seus assistentes forem como Smithers).

Inevitavelmente, com novas tecnologias radicais, vêm perturbadores dilemas éticos. Por exemplo, e se células humanas embrionárias pudessem ser manipuladas não apenas para eliminar terríveis doenças genéticas, mas também para alterar características estéticas como a cor e a textura do cabelo, a cor dos olhos, a pigmentação da pele, a esperada estatura adulta, e assim por diante? Será que os pais se empenhariam em ter filhos sob medida? Será que tentariam encomendar um filho com a precocidade de Lisa e não com a impertinência de Bart? Ai, caramba!

Enquanto isso, a ciência está chegando cada vez mais perto de produzir formas de vida em laboratório. Como muitas tecnologias, essa poderia ser usada em benefício da humanidade, por meio de impressionantes novas curas, ou para seu declínio, com devastadoras armas químicas. Como Lisa experimentou no decurso de seu experimento científico, ao agir sobre o ambiente e manipular os aspectos básicos da vida, nossa responsabilidade perante a natureza aumenta na mesma medida de nossas habilidades de criar e destruir.

"The genesis tube" não é o único episódio da série a apresentar um processo evolucionário extraordinariamente rápido. O episódio "Homerazzi" apresenta uma sequência introdutória inteligente mostrando a evolução de Homer desde um organismo unicelular até sua forma atual. Ele começa com as células do rosto de Homer se dividindo rapidamente, gritando "D'oh!" cada vez que se dividem. Esses organismos primitivos evoluem em várias criaturas aquáticas, incluindo anfíbios semelhantes a Homer que rastejam até a terra. Prontamente, um macaco similar a Homer emerge da selva e se transforma em diversos e diferentes humanos parecidos com ele. Quando o moderno Homer finalmente assume seu lugar no sofá da família, Marge ralha com ele perguntando: "Por que você demorou tanto?".

Se Marge estudasse o registro dos fósseis, talvez fosse mais paciente. O terreno debaixo de Springfield e inúmeros locais pelo mundo contêm evidências inconfundíveis de que a vida evoluiu ao longo de bilhões de anos. Vamos escavar o sagrado solo de Springfield e ver o que as relíquias contam.

7

O lar, doce lar, dos anjos

Springfield é uma cidade que valoriza sua história. Os turistas visitam a "Olde Springfield Towne" para aprender como era a vida nos dias de Jebediah Springfield, seu fundador. Contudo, para conhecer a história completa de Springfield, não é suficiente visitar a imitação de uma instalação colonial ou coletar históricos Squishees. Os edifícios e as pessoas de Springfield (como Barney Gumble, o residente permanentemente bêbado), que encenam imitações do passado, são apenas parte do retrato completo. Debaixo da superfície da cidade existem restos de uma pré-história geológica, evidências fósseis das eras anteriores à ocupação humana. Então, se você acha que alguns dos residentes de Springfield são trogloditas, escave um pouco mais para achar a verdade.

O centro da herança pré-histórica de Springfield é um campo chamado Saber Tooth Meadow [Prado do dente-de-sabre], do qual muitos fósseis foram levados para museus. Tigres dentes-de-sabre do gênero *smilodon* perambulavam pelas pradarias da América do Norte e do Sul durante a última Era Glacial, até que foram extintos há mais ou menos 11.500 anos. Do tamanho dos atuais leões africanos, eles tinham dentes caninos superiores proeminentes e corpos musculosos. De pernas curtas, provavelmente não corriam muito rapidamente, mas se esgueiravam até a presa. Restos de esqueletos desses grandes felinos foram encontrados em toda a região do Meio-Oeste dos Estados Unidos. O nome do sítio de fósseis de Springfield, portanto, provavelmente indica que esses ossos foram localizados em seu solo.

Como uma promissora cientista e ativista ambiental, Lisa está absolutamente convencida de que a pré-história de Springfield deve ser preservada. Portanto, fica horrorizada quando, no episódio "Lisa, a Cética", descobre que Saber Tooth Meadow será aterrado e pavimentado para receber um grande *shopping center*. E se lá houver fósseis ainda não descobertos, eles serão perdidos com a utilização do terreno? Irritada pela recusa dos empreendedores do *shopping center* em permitir escavações arqueológicas, ela contrata um advogado, o desajeitado Lionel Hutz. A despeito da incompetência de Hutz, Lisa obtém dos empreendedores (depois de uma suspeita conversa entre eles e os construtores) a promessa de que será permitida a escavação.

Para conseguir escavadores, Lisa se vale de um favor que o diretor Skinner lhe deve e consegue que ele lhe empreste alguns estudantes. Depois de um dia inteiro de escavação em companhia de Jimbo, Dolph, Kearney, Ralph e outros, Lisa encontra um esqueleto enterrado. Removendo-o cuidadosamente, a equipe o examina e descobre que se parece extremamente com o esqueleto de um anjo de duas asas. Muitos dos espectadores, como Ned e Moe, imediatamente concluem que o esqueleto comprova a existência dos anjos bíblicos. Estarrecida, Lisa vasculha o cérebro em busca de uma explicação científica coerente, como restos de um mutante, mas não consegue achar nada razoável.

Homer, com seu empreendedorismo, arrasta o esqueleto para sua garagem, coloca-o em exposição e cobra ingresso. Peregrinos acorrem em quantidade até o "anjo", na esperança de que, ao orar para ele, ficarão curados de suas doenças. Enquanto isso, Lisa remove um osso e o leva ao Museu de História Natural de Springfield, na esperança de que um dos cientistas possa fazer uma identificação usando análise de DNA ou outros meios.

O museu deveria ser extremamente bem financiado na época, porque seu especialista residente era ninguém menos que o renomado paleontólogo e célebre autor Stephen Jay Gould. Gould, que passou a maior parte de sua carreira em Harvard, desenvolveu com Niles Eldredge a teoria evolucionista do equilíbrio interrompido, uma alternativa à mais amplamente aceita visão "gradualista". Resumidamente, a diferença entre equilíbrio interrompido e gradualismo é que o primeiro propõe que a evolução ocorre a intervalos irregulares, com espasmos de rápido crescimento (induzidos, talvez, por súbitas alterações ambientais) separados por longos intervalos nos quais pouco acontece, enquanto a segunda propõe um contínuo registro de passos evolutivos. Essa distinção é, algumas vezes, nomeada "evolução por saltos" *versus* "evolução gradual". Além dessa estrepitosa contribuição para tal debate, Gould deixou sua marca como historiador da ciência, escreveu uma coluna regular na revista *Natural History* [História Natural] e publicou sua volumosa obra-prima, *The Structure of Evolutionary Theory* [A Estrutura da Teoria Evolucionária] pouco antes de morrer de câncer, em 2002.

Gould era muito respeitado, mas ao mesmo tempo uma figura controversa, por ser um fã declarado do darwinismo com uma visão não tradicional. Assim, ironicamente, ele precisava defender sua posição tanto contra os darwinistas puristas quanto contra os opositores da teoria evolucionista, tais como os criacionistas. Isso se tornou uma espécie de pingue-pongue: Gould atacava o gradualismo, e adversários do evolucionismo rebatiam alegando que essa era uma evidência das "falhas intransponíveis" da teoria evolucionista, a qual, diziam, deveria ser suplantada (ou pelo menos suplementada) por uma abordagem literal dos relatos bíblicos. Assim, aparecer em uma série de TV envolvido com uma controvérsia evolutiva não era um incômodo para Gould.

Embora não fosse surpresa para ele aparecer como convidado na série, seu papel foi inesperadamente constrangedor, dada sua estatura científica. Quando Lisa lhe dá o pedaço de osso, ele promete analisá-lo. Mais tarde, Gould corre até Lisa, aparentemente com pressa de contar alguma coisa. Quando ela lhe pede uma declaração, ele responde simplesmente "inconclusivo" e se desculpa. Gould acaba admitindo que não tinha se dado o trabalho de fazer um teste. Na falta de resultados abalizados, Lisa perde a oportunidade de defender os métodos científicos, e agora tem de enfrentar seus críticos de mãos vazias.

Na verdade, parece que a cidade inteira se uniu em oposição a Lisa e à ciência. O âncora do jornal de televisão, Kent Brockman, zomba de Lisa por sua inabalável crença de que o esqueleto não é de um anjo. Comentando a necessidade de mistérios na vida, Ned diz: "A ciência é como um falastrão que estraga um filme contando seu desfecho". Depois que Agnes Skinner inflama a multidão contra as instituições científicas, um grupo se dirige ao Museu de História Natural e começa a destruir esqueletos de dinossauros e outras peças. É um dos dias mais sombrios para a razão desde a época da Inquisição. Quem poderia ter esperado isso?

A essa altura, os acontecimentos tomam uma direção bizarra. O "anjo" desaparece misteriosamente da garagem de Homer e aparece no alto de uma colina com vista para Springfield. Lisa e outros se dirigem à colina e percebem que na base do anjo está inscrita uma mensagem agourenta afirmando que "o fim" vai chegar ao anoitecer. O reverendo Lovejoy proclama que o dia do juízo final está às portas.

O pôr do sol chega, e os residentes de Springfield se reúnem na colina. Quando o sol mergulha na linha do horizonte, as pessoas se preparam para o destino final. Segundos depois, o anjo começa a falar e a se erguer da colina. Até Lisa, embora tente racionalizar o que está acontecendo, parece genuinamente amedrontada e agarra a mão de Marge. O anjo começa a mover-se na direção do novo *shopping center* e anuncia sua festiva inauguração. Em vez do juízo final, contudo, o "fim" a que o anjo se referia é o fim dos preços altos. Lisa percebe que sua descoberta foi uma vergonhosa manobra publicitária desde o início. Assim, como o Homem de Piltdown, o Anjo de Springfield revela-se apenas uma fraude imaginosa.

Como essa foi uma das últimas "aparições" de Gould na mídia, o episódio tornou-se foco de muito comentário, discutido por um grande e eclético grupo de revistas, desde *Science and Spirit* [Ciência e Espírito] a *Socialism Today* [Socialismo Hoje]. Nesta última, Pete Mason escreveu:

> Gould ficaria muito feliz de ter esse [episódio] como seu obituário. Suas referências à cultura popular (particularmente ao beisebol) são uma marca de todos os seus ensaios, que apareceram a cada mês na revista *Natural History* durante quase trinta anos.[1]

William Dembski, um dos líderes do movimento do desenho inteligente (a crença de que a complexidade da vida requer um *designer*), expressou uma visão diferente da performance de Gould. Ele observou:

> Gould sai muito mal do episódio. Na verdade, estou surpreso de ele ter se deixado usar dessa forma. E, para ser sincero, os fanáticos religiosos e o povo simples da cidade se saíram ainda pior. É a lei do consumismo que emerge como a clara vencedora.[2]

Gould certamente não foi o primeiro advogado da teoria evolucionista a se meter em uma controvérsia. Com a publicação de seus textos clássicos como *A Origem das Espécies e a Seleção Natural*, em 1859, e *A Origem do Homem e a Seleção Sexual*, em 1871, o próprio Darwin atraiu tanto elogios quanto críticas. Sua teoria baseada na mudança gradual das espécies indicava uma Terra muito mais antiga que seus contemporâneos estavam preparados para aceitar. Além disso, a então radical proposta de que a humanidade era uma espécie animal ofendeu certas sensibilidades religiosas e morais. Na verdade, prevendo a controvérsia que suas teorias iriam provocar, Darwin retardou a divulgação de sua pesquisa durante duas décadas, até que veio a público o trabalho sobre evolução de outro cientista britânico, Alfred Russel Wallace. Quando Wallace falou com Darwin sobre suas pesquisas, Darwin ficou perplexo e decidiu fazer a publicação. Apesar da codescoberta de Wallace, a teoria evolucionista passou a ser conhecida como darwinismo.

Tanto Darwin quanto Wallace foram influenciados pelas terríveis teorias do reverendo Thomas Malthus, que previu, em 1798, que o crescimento da população acabaria suplantando o estoque de alimentos, levando a uma crescente luta pela sobrevivência. A população humana, Malthus defendeu, tende a crescer em uma progressão geométrica (dobrando continuamente), enquanto a produção de alimentos pode aumentar apenas em uma progressão aritmética (somando-se), muito mais lenta. Portanto, muitas pessoas buscariam poucos bens e haveria fome em larga escala. Isso poderia provocar conflitos generalizados e, presumivelmente, apenas os mais fortes sobreviveriam. Pense na briga que Homer teria com Lenny e Carl pela última rosquinha disponível e multiplique isso por bilhões.

As ideias de Malthus mostraram-se mais aplicáveis às populações de animais e plantas que aos humanos. Através dos séculos, desde que Malthus fez suas previsões, nossa espécie desenvolveu técnicas agrícolas cada vez mais avançadas, suplantando o rápido crescimento da população. Escassez e fome tendem mais a ser o resultado da desigual distribuição que da falta de alimento. Outras espécies, porém, obviamente não podem ampliar seu suprimento de alimentos por meio da agricultura ou da importação. Portanto, nas regiões com recursos insuficientes, elas devem competir com outras para sobreviver. Na teoria evolucionista, essa luta é chamada de "sobrevivência do mais apto", expressão cunhada pelo filósofo inglês Herbert Spencer.

Por meio de extensos estudos das variações entre animais e plantas, Darwin percebeu como a competição poderia levar à introdução de novas espécies com o tempo. Ele coletou exemplos e manteve um detalhado diário durante uma épica viagem ao redor do mundo a bordo do navio HSM *Beagle*. A viagem, que durou cinco anos, começou em Plymouth, Inglaterra, em dezembro de 1831, e incluiu paradas nas Ilhas Canárias, em toda a costa da América do Sul, na Austrália, na Nova Zelândia e na África do Sul. Um dos pontos altos da viagem foi um minucioso estudo da flora e da fauna do arquipélago de Galápagos, que Darwin considerou quase um mundo em si próprio. Lá ele encontrou as famosas tartarugas gigantes, mais 12 espécies de tentilhões e numerosas outras criaturas exóticas. Nas anotações do diário, ele observou o magnífico mosaico de características variadas que os animais e as plantas possuíam, como as diferenças de bico entre os tentilhões. Percebeu que essas variedades representavam galhos de uma árvore genealógica que partiam de ancestrais comuns e começou a afirmar que isso valia para todos os seres vivos. Cada variação, ele defendeu, apresentava forças e fraquezas próprias na luta pela sobrevivência, e floresciam ou se extinguiam dependendo de como essas características se comportavam em relação aos competidores.

Na tentativa de mapear toda a cadeia das criaturas terrestres ligadas por uma ancestralidade compartilhada, Darwin procurou fósseis e outras evidências que provassem a gradual transformação ao longo do tempo. Fósseis geralmente resultam da mineralização de restos de um organismo incrustados em material sedimentar (como o que se acumula no canal de rios) e oferecem uma visão de como era a estrutura daquele ser quando o material estava vivo. Coletando e examinando esses restos, Darwin percebeu que havia muitas lacunas no registro fóssil, em que nenhuma transição era evidente. Gould e outros advogados do equilíbrio interrompido tinham apontado essas lacunas como uma evidência da rápida alteração que ocorre em intervalos esporádicos. Para Darwin, contudo, as lacunas pareciam resultar dos limites da própria paleontologia, como evidenciava a "pobreza das coleções paleontológicas". Ele escreveu em *A Origem das Espécies*:

> Agora, voltemo-nos para os nossos mais ricos museus geológicos – que irrisória coleção possuímos! Que as nossas coleções são imperfeitas é

> admitido por todo mundo [...] muitas espécies fósseis são conhecidas e nomeadas apenas com espécime único, e muitas vezes quebrado, ou com poucos espécimes coletados em um único sítio. Apenas uma pequena porção da superfície da Terra foi explorada geologicamente. [...] Nenhum organismo realmente macio pode ser preservado. Conchas e ossos se destroem e desaparecem quando deixados no fundo do mar, onde o sedimento não se acumula.[3]

A publicação de *A Origem do Homem* motivou uma intensa busca pelo "elo perdido" da humanidade e dos macacos com seus ancestrais comuns. A esperança de preencher esse lapso turbou a visão dos que foram enganados pela fraude do Homem de Piltdown. Hoje, a radiometria (análise do percentual de certas substâncias radioativas para determinar a idade de um material) e outras modernas técnicas de datação tornaram essas fraudes cada vez mais improváveis. Esses métodos estabeleceram que a vida na Terra data de pelo menos quatro bilhões de anos. Tais técnicas poderiam ter sido utilizadas no esqueleto do "anjo" de Lisa para determinar se todos os ossos eram do mesmo indivíduo. Se não fossem, teria ficado claro que o achado era um embuste.

Técnicas de datação foram uma dádiva para a teoria evolucionista, porque mostraram que houve tempo suficiente para que variações ocasionais combinadas com a pressão da seleção natural levassem à gama completa das espécies naturais. O brilho do darwinismo é que oportunidade, seleção e passagem do tempo trabalham em conjunto para produzir espécies bem adaptadas aos seus *habitats*.

Oportunidade é uma coisa curiosa. Já foi dito que se muitos macacos batucassem nas teclas de uma máquina de escrever durante um tempo suficientemente longo, eles reproduziriam os trabalhos de Shakespeare. Isso porque os macacos, no tempo devido, iriam pressionar cada possível combinação de letras. Assim, mesmo que levassem bilhões de anos, eles eventualmente iriam reproduzir qualquer coisa que Shakespeare ou outro escritor tivesse produzido.

E Homer, fuçando em sua garagem? Se ele passasse tempo suficiente com uma caixa de peças – tentando juntá-las em várias combinações –, seria possível o surgimento de uma fantástica nova invenção? Com suficiente dedicação ele seria capaz de reproduzir os feitos de Edison?

Parte dois

Tramas mecânicas

Lisa, nesta casa nós obedecemos às leis da termodinâmica!

Homer Simpson, "A Associação de Pais e Mestres de Banda"

Por que não posso mexer no tecido da existência?

Lisa Simpson, "A Casa da Árvore dos Horrores XIV"

8

D'ohs ex machina

De que é feito um gênio da mecânica? Por que Thomas Edison foi tão brilhante? Embora o próprio Edison alegasse que gênio era uma mistura de inspiração e transpiração, isso foi claramente antes do advento dos modelos contemporâneos de aprendizado e do ar-condicionado. Hoje, pesquisadores têm proposto uma variedade de teorias sobre a natureza da inteligência excepcional. Algumas delas afirmam que há uma correlação entre inteligência e déficits sociais.

Alguns pensam em Homer Simpson como uma inteligência apagada e, portanto, rejeitariam qualquer conexão entre ele e Edison. Contudo, há similaridades entre ambos irrompendo tão gritantemente como os primeiros fonógrafos. Como no caso de Edison, Homer parece ter dificuldades em lidar com as pessoas. Seria um sinal de que mexer com máquinas é sua vocação verdadeira? Será que uma inteligência inexplorada se esconde debaixo do verniz da mais completa incompetência? Será que o olhar lustroso de Homer, como o lustro das rosquinhas, recobre os deliciosos e saborosos *insights* que existem lá dentro? Como o famoso inventor, Homer é conhecido por passar muito tempo fitando tubos brilhantes – no caso de Edison, protótipos experimentais de fontes de luz incandescente; no de Homer, jogos de futebol pela televisão, mas de qualquer forma o conceito geral é o mesmo: elétrons gerando suas energias e iluminando vidro. Ambos têm um forte vínculo com a indústria da energia. Enquanto a Con Edison, a corporação sucessora da empresa original de Edison, costumava administrar usinas nucleares geradoras de energia, assim também faz Homer, mais ou menos. Bem, estamos exagerando, mas vamos verificar o que acontece quando Homer tenta ser inventivo.

Em "O Mágico de Springfield" (episódio cujo título brinca com o apelido de Edison, "O Mágico de Menlo Park"),* Homer aspira ser um inventor ainda maior que Edison. Como motivação, o permanente temor de que desperdiçou sua vida e não tem nenhuma realização pela qual um dia vai ser lembrado. Essa inquietação começa quando Homer ouve no rádio que a expectativa média de vida é de 76,2 anos – exatamente o dobro de sua idade (pelo menos a que ele pensa que tem) –, o que significa que, do ponto de vista estatístico, metade de sua vida já transcorreu. Aborrecido, ele fica ruminando que metade de seu tempo na terra já passou e ele não fez nada que valesse a pena.

Homer fica vagando pela casa, deprimido, e a família lhe faz uma festa-surpresa em uma tentativa de animá-lo. Eles exibem filmes em um antigo projetor, mostrando suas realizações. Depois de ver algumas cenas de sua vida, Homer fica desapontado quando o filme começa a queimar com o calor do projetor. Irritado com quem inventou "filmes estúpidos", Homer é informado por Lisa que foi Edison. Ela lhe fala sobre Edison e suas muitas outras invenções, incluindo as lâmpadas incandescentes, o microfone e o fonógrafo. Não acreditando nela, Homer vai até a biblioteca da escola de ensino fundamental (foi proibido de frequentar a biblioteca pública) e lê vários livros infantis sobre a vida e as realizações de Edison. Logo Homer tem um novo modelo de vida.

As tentativas de Homer de emular e suplantar "o mágico" inspiram-no a também se tornar um inventor. De início, parece que lhe falta a centelha. Ele visita o professor Frink, que o aconselha a pensar em coisas de que as pessoas precisem, mas que ainda não existam, ou em usos novos para coisas existentes. A primeira idéia de Homer são protetores de orelhas feitos de hambúrguer. Frink parece rejeitar a ideia, mas na verdade ele próprio já os tinha inventado.

Homer volta para casa, enfurna-se por um tempo e consegue desenvolver diversas novas invenções, que mostra à família. O processo foi árduo, de modo que ele espera que todos aplaudam suas criações. Contudo, todos fi-

* Referência à cidade californiana onde Edison desenvolveu boa parte de seus projetos (N. do E.).

cam frustrados com a inutilidade dos quatro projetos que Homer apresenta. O primeiro é um martelo elétrico que martela automaticamente, mas é difícil de controlar e acaba abrindo buracos na parede. O seguinte é alguma coisa que parece um alarme de emergência ou um detector de fumaça, chamado de alarme "tudo está ok", que bipa continuamente quando não há nada errado. Ele faz um som repetitivo extremamente irritante e não pode ser desligado. Felizmente para os ouvidos e nervos da família, logo quebra. O terceiro é um "revólver de maquiagem", que parece um rifle e cobre Marge com uma mancha de cores. O último é uma "cadeira de banheiro", um sofá que também é uma privada.

Quando Marge fala francamente da inutilidade das invenções de Homer, ele fica desapontado e taciturno. Pensando sobre seus fracassos, ele se recosta em uma cadeira que tinha adaptado. A cadeira tem um terceiro par de pés flexíveis, presos por dobradiças, que se movimentam para trás e impedem que ela revire. Marge e Lisa ficam maravilhadas com a engenhosidade da construção de Homer, e ele fica extasiado ao ver que finalmente tinha criado alguma coisa útil e única. Exultante diante de um pôster de Edison que ele tem no porão, Homer olha atentamente e percebe que o inventor está sentado em uma cadeira idêntica. Edison já tinha feito a tal cadeira, mas por alguma razão nunca a comercializou.

Em um acesso de desespero, Homer decide ir de carro até o Museu sobre Edison e destruir a cadeira original, de modo que ele possa continuar a reivindicar a invenção. Com Bart a tiracolo, Homer se desvia sorrateiro da excursão que visita o museu, pega seu martelo elétrico e está prestes a destruir a cadeira rival quando percebe um pôster na parede. Ele compara o progresso inventivo de Edison com o do renomado artista do Renascimento italiano, Leonardo da Vinci. Homer se conscientiza de que Edison era tão invejoso de Da Vinci quanto ele é de Edison. Tomado de simpatia em relação a Edison, Homer decide não destruir a cadeira. Sem perceber, deixa para trás o martelo elétrico, que é encontrado pelos funcionários do museu e anunciado nos noticiários como uma grande invenção desconhecida de Edison. O episódio se encerra com Homer consternado com o fato de que nem sequer obteve crédito por sua invenção, um artefato que provavelmente vai render milhões para o espólio de Edison.

O museu, nesse episódio, é baseado no lugar real onde Edison outrora trabalhou. Situado na cidade de West Orange, aninhada nos extensos subúrbios ao norte de Nova Jersey, o Edison National Historic Site [Espaço Histórico Nacional de Edison] é um monumento ao gênio inventivo de Edison. Seu museu de invenções está situado em um complexo de edifícios de tijolos vermelhos, de formato estranho, e intricadamente ligados, os quais já haviam sido os amplos laboratórios do inventor. Os visitantes do museu maravilham-se com as fileiras de prateleiras empilhadas com diagramas esboçados, as centenas de caixas de vidro cheias de lâmpadas rudimentares e de engenhocas elétricas, bem como as fileiras de dispositivos mecânicos pendurados em quase todos os tetos, ligados a estranhas máquinas nos assoalhos. Nesses cômodos apinhados, Edison costumava ficar dias seguidos, trabalhando arduamente – quase não dormindo, a não ser por breves cochilos –, até que tivesse descoberto soluções para seus problemas técnicos.

Uma das invenções de Edison que lhe deu um orgulho especial foi a do fonógrafo (palavra derivada do grego e que significa "instrumento que escreve som"), também conhecido como "a máquina que fala". Edison foi o primeiro homem a gravar e a reproduzir a voz humana. Os acontecimentos fundamentais no desenvolvimento do fonógrafo, e que exemplificam o processo inventivo geral de Edison, ocorreram no verão de 1877. Edison tentava construir um instrumento que fosse capaz de transcrever os pontos e travessões de uma mensagem telegráfica em uma fita de papel para arquivamento. Para ajudar a manter a fita no ajuste correto, pôs uma pequena mola de aço. Edison percebeu, surpreso, que quando a fita passava pela mola, um som quase inaudível, mas distinto, similar à voz humana, era produzido. Como era imensamente inventivo, ele inspirou-se nesse som para desenvolver um meio mecânico de gravar o som, usando marcas em materiais que também podiam receber essa impressão. Movendo um estilete sobre esses materiais marcados, Edison concluiu que tons reconhecíveis, entre eles a voz humana, poderiam ser reproduzidos.

Edison logo desenhou um projeto operacional para o primeiro fonógrafo e o enviou a um de seus mecânicos de confiança. A máquina que desenvolveu e que o mecânico construiu constituía-se em um cilindro de metal envolvido por uma folha de estanho provido de um eixo em espiral com uma ponta fina, uma base sobre a qual o cilindro girava, uma manivela para fazer girar o cilindro e uma agulha de gravação que rasparia o lado externo do cilindro, seguindo o padrão da espiral. A outra extremidade da agulha era conectada a um diafragma, semelhante ao que era usado em telefones. Assim, falando para o diafragma e girando a manivela, ele faria a agulha de gravação vibrar, criando uma marca na camada de estanho e ao mesmo tempo fazendo o cilindro girar, distribuindo a marca feita pela agulha na extensão total da espiral. O resultado era uma sequência de marcas sob a forma de "montes e vales" espalhados por todo o cilindro. Para reproduzir a mensagem, ele simplesmente colocaria o cilindro em um mecanismo similar, mas com uma agulha de reprodução (um estilete) e um diafragma, em vez de um dispositivo de gravação. Girando a manivela e ouvindo os sons emitidos pelo diafragma enquanto a agulha se movia sobre os sulcos da folha de estanho, ele poderia ouvir uma reprodução mais ou menos exata da mensagem original. As vibrações da membrana simulariam a reverberação das cordas vocais humanas e criariam vozes realistas simuladas.

Depois que seu assistente, seguindo cuidadosas instruções, construiu o modelo operacional do fonógrafo, Edison decidiu fazer um teste. Preparando o cilindro de gravação com uma folha nova de estanho, ele falou alto e claro no diafragma enquanto girava a manivela. As palavras que ele emitiu não tinham nada de profundo: "Mary... tinha... um carneirinho". O diafragma vibrou, a agulha moveu-se, o cilindro girou, e a mensagem foi gravada. Então veio a hora da verdade. Edison substituiu o dispositivo de gravar pelo de reproduzir, girou a manivela mais uma vez e ouviu cuidadosamente os sons produzidos pelo cilindro que girava. E, maravilha, repetiram-se as exatas palavras que ele tinha dito, reproduzidas em seu próprio tom de voz. Embora tivesse antevisto que aquilo aconteceria, Edison ficou verdadeiramente surpreso com os resultados de sua criação. Estava pasmo com o fato de se ouvir falar. O fonógrafo se transformaria em um dos maiores sucessos comerciais de Edison.

Em outra sala do museu, os visitantes podem ver onde Edison desenvolveu uma câmera de cinema primitiva para suas primeiras experiências em cinematografia. A ideia dessa invenção pode ter sido uma sugestão de Eadweard Muybridge, inventor do zoopraxiscópio (um sistema de múltiplas câmeras para captar o movimento), de que seu aparelho fosse combinado com o fonógrafo para gravar tanto a imagem quanto o som. Em vez disso, Edison decidiu criar seu próprio sistema usando uma câmera simples, e acabou desenvolvendo o cinetoscópio (palavra de origem grega que significa "ver o movimento"). A maior parte do trabalho de construção da primeira câmera cinematográfica foi feita por um dos assistentes de Edison, o fotógrafo William Dickson. O projeto original era semelhante ao dos primeiros fonógrafos, com o filme preso ao cilindro giratório. Mais tarde, com o advento de bandas grandes e flexíveis de celulóide, o cilindro foi substituído por carretéis de filmes.

No terreno em volta de seu laboratório, em um edifício atulhado e escuro, chamado de Black Maria, Edison estabeleceu o primeiro estúdio de cinema. Para lá, ele chamou vários tipos de artistas, como malabaristas, com o objetivo de filmá-los. Embora os filmes fossem curtos e simples, eles anunciaram uma revolução na maneira como imagens em movimento podiam ser registradas e estabeleceram os Estados Unidos como o maior centro da indústria do cinema e do entretenimento em geral. Assim podemos agradecer a Edison pela tecnologia que abriu o caminho para *O Mágico de Oz*, *Casablanca*, *Cidadão Kane* e *Os Simpsons, o filme.*

A lâmpada incandescente, o fonógrafo, a câmera de cinema, a indústria do cinema e muitas coisas mais – afinal, o que foi que Edison *não* inventou? Para começar, ele não inventou o martelo elétrico. Uma patente para esse invento foi concedida pelo governo dos Estados Unidos a Hiroki Ikuta, em 2005. Edison também não inventou ou reinventou a roda. Como Carl esclarece no episódio, foi o engenheiro escocês James Watt que desenvolveu o motor a vapor, umas das principais inovações que deram força à revolução industrial.

Uma lição que esse episódio nos ensina é que para ser um inventor não é necessário apenas um extraordinário talento, mas também uma correta mistura de habilidades para solucionar problemas e atacar quebra-cabeças espinhosos. Para deixar uma marca na história, um pensador brilhante deve estar no lugar certo na hora certa. Não há dois gênios iguais, nem duas situações iguais, por isso é preciso uma certa dose de sorte para deparar com as circunstâncias adequadas. A persistência obstinada de Edison e sua habilidade de produzir soluções criativas permitiram-lhe aplicar as leis da eletricidade e dos princípios da mecânica às necessidades industriais e domésticas de sua época.

Se Edison é um dos heróis-cientistas de Homer, Einstein certamente é o de Lisa. Em "A Árvore dos Horrores XVI", quando uma bruxa transforma os habitantes da cidade em personagens de suas fantasias de Halloween, Lisa acaba virando Einstein. Ela até imita sua maneira de falar enquanto tenta descobrir um meio de quebrar o encanto. É muito razoável que Lisa se identifique com um pensador conhecido por seus *insights* teóricos e por seu humanitarismo, enquanto Homer admira um homem mais pragmático em busca de sucesso nos negócios.

Não que Einstein não tivesse um lado prático. Durante seus estudos universitários em Zurique, ele passou a gravitar em torno do laboratório e deixou de assistir às aulas de matemática abstrata. Mais tarde, ele descobriria que algumas das aulas a que ele não tinha assistido eram necessárias para suas pesquisas. Como era de esperar, ele não recebeu notas boas dos professores e teve dificuldade, a princípio, de encontrar um trabalho acadêmico depois de se formar.

Felizmente, Einstein tinha um amigo bem relacionado que o ajudou a achar uma posição no Swiss Patent Office [Escritório Suíço de Patentes], em Berna. Esse período acabou sendo muito recompensador e produtivo, oferecendo a Einstein um equilíbrio entre o tempo necessário para desenvolver seus cálculos teóricos e a oportunidade de ganhar um bom dinheiro ao desempenhar uma tarefa importante. Como oficial de patente, o trabalho de Einstein era verificar os planos e as especificações de novas invenções para avaliar se elas eram inéditas, úteis e viáveis.

Como o exemplo de Homer demonstra, nem tudo o que a mente de um inventor desenvolve representa uma magnífica invenção. Nem todo mundo pode ser tão original quanto Edison. Um produto que vai parar na mesa de um oficial de patente pode ser igual a alguma invenção já patenteada e pouco conhecida. Mesmo que o produto seja original, ele pode ser inútil, como o alarme "tudo está ok". Finalmente, ele pode parecer uma ideia magistral, mas ser impraticável. Se ele viola as leis conhecidas da física, eis um sinal seguro de que não vai funcionar.

Mesmo os maiores inventores, incluindo Edison, não puderam desenvolver uma máquina que funcione indefinidamente. Um experiente oficial de patente como Einstein, sem dúvida nenhuma, rejeitaria qualquer esquema de um moto-perpétuo que caísse em suas mãos. O moto-perpétuo viola as leis da termodinâmica, um componente-chave da teoria física. Quem teria pensado que o negócio de invenções seria tão complicado?

9

Comoção perpétua*

Os desenhos de televisão podem ser o mais perto que conseguiremos chegar de dispositivos de moto-perpétuo. Embora a cada semana os personagens possam imergir em situações extremas, fazendo coisas perigosas com risco de sair feridos, em um novo episódio, na maioria dos desenhos, tudo reverte ao estado original. Até a morte é perpetuamente reversível.

Um exemplo é o desenho favorito de Bart e Lisa, *As Aventuras de Comichão e Coçadinha*, uma história de gato e rato com um novo enfoque e muito sangue. Possivelmente, é o desenho infantil mais violento já produzido. Ele pode ter feito aumentar o preço da tinta vermelha.

Comichão é o rato sem coração que dedica todo momento que passa acordado a torturar o pobre gato Coçadinha, que já foi vivissecado, eletrocutado, retalhado, imerso em ácido, e isso é apenas o começo. Em um episódio, Comichão enrola a língua de Coçadinha ao redor de um foguete que parte para a Lua, fazendo o satélite da Terra cair sobre o gato. O mais impressionante é que, a despeito de todo esse drama, no episódio seguinte Coçadinha está sempre de volta e bem-disposto. Nove vidas não são nada para esse gato. Ele pode ser reconstituído mais rapidamente que sopa instantânea.

Na vida real, contudo, há muita coisa que não é reversível. Deixe cair uma bandeja com pratos de porcelana no chão e os observe quebrando-se em

* No original, "perpetual comotion", trocadilho com "perpetual motion" (moto-contínuo) (N. do T.).

milhares de pedaços. Eles não poderão ser usados em seu próximo jantar. Explosões geralmente não podem ser revertidas. Mergulhar cubos de gelo em uma bebida quente é uma boa maneira de esfriá-la, mas você não vai ter esses cubos de volta quando tiver terminado o drinque. Esses sistemas são irreversivelmente provocados por profundos princípios físicos – chamados de leis da termodinâmica – que determinam como a energia se transforma e como o calor passa entre objetos de temperatura diferente.

Os desenhos, porém, são notoriamente imunes aos preceitos da física. Eles não precisam responder à força da gravidade, à flutuabilidade da água ou ao poder do vento. Em vez disso, eles se aproximam das leis da natureza – ou não – conforme os desenhistas estejam buscando o real ou o bizarro. Em 1980, um artigo do humorista Mark O'Donnel na revista *Esquire* tentou codificar as leis físicas dos desenhos. Com o título de "The Laws of Cartoon Motion" [As Leis dos Desenhos Animados], ele incluía princípios como: "Todo indivíduo suspenso no espaço vai continuar suspenso até que tome consciência de sua situação", "Certos corpos podem atravessar paredes pintando a entrada de túneis, e outros não podem", "Para cada vingança há uma 'revingança' igual e oposta", e, sem dúvida a favorita de Coçadinha, "Qualquer violenta rearrumação de material felino é não-permanente".[1]

Dado seu habitual menosprezo pelas regras ordinárias, certamente não é incomum para os desenhos apresentar máquinas que funcionam indefinidamente. Lisa cria um dispositivo desses no episódio "A Associação de Pais e Mestres de Banda". A motivação para sua invenção é uma longa greve na escola que a fez ficar completamente agitada e ansiosa. A falta de aulas e de trabalhos escolares simplesmente a transtorna. Ela obsessivamente pede a todo mundo que lhe dê uma nota, avalie, tenha uma opinião sobre ela, a recompense com notas altas e elogios, e assim por diante, até que Marge e Homer também ficam abilolados.

Lisa passa a desenvolver seus projetos científicos em casa, o que poderia parecer uma boa coisa. Contudo, seus pais não aprovam a ideia. Marge ficou irritada por Lisa ter cortado sua capa de chuva como se fosse um projeto de dissecação. O que enerva Homer é um aparelho que Lisa colocou em funcionamento e que fica girando cada vez mais rapidamente. De alguma forma, o aparelho não precisa de alimentação, pois retira energia do ar. Como qualquer pai preocupado, Homer decide tomar uma atitude. A obsessão de Lisa deve cessar. Homer busca palavras sábias para colocar Lisa novamente na linha e informa-lhe que enquanto estiver em casa ela deve "obedecer às leis da termodinâmica".

A greve finalmente termina. Até Bart, que tinha ficado irritado com o desfile de professores substitutos, incluindo sua mãe, fica feliz de voltar à escola. Lisa, filha obediente que é, segue as instruções de Homer. E nem mais uma palavra é ouvida sobre seu aparelho de moto-perpétuo.

Ordenar uma pessoa real a obedecer às leis da termodinâmica, à lei da gravidade ou a qualquer outro princípio físico naturalmente é um absurdo. Nossos corpos automaticamente acatam os princípios inerentes à realidade física. Se qualquer um deles pudesse ser violado, não seria uma lei.

Ainda assim, mesmo os físicos, algumas vezes, não conhecem a arena apropriada nas quais certas leis se aplicam. As leis da termodinâmica são um excelente exemplo. Embora seja claro que elas se aplicam a todas as coisas observadas (e não só à casa dos Simpsons, como Homer sugeriu), os físicos não podem dizer com certeza se elas englobam o universo *inteiro*. Isso porque elas são aplicáveis especificamente a sistemas fechados (no qual a matéria ou a energia não entra nem sai), e é incerto se o cosmos todo pode ser caracterizado dessa forma.

Vamos examinar as leis da termodinâmica e entender por que máquinas que funcionam indefinidamente não são viáveis. Essas leis foram descobertas no século XIX como uma reação ao desenvolvimento da máquina a vapor. Físicos como Sadi Carnot, Rudolf Clausius e William Thomson (Lorde Kelvin) examinaram a questão sobre quais tipos de motores e processos poderiam transformar as diferenças de temperatura em trabalho e desenvolveram o que ficou codificado como quatro princípios distintos. Vamos considerá-los na ordem em que vieram a ser classificados e não na sequência em que foram originalmente formulados.

A lei básica da termodinâmica nos ajuda a definir o conceito de temperatura. Definir a temperatura não parece ser uma tarefa formidável; afinal de contas, os meteorologistas se referem a ela o tempo todo, e todos parecemos entender o que eles estão falando. Devemos essa clareza à consistência dos termômetros, que operam com base na lei zero. Ela foi numerada como zero, a propósito, porque as outras três leis foram enumeradas primeiro, mas a lei zero parecia ainda mais fundamental.

Os termômetros operam por um processo chamado de equilíbrio térmico. Se duas coisas estão em contato – uma quente e outra fria –, o objeto mais quente transfere energia para o mais frio, até que os dois atinjam o estado de equilíbrio térmico. A energia trocada é chamada de calor. Quando dois corpos estão em equilíbrio térmico, o calor não passa mais de um para o outro, e dizemos que os dois têm a mesma temperatura.

Agora vamos ver onde entra a lei zero. Suponha que você tenha duas provetas com água. Você coloca o termômetro na primeira e aguarda até que ele fique estável. Depois de anotar a temperatura indicada, você o sacode e o coloca na segunda proveta. O termômetro fica estável novamente, e você também registra a temperatura daquela proveta. Se as duas temperaturas indicadas são exatamente iguais, então você pode fazer uma previsão sem medo de errar: não é preciso ser um Einstein para afirmar que as duas provetas com água, se colocadas em contato, estarão precisamente em equilíbrio térmico e não farão troca de calor. Isso porque, de acordo com a lei zero, se dois sistemas estão cada um em equilíbrio térmico com um terceiro (o termômetro), eles estarão em equilíbrio térmico um com o outro.

As duas leis seguintes são as mais substanciais e foram formuladas primeiro. A primeira lei da termodinâmica é também conhecida como lei da conservação da energia: ela afirma que a energia não pode ser criada ou destruída, mas simplesmente transferida. O famoso adendo de Einstein a essa lei, expresso na famosa equação $E = mc^2$, é que a massa é outra forma de energia.

Na natureza, a energia se apresenta de formas diferentes. O calor é apenas um de seus disfarces. Outro tipo, chamado de energia cinética, é associado a um objeto em movimento. Quanto mais rapidamente um objeto se move, maior é a energia cinética. Um copo d'água, por exemplo, contém uma colossal quantidade de moléculas de água, cada uma delas em movimento. Portanto, ele contém uma certa quantidade de energia cinética. Para sistemas com um enorme número de componentes, designamos a temperatura como uma medida da quantidade média de energia cinética por molécula. Quanto mais quente uma coisa, mais alta é sua temperatura, maior a quantidade de energia cinética por partícula e mais rapidamente, na média, suas moléculas estão se movendo.

Consequentemente, uma aplicação da primeira lei é que o calor transferido a uma substância pode aumentar a energia cinética média de suas moléculas, resultando em um aumento de temperatura. É por isso que pais como Marge e Homer deveriam ser sensatos e afastar crianças como Maggie de fontes de muito calor, como aquecedores a todo vapor ou núcleos dos reatores nucleares. Homer deveria ter essa precaução principalmente no dia de levar os filhos ao trabalho.*

Falando da ocupação de Homer, outra forma de transferência de energia é o trabalho. Trabalho não é apenas aquilo que Homer faz ocasionalmente. Na física, ele tem, também, um significado técnico. É quando a força (ou pressão) é aplicada para mover alguma coisa, como apertar um botão. Se Homer está simplesmente sentado, tecnicamente ele não está trabalhando, mas assim que ele ergue o dedo, aperta-o contra o botão e faz o botão comprimir-se, aí ocorre o trabalho.

De acordo com o que é chamado de teorema energia-trabalho, a aplicação de trabalho pode provocar uma mudança na energia cinética. Se Marge empurra o carrinho de bebê de Maggie, por exemplo, ela está aplicando trabalho nele e, portanto, fazendo com ele se mova mais depressa. Consequentemente, o trabalho de Marge se transformou em energia cinética.

O trabalho também pode alterar a energia potencial de um objeto, a energia de posição. Se você suspende alguma coisa no ar, seu trabalho aumenta a energia potencial dela – energia esta que se transforma novamente em trabalho se você a solta e a deixa cair. Então, se Homer está sentado distante do painel de controle, no meio do almoço, e o alarme soa indicando uma emergência, ele pode executar seu trabalho indiretamente graças às maravilhas da energia potencial. Ele pode lançar uma xícara para cima, transformando o trabalho de seu braço em energia potencial. Quando a xícara cai, sua energia potencial vai se transformar no trabalho de pressionar o botão que libera a água para baixar a temperatura do núcleo da usina nuclear. Legal! A energia potencial é verdadeiramente nossa amiga!

---

* No original, "'Bring your daughter to work' day", evento anual instituído nos Estados Unidos que estimula pais a levarem seus filhos a seus locais de trabalho durante uma jornada (N. do T.).

Parece que Homer tem uma certa resistência ética a despender energia extra. Daí seu desapontamento ao ver o moto-perpétuo de Lisa, que suga a energia necessária para aumentar cada vez mais sua velocidade aparentemente do nada. Um aparelho como esse claramente violaria a primeira lei, pois não conserva energia, mas a fabrica do nada.

Um aparelho poderia conservar energia e funcionar com 100% de eficiência (isto é, zero de perda)? De acordo com a segunda lei da termodinâmica essa situação seria impossível. Os físicos exprimem a segunda lei de várias formas diferentes. Uma maneira é estabelecer um limite máximo para a eficiência de um sistema fechado que sempre seja inferior a 100%. Isso significa que aparelhos que não recebam energia do mundo externo acabarão se desgastando.

Para um motor a vapor, que converte um pouco da energia térmica do vapor no trabalho que aciona um pistão ou uma turbina, a máxima eficiência teórica é estabelecida pela diferença de temperatura entre o vapor e a atmosfera. A segunda lei determina que a eficiência aumenta com diferença de temperatura. Assim, nenhum motor poderia extrair o considerável conteúdo térmico dos mares do mundo a menos que fosse possível expelir uma parte da energia térmica dos oceanos para um reservatório ainda mais frio.

Uma outra maneira de expressar a segunda lei envolve o conceito de entropia ou desordem. Entropia é uma medida da falta de unicidade de um sistema físico. Com o tempo, um sistema fechado tende a progredir de um estado único, ordenado, para arranjos desordenados mais comuns – mantendo ou aumentando sua entropia total, nunca diminuindo.

Tomemos, por exemplo, uma caixa de peças de damas divididas em pilhas de peças vermelhas e pretas. Coloque as peças vermelhas de um lado de um tabuleiro, e as pretas, do outro lado. Com sua bem dividida organização, o conjunto de peças está em um estado de entropia relativamente baixa. Agora suponha que você dê uma batida no tabuleiro. Na melhor hipótese, as peças vão manter sua separação, mas elas podem também se misturar. Se você continuar batendo no tabuleiro, e as peças se misturarem cada vez mais, o sistema provavelmente ficará cada vez menos organizado e cada vez mais único. Portanto, sua entropia vai aumentar.

Se você filmasse as peças se misturando e passasse o filme em um vídeo, primeiro para a frente e depois para trás, você veria as peças se misturando no primeiro caso e se separando no segundo. Você poderia dizer de pronto a diferença entre aumentar e diminuir a entropia, pois a primeira situação pareceria muito mais normal que a segunda, e, mesmo sem olhar os controles do vídeo, você saberia se o filme está correndo para frente ou para trás. Assim, a direção do aumento de entropia estabelece uma "seta" natural para o tempo.

Outra aplicação da lei da entropia envolve objetos de diferentes temperaturas colocados em contato. Suponha que uma pia dupla seja enchida de modo que de um lado ela tenha água quente e do outro, água fria. Então, o tampão que divide as duas é removido. Antes de o tampão ser puxado, quando a água quente e a água fria estão separadas, o sistema está mais organizado do que quando a temperatura começa a se igualar e o sistema está misturado. Daí, o sistema se move *naturalmente* em direção a uma entropia maior e com menos ordem. Você poderia "artificialmente" reverter o processo aquecendo um dos lados, mas isso o tornaria um sistema aberto, não um sistema fechado.

Vamos supor que Lisa queira projetar um moto-perpétuo que funcione para sempre na mesma velocidade, e não um que vá cada vez mais depressa. Ela usa uma bateria para aquecer um frasco de água, que vira vapor, e então usa sua pressão para girar uma turbina. A turbina faz funcionar um gerador que recarrega a bateria que, por sua vez, aquece a água, e assim por diante. Como a energia total é conservada, o aparelho não violaria a primeira lei. Contudo, ao reciclar perfeitamente energia *utilizável* e não tendo perda, ele violaria a segunda. De modo realista, cada vez que o ciclo se completasse, a lei da entropia asseguraria que nem toda a energia do vapor pudesse ser utilizada – alguma teria de ser liberada como excesso. Em outras palavras, o sistema não poderia girar com 100% de eficiência e nunca poderia fornecer força própria suficiente para se recarregar. Em geral, por causa da segunda lei, nenhuma máquina poderia funcionar totalmente por meio da diferença de temperatura que ela mesma cria.

Finalmente, chegamos à terceira lei, que diz respeito à impossibilidade de a temperatura atingir o zero absoluto. O zero absoluto, uma temperatura de -273,15 graus Celsius, ou -459,67 graus Fahrenheit, corresponde ao estado em que cessam todos os movimentos das moléculas. Embora cientistas tenham resfriado substâncias a temperaturas baixíssimas, próximas do zero absoluto, princípios físicos garantem que eles nunca vão poder remover toda a energia térmica de um material. Se você pudesse fazer funcionar um gerador de calor de modo que sua produção fosse canalizada para um reservatório resfriado ao zero absoluto, ele funcionaria com 100% de eficiência. Contudo, a impossibilidade do zero absoluto é outra razão pela qual os 100% de eficiência estão igualmente fora de questão.

Em resumo, as leis da termodinâmica garantem que aparelhos perfeitamente eficientes são impossíveis de criar. O moto-perpétuo, embora seja uma ideia fabulosa para mirabolantes projetos científicos e conversas curiosas, simplesmente não pode ocorrer em nosso mundo de energia preservada e entropia acumulada. Então, se você receber e-mails anunciando máquinas que funcionam indefinidamente, poderá deletá-los com convicção.

Toda essa conversa sobre eficiência é cansativa. Nesta época de estresse, chega um tempo na vida em que desejamos alguma ajuda para com nossas responsabilidades. Homer, por exemplo, certamente precisa de ajuda – seja ela de homem ou de máquina, ou talvez até de um híbrido dos dois.

10

Cara, sou um andróide

Vamos falar de trabalho. Melhor ainda, sobre fugir do trabalho. Como já discutimos, de acordo com a primeira lei da termodinâmica, trabalho e energia estão sujeitos ao princípio da conservação; então, se você não quiser fazer o trabalho, será preciso encontrar alguém que o faça. Alguém precisa ser treinado para fazer todas as coisas pelas quais você está sendo pago, a fim de que você possa obter os bônus, a glória e o profundo amor de sua família – sem levantar um dedo.

Dizem que não é possível ensinar novos truques a um cachorro velho. Portanto, seria muito difícil atribuir novas responsabilidades a um cachorro como o de Bart, o Ajudante de Papai Noel, por mais tentador que isso possa soar. Mas seria possível ensinar novos truques a robôs? Se os novos truques não combinam com quem é antiquado, será que eles poderiam ser ensinados a se tornarem reluzentes máquinas com brilhantes e eficientes partes móveis? Talvez. Outra opção seria passar os afazeres para as crianças, já que os cérebros dos garotos são muito mais adaptáveis e treináveis que o mais inteligente cérebro mecânico. A linha de raciocínio segue o adágio "Robôs bobos, truques são para as crianças".*

* Paráfrase da expressão "Silly rabbit, Trix are for kids" ("Coelho bobo, Trix é para as crianças"), *slogan* da campanha publicitária dos cereais Trix, de enorme sucesso nos Estados Unidos nos anos 1960, em que um coelho vivia pedindo às crianças uma tigela de cereal. O nome do cereal, Trix, tem o mesmo som de *tricks*, truques, em inglês (N. do T.).

Graças às maravilhas da tecnologia, algum dia talvez nem tenhamos de escolher. Que tal combinar a animação dos jovens com a obediência dos robôs? Robôs-crianças – legalmente obrigados a ficar em casa até a maioridade e programados para não discutir – poderiam se mostrar muitos úteis em pequenos trabalhos, como varrer o chão, retirar o lixo ou construir anexos necessários nas casas. Afinal de contas, crianças-andróides nunca ficam cansadas, mostrando-se fortes e vigorosas até serem desligadas à noite.

Em "BI – Bartifical Intelligence", da "Árvore dos Horrores XVI" (uma paródia do filme *AI- Inteligência Artifical*, de Steven Spielberg), a cegonha da moderna tecnologia deixa um robô-garoto na casa dos Simpsons, e eles experimentam, em primeira mão, o convívio com um bebê-andróide. Mas por que eles quereriam um robô-garoto? A história começa como tragédia. Em um acesso de bravata, Bart – que, embora de carne e osso, parece ter um parafuso a menos – tenta se atirar da janela de um edifício em uma piscina, mas cai no chão e termina em coma profundo. Ele fica em uma cama de hospital, completamente inconsciente. O dr. Hibbert informa aos arrasados Marge e Homer que Bart provavelmente nunca vai se recuperar e os aconselha procurar uma companhia que produz substitutos mecânicos semelhantes aos humanos. Eles compram um robô-criança chamado David – visualmente indistinguível de uma criança humana, mas com a vantagem de ter partes duráveis e vir com um manual de instruções.

David rapidamente se integra à família e se faz indispensável. Marge fica impressionada com sua alegre contribuição na cozinha, no jardim e por toda a casa. Maggie gosta de ganhar um ursinho que seu "irmão" produz. Qualquer reserva ética que Lisa tenha é contornada por um amigável agrado no pescoço.

Então ocorre um milagre: Bart acorda do coma. Voltando para casa e vendo seu substituto em ação, ele naturalmente sente muito ciúme. Qualquer coisa que Bart pode fazer, David parece fazer melhor. Quando Bart dá flores a Marge, David produz sinais elétricos luminosos com mensagens de amor. Bart simplesmente não consegue competir com os circuitos de David, que são programados para agradar aos pais.

No fim, Homer decide que a casa só tem espaço para um dos dois, e deixa Bart no meio de lugar nenhum. Vagando pelos campos, Bart encontra uma colônia de andróides com defeito, que lhe pedem para ensinar-lhes o significado do amor. Em vez disso, Bart rouba algumas de suas partes e transforma-se em uma fortaleza mecânica. Ele volta para casa e destrói David (no processo, corta Homer ao meio).

O amor dos pais é um laço poderoso. Por instinto, mães e pais amam seus descendentes completamente. Será que poderiam sentir a mesma afeição por um substituto mecânico? Será que pais humanos criariam uma criança-andróide do mesmo modo que um filho biológico? E será que esse filho artificial poderia oferecer-lhes um nível de satisfação emocional comparável ao de uma criança humana?

Um extenso estudo do *Massachusetts Institute of Technology Media Lab* [Laboratório de Mídia do Instituto de Tecnologia de Massachusetts], chamado projeto *Sociable Robots* [Robôs Sociáveis], explora as relações emocionais entre humanos e robôs. O projeto atualmente centra-se em dois seres mecânicos altamente expressivos: Kismet, um rosto de "bebê" com traços que reagem e se alteram, e Leonardo, uma criatura fantástica como um duende com longas orelhas caídas. Quem supervisiona o projeto é a professora de robótica Cynthia Breazeal, que criou um pioneiro e inovador híbrido entre a inteligência artificial e a psicologia social.

Kismet, o primeiro dos dois a ser desenvolvido, começou sua vida nos anos 1990, como tese e projeto de doutorado de Breazeal. Seus traços faciais – incluindo olhos, sobrancelhas, lábios, ouvidos – são altamente móveis, permitindo-lhe imitar uma considerável gama de expressões humanas. Pessoas que observam Kismet geralmente são capazes de perceber qual emoção ele está tentando transmitir, bem como em que direção ele está olhando. Portanto, ele é capaz de olhar para alguém e sorrir, ou ficar amuado, dependendo de sua "disposição". Kismet também pode emitir vários sons infantis para exprimir a profundidade de seus "sentimentos". Se David, o andróide, é comparável a Bart, pelo menos em termos de "idade", Kismet é mais como Maggie.

Estudar e repetir as interações sociais é uma via de duas mãos, e Kismet está bem equipado também para observar as pessoas. Montadas na parte superior de seu rosto estão quatro câmeras eletrônicas do tipo "dispositivo de carga acoplado" (CCD, na sigla em inglês). Duas delas, forçadas a mover-se com a cabeça, têm grande alcance angular e são usadas para estimar distâncias e captar o campo inteiro de visão. As outras duas câmeras, localizadas logo atrás das pupilas, podem mover-se mais independentemente e focar objetos próximos. Dependendo do que Kismet está fazendo, ele pode ajustar a direção de seu olhar.

Para ouvir, Kismet vale-se de microfones sem fio e *softwares* de reconhecimento de voz. Esse *software* é semelhante aos sistemas de resposta ativados por voz que algumas vezes pedem informação pelo telefone (quando uma gravação de uma empresa aérea lhe pede para dizer "janela", "corredor" ou "asa", por exemplo, para indicar sua preferência de assento). Os que interagem com Kismet falam diretamente nos microfones. Seus sinais de voz são transmitidos a computadores, em que são traduzidos para instruções que Kismet pode entender.

Os algoritmos de aprendizagem de Kismet analisam o *input* audiovisual, combinam-no com outros *inputs* sensórios e usam os dados completos para decidir o que ele deve fazer em seguida. Ele pode, por exemplo, virar a cabeça, redirecionar o olhar, alterar seu estado emocional ou emitir uma resposta. A ideia é aprender a se socializar com os humanos pela imitação e pela experiência. Observando Kismet desfiar o tecido do comportamento interativo, os cientistas podem começar a entender as nuances do aprendizado social.

Uma das limitações de Kismet é que ele não tem corpo. Se você mencionar esse fato, ele pode começar a fazer beicinho, de modo que se você ficar face a face com ele, é melhor manter essa observação só para você. Como alguns tipos de expressões emocionais não implicam alterar a expressão facial, Kismet não pode transmitir a gama completa de interações.

Para sofisticar os robôs interativos, o grupo de Breazeal contratou o *Stan Winston Studio* para construir Leonardo. Com 75 cm de altura e com 61 maneiras independentes de mover o rosto e o corpo, Leonardo é um dos robôs mais expressivos construídos até hoje. Seus movimentos faciais são tão complexos quanto os possíveis modos da expressão humana.

O *Stan Winston Studio* tem tido considerável experiência na construção de robôs, especialmente para os filmes de Hollywood. Ele construiu o ursinho Teddy do filme *AI*, os dinossauros dos filmes da série *Parque dos Dinossauros*, os andróides da trilogia *Exterminador do Futuro* e inúmeras outras criaturas, vestimentas e efeitos especiais. Assim, o estúdio foi uma escolha natural para dar vida a Leonardo.

Encontrar-se com Leonardo é como se deparar com uma criatura de floresta encantada de um livro infantil. Embora ele não se pareça com nenhum animal conhecido, suas grandes orelhas peludas, olhinhos de filhote de cachorro e proporções reduzidas parecem calculadas para transmitir a amizade e o calor que um animal de estimação pode provocar. Além dessa impressionante aparência, Leonardo conta com uma coleção de pequenos, mas poderosos, motores, que permitem movimentos refinados equivalentes aos sutis gestos humanos. A observação de como as pessoas interagem com Leonardo e como ele responde tem fornecido *insights* sobre os passos necessários para dominar a comunicação social.

Em 2003, David Hanson, da Universidade do Texas, em Dallas, apresentou uma cabeça robótica, chamada K-bot, com uma "pele" de aspecto real feita com polímeros, e uma completa gama de expressões faciais semelhantes às humanas. Como Kismet e Leonardo, ela tem câmeras eletrônicas nos olhos e minúsculos motores para alterar o olhar e transformar sua aparência. Como sua pele é feita de um material flexível, composto de 24 músculos artificiais, seus movimentos faciais são ainda mais refinados. Em menos de um segundo, o rosto pode passar de um cenho franzido a um sorriso, de um sorriso afetado a um olhar terno. O K-bot pode ser o prenúncio de uma nova geração de rostos robóticos como os reais.

Contudo, mesmo que uma face robótica possa se mover como uma face humana, isso não quer dizer que sejam indistinguíveis. As expressões erradas, como sorrir repetidamente em momentos inoportunos, são uma pista clara. Como Breazeal já observou, construir andróides com aspecto humano "não é apenas um problema de engenharia" e deve levar em conta fatores sociais e psicológicos.[1]

Estamos no limiar de uma nova era de máquinas com aparência humana, projetadas para nos imitar física e psicologicamente. A primeira utilização desses robôs quase reais, já vistos de forma rudimentar em parques temáticos e lojas de brinquedos, sem dúvida, será como dispositivos de entretenimento. É agradável ver e ouvir seres mecânicos imitando as expressões humanas e respondendo as nossas palavras. Algumas empresas já estão fabricando robôs humanóides que andam, gesticulam, falam com um vocabulário limitado e respondem a comandos de voz.

Quando será que garotas como Lisa e Maggie poderão ter irmãos robóticos e garotos como aquele pelo qual Bart temia ser substituído? Se os irmãos e irmãs mecânicos precisam apenas parecer humanos e imitar nossos gestos, então a espera não deve ser longa. Os progressos na construção de faces e corpos como os humanos estão ocorrendo em ritmo aceleradíssimo. Se, porém, as crianças querem conversas realistas com companheiros inteligentes que pareçam e pensem como outras crianças, então a espera poderá ser muito, mas muito demorada. Ninguém sabe se será possível projetar um robô que passe no teste de Turing, a olímpica associação das máquinas inteligentes.

O teste de Turing foi proposto pelo matemático e renomado decifrador de códigos britânico Alan Turing em sua famosa dissertação de 1950, *Máquinas de Computação e Inteligência.* O teste envolve a crítica questão: "Máquinas podem pensar?".[2] Turing propôs responder a essa indagação com uma experiência chamada jogo da imitação. Nesse jogo, um interrogador humano ficaria em uma sala e dois respondedores em outra: uma pessoa e uma máquina. O interrogador datilografaria perguntas e as transmitiria para a outra sala. Sem revelar quem é e o que está dizendo, um dos respondedores responderia. Então caberia ao interrogador descobrir se a resposta veio de uma pessoa ou de uma máquina.

Se o teste de Turing revelaria a verdadeira inteligência é controvertido. Em 1980, o filósofo John Searle, da Universidade da Califórnia, em Berkeley, propôs o que é conhecido como o argumento da Sala Chinesa contra as alegações de que os computadores que passassem pelo teste de Turing realmente pensariam com uma pessoa. Searle imaginou uma sala fechada em que trabalhadores que não entendem uma única palavra de chinês receberiam páginas com instruções naquela língua. Para responder às instruções, eles teriam de consultar um livro de regras que lista as respostas apropriadas para cada pergunta. Os trabalhadores escreveriam as respostas sem ter a menor ideia sobre o que as palavras significavam realmente. Do lado de fora da sala, aqueles que transmitiam e recebiam as mensagens poderiam pensar que estavam mantendo uma conversação com pessoas fluentes em chinês. No entanto, os trabalhadores seriam como autômatos sem nenhum entendimento daquele idioma. Da mesma forma, um sistema computacional que simulasse respostas humanas, Searle argumentou, não seria necessariamente capaz de raciocinar.

Quase seis décadas depois de ter sido proposto, o teste de Turing permanece um padrão difícil de ser atingido. Os computadores de hoje podem prever jogadas para derrotar os grandes mestres do xadrez mundial. No entanto, nenhum computador tem a criatividade, a flexibilidade, o entendimento coloquial e a intuição necessária para passar no teste de Turing. Nenhum nem mesmo chega perto – como se pode ver examinando as transcrições da disputa pelo Prêmio Loebner de inteligência artificial, uma competição do teste de Turing da vida real que acontece anualmente desde 1990.

Os candidatos ao Prêmio Loebner são os programadores; vencem os criadores do *software* de conversação mais inteligente. Seus programas são avaliados como o teste de Turing seria: com juízes, computadores e parceiros. Para cada rodada, tanto o computador quanto os parceiros alegam ser pessoas reais, e é tarefa dos juízes descobrir quem é quem. Para chegar isso, cada juiz tenta estabelecer uma conversação a distância com cada participante (pessoa ou computador) e decide quem se sai melhor e oferece respostas razoáveis.

Os juízes da competição de 2005 foram três professores da Universidade de Nova York e um jornalista: Ned Block, Lila Davachi, Dennis Shasha e John Sundman, respectivamente. O programa vencedor, desenvolvido por Rollo Carpenter, é chamado Jabberwacky. Estranhamente, sua personalidade tem uma semelhança superficial com a de Nelson Muntz, o principal valentão de Springfield.

Por exemplo, quando Ned Block perguntou: "Quem fica mais distante de nós, Queens ou a Mongólia Central?", Jabberwacky respondeu: "Haha! Esta foi estúpida. Conte uma *boa* piada desta vez".

Quando John Sundman contou: "Eu moro em Martha's Vinneyard",* Jabberwacky retrucou "Eu vou para Marte e vou arrebentar sua cara com um bastão de beisebol!"[3]

Hummm. Talvez Lisa e Maggie tenham de esperar um pouco mais por um irmão-andróide fofinho com quem brincar. Mas se elas querem um andróide valentão para zombar delas, isso é outra história.

E se as garotas Simpsons estivessem em busca de um pai-robô? Suponhamos que elas precisassem de um mentor mecânico que fizesse qualquer sacrifício pelo bem-estar delas, não importando quão penoso isso fosse. Quem possivelmente poderia atender às especificações senão o próprio Homer Jay Simpson?

---

* Ilha do Estado de Massachusetts em que vivem muitos milionários e pessoas famosas (N. do E.).

11

Regras para robôs

E se Homer acordasse um dia como um trabalhador devotado e eficiente? Vamos supor que ele sempre siga as instruções ao pé da letra e nunca diminua seu empenho antes de terminar uma tarefa. Imagine-o forte e capaz, trabalhando com mais afinco que qualquer um e granjeando o amor e o respeito de seus filhos. Imagine Homer como um robô.

No episódio "Eu, Autômato", Homer sofre essa transformação, e vestido a caráter. A história começa com Bart aborrecido com sua antiga bicicleta e querendo outra brilhando de nova. Homer informa que ele só ganhará um novo modelo quando a velha bicicleta parar de funcionar, e Bart, convenientemente, a destrói colocando-a na frente do veículo em movimento do dr. Hibbert. Arrependido, o doutor oferece-se para pagar uma nova bicicleta. Homer concorda, e ele e Bart se dirigem à loja. A montagem custa um dinheiro extra, de modo que Homer decide fazê-la ele mesmo. Péssima decisão. Quando a bicicleta nova em folha se divide em pedaços, em virtude da incompetência de Homer, Bart fica extremamente irritado.

Homer decide fazer as pazes com Bart e provar sua destreza mecânica participando de uma competição entre pai e filho sobre robôs no programa popular *Robot Rumble* [Luta de Robô] (baseado no show de televisão *Battlebots* [Robôs de Luta], patrocinado pela companhia de mesmo nome). A ideia do show é que os pais construam robôs guerreiros para os filhos e os tragam para a arena, onde os robôs lutam violentamente. O problema é que a despeito do desejo de Homer de ser um novo Edison, suas habilidades mecânicas fazem uma dobradiça de porta parecer um prodígio. Depois que seus esforços para construir um gladiador mecânico se revelam infrutíferos, ele se lembra do conselho paternal de Abe: "Se você não consegue construir um robô, seja um deles".

Enfiando-se em uma vestimenta de robô, equipado com um controle remoto fictício e uma marreta, Homer entra ele mesmo na competição – de início, mantendo sua identidade desconhecida de Bart e de todo mundo. Bart o anuncia como "Chefe Knock-a-Homer". Homer, que havia dado uma desculpa capenga para justificar sua ausência, faz um robô lutador bastante convincente. Enfrentando um adversário mecânico que empunha uma serra barulhenta, convenientemente chamado de Buzz Kill, ele consegue não gritar quando seu braço é cortado e, ao final, vence. Bart fica exultante de orgulho.

Depois que Knock-a-Homer vence vários outros robôs, ele enfrenta seu mais formidável inimigo, um lutador imenso construído pelo professor Frink. No primeiro assalto, o robô de Frink o surra até que Homer fica atordoado e confuso. Quando Bart dá uma olhada no painel nas costas de Knock-a-Homer para ver se houve algum dano, fica surpreso de ver que é o pai quem está dentro da vestimenta. Mesmo assim, Bart fica muito orgulhoso de seu pai – talvez até mais agora que viu o sacrifício de Homer.

Contudo, a família não tem muito tempo para confraternizar, pois Knock-a-Homer é massacrado no segundo assalto. O colosso de Frink atinge Homer com tanta violência que a vestimenta de robô se rompe e ele é espremido para fora, como pasta de dente. Instantaneamente, a luta termina.

Frink explica que seu robô segue as três leis da robótica de Isaac Asimov e não pode ferir um ser humano. Ao contrário, ele é programado para servir aos humanos. Demonstrando sua devoção pelo *Homo sapiens* (neste caso, "*Homer sapiens*"), ele prepara um martíni e faz Homer sentar-se em um sofá confortável. Ah, isso é que é vida.

O episódio levanta duas questões vitais sobre os robôs: afinal o que são as três leis da robótica de Asimov? E um robô pode preparar um martíni aceitável? Vejamos esta última questão primeiro. Por estranho que pareça, a cidade de Viena tem sido, desde 1999, a sede da Roboexótica, uma exposição anual de preparação de coquetéis feitos por robôs. "Moes" robóticos de todo o globo demonstram suas habilidades como *bartenders*, para o grande prazer dos "Barney Gumbles" vienenses. As festividades incluem prêmios para os robôs com perícia em preparar e servir coquetéis, fumar charutos ou cigarros ou papear com os clientes. Dada a agitação da competição pelo Prêmio Loebner, você pode imaginar como é a animação. Uma parte, na verdade, é de insultos deliberados, com o objetivo de atrair a atenção. Se um robô ainda não está preparado para o teste de Turing, ele pode se tornar um perito em preparar e servir um drinque.

Será que as pessoas poderão um dia ter robôs programados para tornar suas vidas mais confortáveis? Se eles fossem suficientemente fortes para trabalhos pesados, poderiam ser perigosos. E se Jimbo, Dolph e Kearney juntassem o dinheiro da merenda de seus colegas para ter um andróide que batesse em cada garoto à vista? Ou se um notório criminoso como Snake Jailbird treinasse um titã mecânico para roubar os Kwik-E-Marts? Robôs perigosos, capazes de serem programados para cometer atos abomináveis, claramente não seriam aceitos. Força extraordinária requer precaução extraordinária.

O escritor visionário Isaac Asimov abordou essa situação em suas famosas histórias sobre robôs, reunidas na antologia *Eu, Robô*, na qual este episódio de *Os Simpsons* foi vagamente baseado. Asimov nasceu na Rússia, criou-se nos Estados Unidos e se tornou um importante bioquímico. Ficou famoso como um escritor extremamente dotado de ficção científica. Ele se preocupava com as implicações morais das novas tecnologias, especialmente se elas pudessem ser utilizadas para fins violentos. Para se antecipar à possibilidade da existência de valentões malévolos inclinados à destruição, Asimov propôs as três leis da robótica. Apresentadas pela primeira vez em um conto de 1942, *Brincando de Pique*, tornaram-se recorrentes nas obras de ficção científica. As leis são:[1]

1. Um robô não pode ferir um ser humano nem, por omissão, permitir que ele se fira.
2. Um robô deve obedecer às ordens dadas por um ser humano, exceto quando essas ordens contrariem a Primeira Lei.
3. Um robô deve preservar sua própria existência, desde que isso não entre em conflito com a Primeira ou a Segunda Lei.

Durante a luta, o combatente mecânico de Frink seguiu essas leis ao pé da letra. Ele se protegeu até que Frink lhe deu ordens para entrar em combate. Depois suspendeu toda atividade agressiva quando percebeu a possibilidade de ferir um humano. Finalmente, percebeu que Homer precisava relaxar (um tipo de solicitação implícita) e lhe ofereceu o martíni e o sofá. Nada mal para uma máquina do início do século XXI.

Tenha em mente, contudo, que atualmente as leis de Asimov só têm aplicação ficcional. Ao contrário das leis da termodinâmica, elas são puramente hipotéticas, já que ainda é impossível programar um robô para tomar decisões éticas. Mas e se um dia os andróides tiverem o poder de proteger ou ferir, baseados em escolhas próprias? Talvez as leis de Asimov sirvam como um projeto para a instalação de salvaguardas contra o mau uso.

Em nações industriais avançadas, especialmente aquelas com uma discreta taxa de aumento populacional, como o Japão, há uma possibilidade real nos próximos anos de que os robôs venham a fazer parte da força de trabalho. Em 2000, a Honda introduziu um sofisticado robô móvel chamado Asimo (*Advanced Step in Innovative Mobility* – Passo Avançado em Mobilidade Inovadora), que se parece com alguém em um traje espacial branco e com um capacete da mesma cor. Embora seu nome pareça um tributo a Asimov, aparentemente a semelhança de nomes é pura coincidência. Contudo, com sua habilidade para andar e correr como um ser humano, o robô que tem quase o nome de Isaac Asimov representa um marco no caminho para a sociedade robótica que ele imaginava.

Dentro de décadas, talvez, os robôs poderão se tornar um personagem permanente da vida diária – para limpar chãos, servir comida e cuidar daqueles que não podem sair de casa. Se confiarmos nosso destino a máquinas, certamente exigiremos restrições em sua programação que os impeçam de provocar danos intencionais. Aí é que as leis da robótica desempenhariam papel importante.

Sem essas salvaguardas, o mundo pode se tornar tão traiçoeiro e ingovernável quanto um desenho de Comichão e Coçadinha. Será que poderemos prever quando os andróides se virarão contra seus criadores, como o monstro de Frankenstein fez? Talvez só os experientes na teoria do caos tenham as ferramentas necessárias para saber se robôs bem comportados poderiam fugir ao controle.

12

Caos na Cartunlândia

Em centenas de episódios, os Simpsons experimentaram extremo caos, completo pandemônio, absoluta confusão e terrível bagunça. Eles estão bem familiarizados com a anarquia, a agitação, a discórdia e a confusão, e já provocaram muito tumulto. Catástrofe, calamidade, estragos e desordem parecem afligi-los durante os raros momentos em que não estão no meio de desastre total. Homer sozinho já fez muitas lambanças, que levaram a muitos *d'ohs*. Contudo, apenas em um episódio, os Simpsons aprenderam o real significado do caos.

O termo *caos*, em física, tem um significado técnico que o distingue dos confusos e caóticos contratempos da vida. Essa definição o separa do inexplicável, do fortuito, e o coloca em uma estranha e híbrida categoria entre os mundos da perfeita previsibilidade e do total acaso. Caos implica que um sistema tenha leis subjacentes que teoricamente permitam conhecer o futuro, mas, na prática, tais previsões são impossíveis por causa das incertezas dos métodos de medida, que crescem com o tempo. Em outras palavras, um cientista como o professor Frink pode desenvolver as equações que descrevem um sistema (uma combinação química, por exemplo), mas se não tiver perfeitos dispositivos que meçam cada aspecto com absoluta precisão, ele não poderá dizer com certeza como o sistema se comportará.

A mais típica aplicação da teoria do caos – e historicamente o campo inicial de estudo do assunto – é a análise e previsão do tempo por meio da meteorologia. Ao lado de usos militares, a previsão do tempo foi uma das primeiras aplicações dos primeiros computadores, construídos na metade do século XX. Prever se vai chover, nevar, chover *e* nevar, cair uma tempestade de granizo, ou se não irá acontecer nada, requer a análise de uma enorme quantidade de dados; assim, em essência, os computadores tornaram a previsão do tempo muito mais viável.

Os primeiros computadores eram enormes comparados com os de hoje, e muito mais lentos. Programá-los requeria religar fios e depois ligar tomadas. Por volta de 1960, tornou-se comum usar cartões perfurados como padrões para inserir programas e dados. Um conjunto de cartões com os passos necessários para processar a informação, bem como os próprios dados, alimentava o computador, que rodava todos os passos e enviava os resultados a uma impressora, que os imprimia em folhas de papel. Naturalmente, esse longo processo dava margem a muitos enganos. Um pequeno erro na perfuração de um cartão poderia alterar completamente o resultado de um programa, e seriam necessários horas ou dias para detectar o engano, rodando o programa diversas vezes e procurando em todos os cartões.

Edward Lorenz era um renomado meteorologista do Instituto de Tecnologia de Massachusetts (MIT, na sigla em inglês), adepto dos primeiros computadores e bem informado sobre os componentes críticos de uma previsão, incluindo temperatura, pressão atmosférica e velocidade do vento. Em 1960, ele construiu um conjunto básico de equações relacionando essas variáveis e usando as leis da física para prever seus futuros valores. A física clássica, desenvolvida pelo cientista inglês do século XVII *Sir* Isaac Newton, e ampliada pelo matemático francês do século XVIII Pierre Laplace, e muitos outros, é completamente determinística. Determinismo significa que se você sabe todas as condições de um sistema em um dado momento de tempo, você pode antecipar indefinidamente como essas condições vão se desenvolver no futuro.

Pegue, por exemplo, o jogo de bilhar. Se um ilustrado professor como Frink estivesse jogando e quisesse encaçapar a bola 8 em uma caçapa do canto, ele poderia utilizar transferidores e réguas para medir os vários ângulos e distâncias relacionados às bolas, às bordas da mesa, ao canto pretendido e ao taco. Ele poderia usar as leis da física para determinar em qual velocidade e ângulo a bola 8 deveria ser atingida pelo taco para maximizar as chances de ela atingir uma das bordas, voltar e cair na caçapa. Então Frink poderia treinar como mirar o taco no ângulo certo e como atingir a bola para produzir a velocidade adequada. As equações determinísticas da física clássica lhe permitiriam planejar o que aconteceria no jogo.

Lorenz esperava que as equações para o tempo se comportassem da mesma forma. Teoricamente, se dados suficientes fossem inseridos em um computador, ele poderia determinar como o vento iria mudar, como as temperaturas e pressões atmosféricas iriam subir ou descer, e assim por diante, para cada localidade em uma região. Então, confiantemente, ele inseriu sua série de equações e conjuntos de dados em um computador e aguardou a impressão, imaginando que o computador iria pelo menos dar uma ideia das condições do tempo.

Para assegurar-se do bom funcionamento do programa, Lorenz o rodou duas vezes com o que ele acreditava que fosse o mesmo conjunto de dados. Gerando os resultados a cada vez, ele ficou surpreso de encontrar diferentes previsões, cada vez mais díspares com o passar do tempo. Como a mesma informação inserida em um programa idêntico de computadores poderia produzir quadros tão disparatados?

Em uma verificação posterior, Lorenz vasculhou os números cuidadosamente e percebeu que havia uma discrepância muito pequena entre o que ele tinha inserido a cada vez. Em um caso, ele havia separado os dados diferentemente de cada vez, produzindo um número diverso de dígitos. É como se ele escrevesse a idade de Homer como 38,1 anos, e depois só 38. Uma diferença tão pequena que se poderia pensar que a previsão não iria mudar tanto. Se Homer dissesse ter 38 anos a um corretor de seguros de vida e recebesse um relatório indicando que possivelmente ainda viveria mais 45 anos, e depois retificasse a idade para 38,1 anos e fosse comunicado de que viveria mais dez anos, essa enorme diferença seria de fato surpreendente. Mas, para o algoritmo de Lorenz, qualquer discrepância minúscula agia em cascata sobre as previsões do tempo e acabava produzindo uma grande alteração.

Os cientistas apelidaram de "efeito borboleta" o fenômeno de pequenas alterações nas condições iniciais que levam a gigantescas diferenças na dinâmica futura. A expressão deriva da possibilidade de que o bater de asas de uma borboleta no céu, em uma parte do globo, produza minúsculas alterações nos padrões atmosféricos que, por cascata, provoquem grandes diferenças no tempo em outra região. (Originalmente, Lorenz referiu-se ao bater de asas da gaivota, porém mais tarde fez uma palestra intitulada "Previsibilidade: o bater de asas de uma borboleta no Brasil dispara um tornado no Texas?"; daí a expressão.) Como os dados nunca são 100% precisos, Lorenz percebeu que o efeito borboleta implicava que a previsão do tempo tinha limites significativos.

Em 1963, Lorenz relatou suas descobertas em uma dissertação intitulada *Deterministic Nonperiodic Flow* [Fluxo Não-periódico Determinístico], publicado no *Journal of Atmospheric Sciences*. Durante mais de uma década, por ter aparecido em uma revista especializada, seu artigo foi pouco lido pela comunidade de físicos. Com o tempo, físicos não ligados à meteorologia acabaram tomando conhecimento de sua curiosa conclusão de que equações determinísticas poderiam gerar resultados não previsíveis.

Uma reviravolta foi um artigo de 1975 escrito pelos matemáticos James A. Yorke e Tien-Yien Li, da Universidade de Maryland, segundo o qual a transição para o caos é um fenômeno matemático universal para certos tipos de sistemas determinísticos periódicos. Alguma coisa poderia operar em ciclos regulares sob uma variedade de condições e, contudo, tornar-se efetivamente não-previsível se essas condições fossem ligeiramente alteradas. Essa percepção levou a inúmeras experiências mostrando que o comportamento caótico ocorre em todo o mundo natural, desde o ritmo de uma gota d'água caindo de uma torneira até o intricado arranjo dos anéis de Saturno.

O conceito de caos determinístico entrou na arena popular por vários veículos diferentes, incluindo um livro bastante lido, *Chaos, a Criação de uma Nova Ciência*, escrito pelo repórter de ciências James Gleick, e sugestivos artigos sobre o tema em revistas como *Scientific American* e *New Scientist*. Contudo, foi o matemático *nerd* interpretado por Jeff Goldblum no filme campeão de bilheteria *Parque dos Dinossauros* – o "caótico" Ian Malcolm – que transformaria a teoria do caos em sinônimo de ciência bem planejada que dá com os burros n'água. Naquele filme, baseado no romance *best-seller* de Michael Crichton, biólogos utilizam DNA intacto de dinossauros para clonar exemplares modernos desses tonitruantes animais e depois expô-los em uma espécie de parque temático. Cercas eletrificadas garantem que essas poderosas criaturas fiquem bem confinadas. A despeito das precauções, Malcolm adverte que instabilidades poderiam resultar em comportamentos inesperados. E, na verdade, quando alguns paleontólogos e crianças visitam o parque, tudo o que poderia dar errado dá errado, incluindo um completo blecaute quando eles estão em meio a variedades carnívoras. Assim, infelizmente, a "teoria do caos" de Malcolm mostra-se verdadeira.

Parque dos Dinossauros não foi o primeiro filme-catástrofe ambientado em um parque temático. Anos antes, o filme *Westworld – Onde Ninguém tem Alma*, também escrito por Crichton, tinha uma premissa semelhante, mas com robôs-humanóides em vez de dinossauros. Os andróides de *Westworld* deram realismo a um extenso reino da fantasia que consistia em três mundos temáticos: medieval, romano e oeste selvagem. A parte relativa ao oeste (e que dá nome ao filme) inclui caubóis com armas verdadeiras. Quando o sistema computadorizado deles passa a funcionar mal, os robôs, liderados por um atirador de elite mecânico chamado Gunslinger, começa a atacar os visitantes do parque. O filme foi lançado em 1973, dois anos antes de Yorke e Li introduzirem a definição científica de caos, e muito antes de a expressão se tornar popular. Consequentemente, embora *Westworld* transmitisse uma forte mensagem a respeito dos limites de sistemas supostamente previsíveis, ninguém no filme usou a expressão "teoria do caos".

O episódio "O Mundo de Comichão e Coçadinha" é uma inteligente mistura de *Westworld* com *Parque dos Dinossauros*, com o desenho mais sanguinolento do mundo enfiado no meio. Bart e Lisa pedem a seus pais que os levem, nas férias da família, ao parque temático de Comichão e Coçadinha, simplesmente o mais violento possível. De início, Marge e Homer se recusam, mas Bart e Lisa os importunam incansavelmente. Depois de saber que existe uma Ilha dos Pais no parque, onde os adultos podem se refrescar enquanto as crianças recebem sua porção de emoção, Marge e Homer finalmente concordam em ir.

As atrações do parque incluem fugir de machados gigantes, pular sobre campos minados e despencar de um canal íngreme em um tronco de madeira enquanto uma serra barulhenta vai fatiando o tronco. É o tipo de lugar para onde Vlad, o Empalador, teria mandado seus filhos, para passar umas férias. O parque não contém apenas excursões às pencas, há ainda divertimentos interativos. Estes tomam a forma de versões fantasiadas de Comichão e Coçadinha vagando pelo terreno e gigantescas versões robóticas dos personagens marchando em paradas regulares.

Para imitar o clima de brincadeira da série, cada Comichão-robô vem equipado com um dispositivo para buscar e destruir, visando localizar e arrasar os Coçadinhas-robôs. Como precaução de segurança, suas câmeras digitais estão conectadas a processadores capazes de distinguir imagens de Coçadinhas-robôs de seres humanos. Graças a esses circuitos de proteção, eles obedecem a uma versão das leis da robótica de Asimov e são impedidos de ferir pessoas.

Depois de uma exaustiva brincadeira pelo parque com as crianças, Marge e Homer estão prontos para ir à Ilha dos Pais. Eles dançam ao som da *disco* dos anos 1970 em um nostálgico clube noturno, enquanto as crianças fazem mais passeios e veem mais shows. Sem supervisão, Bart não consegue evitar as confusões. Ele não resiste a mirar sua atiradeira em um Comichão e acaba em um centro de detenção subterrâneo, muito abaixo do terreno do parque. Lá ele se reúne a Homer, detido por tentar chutar um outro Comichão. Uma Marge constrangida tem de ir lá em baixo pedir a liberação do dois.

O nível subterrâneo do parque está fervilhando de atividade, com a equipe tentando maximizar a diversão dos visitantes acima. Uma unidade especial conserta os robôs que são danificados nos desfiles. De alguma forma, o professor Frink testemunha essa operação e faz à equipe de reparos uma fria advertência. Usando uma "teoria do caos elementar" (como ele explica), Frink prevê que os robôs ficarão violentos e se voltarão contra os humanos em 24 horas. Ele está certo quanto à revolta, mas um pouco enganado em seus cálculos: os robôs começam a comportar-se com violência quase imediatamente. Os dispositivos destinados a impedir que eles firam os humanos parecem não estar funcionando corretamente, fazendo com que os robôs espreitem e ataquem os funcionários do parque e os visitantes.

De volta ao terreno do parque, Homer não percebe de início por que um Comichão mecânico está se aproximando dele. Ele acha insensatamente que o gigantesco robô quer ser seu amigo. Mas a máquina desarranjada parte para o ataque, acompanhada de numerosos outros robôs, e os Simpsons tentam fugir. Uma promissora rota de escape se revela inútil quando os helicópteros do parque levantam voo sem eles. No último segundo, Bart lembra que o *flash* de máquinas fotográficas confunde os circuitos dos robôs e os desliga. Os robôs desabam um a um, e a família é salva. A lição parece ser que mesmo os melhores e mais bem arquitetados planos de ratos e homens mecânicos muitas vezes dão errado.*

A teoria do caos poderia permitir a previsão de catástrofes? Curiosamente, há um ramo afim da matemática denominado teoria da catástrofe, desenvolvido pelo topólogo francês René Thom nos anos 1960, que se relaciona com essas previsões. A teoria da catástrofe mostra que uma quantidade pode alterar-se vagarosa e continuamente durante um tempo, e de repente pular para um valor completamente diferente, como um salto em um precipício. Por exemplo, a bolsa de valores pode subir em um período em que as ações estão supervalorizadas, baseadas em falsas esperanças de lucro, e depois sofrer uma rápida desvalorização quando essas esperanças evaporam. Graças à pesquisa do matemático britânico Christopher Zeeman e outros, a teoria da catástrofe tem sido aplicada até ao comportamento dos animais, tentando explicar por que cães podem fitar um invasor durante um tempo considerável antes de começar a latir ferozmente, como se um limite tivesse sido ultrapassado.

Da mesma forma, a teoria do caos postula que pequenas mudanças em certa quantidade poderiam produzir grandes mudanças em um sistema, convertendo-o de um regular tiquetaque de um relógio a um imprevisível giro de um dado. Embora o caos pareça ligado ao acaso, pesquisas revelaram marcos comuns ao longo da estrada para a desordem. Em meados dos anos 1970, o biomatemático Robert May mostrou que uma simples equação chamada mapa logístico, que indica como a população de uma espécie se desenvolve ao longo do tempo, possui um tipo de sintonizador que transforma sua dinâmica de estável a periódica, e finalmente a muito errática. Se um parâmetro representando a taxa reprodutiva de uma espécie é estimulado acima de um certo valor, a espécie pode começar a produzir mais descendentes que o ambiente consegue sustentar. A geração seguinte pode ser menor em virtude da falta de recursos, fazendo a população cair abaixo de seu tamanho ideal. Com a população em um nível abaixo da quantidade adequada, a geração seguinte pode crescer mais novamente, e assim por diante. Esse efeito rítmico é conhecido como ciclo populacional com período 2.

---

* Paráfrase de um verso do poema *To a mouse* [Para um rato], de 1785, do poeta escocês Robert Burns: “Best laid schemes o’ mice an’ man/gang aft agley”. [Os melhores planos de ratos e homens costumam dar errado] (N. do T.).

Aumente o parâmetro da taxa de reprodução um pouco mais, e a população começa a ter oscilações de quatro valores distintos, uma alteração dinâmica conhecida como bifurcação ou período dobrado. Dê uma ligeira cutucada no parâmetro novamente, e uma oscilação entre oito valores começa. Em cada caso, a população cresce e diminui de uma maneira regular que volta a cada nível depois de um número finito de etapas.

Se o parâmetro é elevado o suficiente, uma coisa estranha acontece. Não há mais uma aparência de regularidade. Na verdade, o nível populacional se torna esporádico como os resultados da roda de uma roleta. Nenhum fator aleatório entrou na equação; ela ainda é governada pela mesma fórmula determinística. Contudo, o caos emergiu da regularidade, como um buquê multicolorido saído de um chapéu preto.

Por volta da época em que May publicou seu trabalho inovador sobre esse tema, o físico norte-americano Mitchell Feigenbaum usou uma antiga calculadora programável para fazer uma descoberta independente e surpreendente sobre o caminho para o caos. Experimentando uma equação similar ao mapa logístico, Feigenbaum mediu a taxa de progressão de duplicação do período e descobriu que ele convergia para um valor especial: aproximadamente 4,669. Então ele pegou um número de equações completamente diferentes, calculou com que rapidez a duplicação do período progredia para cada uma delas e ficou perplexo ao descobrir que cada uma se dirigia para a mesma constante. Hoje, esse valor, uma nova constante matemática não relacionada com nenhuma outra, é chamado número Fiengenbaum. Sua existência demonstra que durante a transição para o caos puro há uma considerável ordem.

Uma vez que um caos completamente desenvolvido se segue, ele apresenta uma moldura de padrões regulares. O olho treinado (ou um programa de computador) pode detectar essas regularidades e usá-las para fazer previsões detalhadas. Por exemplo, os resultados numéricos das equações meteorológicas de Lorenz, se modelados por gráficos de computador, curiosamente se assemelham a uma formação de borboletas. Estranhamente, qualquer ponto no espaço que não esteja sobre a asa de uma borboleta, se inserido em uma das equações, termina gravitando rumo a uma das asas. Inversamente, dois pontos próximos sobre uma das asas, se incluídos na fórmula, tendem a se mover para asas separadas. É como um lotado *resort* de luxo, onde os turistas lutam para hospedar-se, mas, uma vez lá dentro, procuram se afastar uns dos outros o máximo possível. Pesquisadores do caos chamam de "atrator estranho" essa mistura de desenho para dentro e para fora, separando-se.

Estranhos atratores possuem uma intrigante propriedade matemática chamada "autossimilaridade", significando que qualquer pedaço, se ampliado, assemelha-se à coisa completa. A autossimilaridade é muito comum na natureza, desde os galhos de uma árvore que se parecem com a árvore inteira até as margens sinuosas de um regato que se assemelham às margens de um rio muito maior. Em 1975, o matemático francês Benoit Mandelbrot cunhou o termo *fractais* para descrever essas estruturas autossimilares, porque o número de suas dimensões parecia ser fracionário (em vez da uma dimensão de uma linha, das duas de um plano, ou das três do espaço).

Desde a época de May, Feigenbaum e Mandelbrot, os pesquisadores aplicaram a teoria do caos e o conceito de estranhos indutores a uma vasta gama de sistemas naturais, na esperança de usar os aspectos ordenados incrustados na dinâmica caótica para fazer previsões acuradas. Por exemplo, o professor Ary Goldberger, da *Harvard Medical School*, tem usado a teoria do caos e os *fractais* há mais de duas décadas para estudar o comportamento do coração e outros aspectos da fisiologia humana. Utilizando uma análise matemática de resultados de eletrocardiogramas, ele propôs meios para entender vários tipos de arritmias cardíacas. Alguns de seus trabalhos mais recentes aplicaram medidas *fractais* à questão de como o envelhecimento ocorre e a doença progride.

Se a teoria do caos pode ser aplicada aos complexos mecanismos do corpo humano, ela certamente poderia ser usada para analisar o comportamento dos robôs. Como sistemas mecânicos programados, mesmo os robôs mais avançados exibiriam comportamento determinístico. Uma análise mecânica de padrões de ação de um robô poderia revelar curvas e padrões subjacentes e, em alguns casos, sequências que parecem aleatórias. Como esse comportamento aparentemente aleatório deriva de diretivas internas mecânicas, ele representaria um tipo de caos determinístico e poderia ser examinado pela técnica daquele campo. Daí não seria uma "forçada de barra" para alguém familiarizado com a teoria do caos (como Frink alega ser) aplicar os métodos do caos em uma tentativa de antecipar se os robôs iriam começar a agir de uma maneira errática.

Frink poderia, de forma similar, aplicar suas previsões caóticas a suas invenções, dado que muitas delas acabam provocando confusão. Ele tem boas intenções, sem dúvida, mas, algumas vezes, não toma precauções suficientes contra a incompetência humana. Vejamos, por exemplo, a ocasião em que ele vendeu um aparelho de teletransporte para Homer, dispositivo que possuía a perigosa capacidade de combinar criaturas radicalmente diferentes em híbridos insólitos. Frink não tentou advertir Homer sobre a possibilidade de uma catástrofe, mas devido a sua experiência com previsões, talvez ele devesse ter mantido escondida essa geringonça perigosa. No mínimo, deveria ter ajudado os Simpsons a aperfeiçoá-la.

13

Mosca na sopa

Uma reunião como o Congresso Internacional de Dipterologia,* em que criaturas aladas com seis pernas causam sensação, dificilmente despertaria algum interesse em um garoto como Bart. Os entomologistas estudam insetos, e aqueles que se especializam em dípteros são muito ligados a moscas, mosquitos, borrachudos e assemelhados, de modo que Bart só chamaria a atenção se tivesse duas asas e mais algumas pernas. Bem... Este é certamente o caso quando, no episódio "Fly *versus* fly", de "A Casa da Árvore dos Horrores VIII", um aparelho do professor Frink mistura acidentalmente os genes de Bart com os de uma mosca doméstica.

Homer comprou o dito aparelho em um tipo de "mercado das pulgas" em frente à casa de Frink. Só isso deveria tê-lo feito ficar com a pulga atrás da orelha a respeito de quais criaturas poderiam emergir de uma mistura com o DNA humano. Pela aparência, o dispositivo é um teletransportador de matéria sob a forma de duas cabines telefônicas – como o quarto em que o Super-homem troca de roupa, só que duas vezes maior. Pule em uma cabine e você instantaneamente vai emergir da outra, como alguém que votou duas vezes de forma rápida e sub-reptícia. Embora o preço na etiqueta indicasse caros US$ 2, Homer pechinchou até Frink vender por US$ 0,35. Legal!

O teletransportador de matéria parece útil de início. Homer não tem mais de subir as escadas. Ele apenas posiciona uma cabine no pé da escada, a

* Estudo dos insetos da ordem dos dípteros (insetos de duas asas, como moscas) (N. do E.).

outra no patamar superior, e pronto! Transporte instantâneo. Colocando uma cabine em frente da geladeira e a outra em outra parte da casa, ele tem imediato acesso à sua adorada cerveja Duff.

Mas então Bart sorrateiramente começa a experimentar as cabines. Empurrando os dois animais de estimação da família – Ajudante de Papai Noel e Bola de Neve II – para dentro da máquina ao mesmo tempo, faz com que eles emergem do outro lado como híbridos de cachorro e gato com duas cabeças e dois rabos. Isso dá a Bart uma idéia diabólica: tentar transformar-se em um super-herói com a cabeça e a mente de um humano, e as asas rápidas de uma mosca. Ele salta para dentro do teletransportador com uma mosca, e dois seres horripilantes emergem. Um é um minúsculo inseto com a cabeça e a personalidade de Bart, que zune (vamos chamá-lo de "Mosca-cabeça-de-Bart"), o outro é o corpo de Bart encimado pela gigantesca cabeça de uma mosca (vamos chamá-lo de "Bart-cabeça-de-mosca").

Mosca-cabeça-de-Bart andeja por todo lado e parece se divertir. Ameaçado por uma aranha (numa cena que lembra o filme clássico *A Mosca da Cabeça Branca*, no qual este episódio foi baseado), ele ri ao evitar a aranha. Mas depois, vendo no que tinha se transformado seu corpo humano, ele fica com ciúme e preocupado.

Bart-cabeça-de-mosca é uma monstruosidade repulsiva, emitindo sons horríveis de sua face horrível. Mesmo assim, os Simpsons decidem aceitá-lo como membro da família. Suas qualidades humanas foram suplantadas por seu desejo de bater os braços e consumir enormes quantidades de açúcar e xarope. Ele não tem mais traços humanos como paciência, empatia e amor pela contemplação (qualidades que, tenho certeza, estavam bem escondidas no íntimo de Bart antes de sua chocante transformação). Ah, Bart! Ah, humanidade!

Enquanto isso, Mosca-cabeça-de-Bart decide contatar Lisa e fazê-la entender quem é seu irmão verdadeiro. Vendo seu perfil em seu abajur de mesa, Lisa o atrai até seu saxofone, em que a voz de Bart ressoa e pode ser ouvida. Quando Bart-cabeça-de-mosca descobre, ele fica com ciúme, corre atrás de Lisa e tenta comer Mosca-cabeça-de-Bart. Lisa abre a porta do micro-ondas no último instante e impele os dois juntos de volta ao teletransportador. Dentro do microondas, Bart e o material genético da mosca se separam e reassumem seus estados normais. Bart sai da máquina parecendo o mesmo de sempre, aparentemente são e salvo. Todo mundo parece contente de ver Bart, exceto Homer, que de repente e sem explicação, fica furioso por Bart ter usado seu teletransportador.

Comparados aos práticos aparelhos que vimos discutindo, incluindo as clássicas invenções de Edison, máquinas a vapor e robôs, a noção de energizar a matéria e transportá-la através do espaço é extremamente hipotética. Nos próximos anos, é duvidoso que testemunhemos pessoas viajando instantaneamente entre locais distantes. Converter a enorme quantidade de átomos de um ser humano em pura informação, transmitir essa imensa quantidade de dados de um lugar para outro e reconstruir essa mesma pessoa com material novo traria desafios tecnológicos e filosóficos enormes, para dizer o mínimo, mesmo que isso fosse possível. Quem se apresentaria como voluntário para ser pulverizado caso haja o mínimo risco de não ser perfeitamente reconstruído? Partículas elementares são uma história diferente, contudo. Elas são muito mais simples e muito mais leves que pessoas, naturalmente, e não trazem consigo os temas difíceis associados a consciência, livre-arbítrio, demandas judiciais e assim por diante. Assim, elas são a matéria ideal para essa finalidade. Atualmente, muitos pesquisadores estão investigando o teletransporte instantâneo das características de uma partícula em um processo denominado teletransporte quântico.

Desde seus primórdios, em 1920, a física quântica inspirou controvérsias sobre suas implicações que vão contra o que o senso comum espera, particularmente sua descrição das ocorrências aleatórias e instantâneas nos níveis atômicos e subatômicos. Enquanto, de acordo com a física clássica, os cientistas podem teoricamente medir qualquer característica da natureza com absoluta precisão, a mecânica quântica tem uma imprecisão inerente. Um ingrediente-chave da mecânica quântica, o famoso princípio da incerteza de Heisenberg, estipula que certos pares de quantidades físicas, como posição e momento linear (massa × velocidade), são impossíveis de ser medidos simultânea e precisamente. Em outras palavras, se os pesquisadores determinam com exatidão a posição de uma partícula, eles não podem medir precisamente seu momento linear ao mesmo tempo, e vice-versa. Quanto mais eles sabem sobre uma quantidade, menos sabem sobre a outra.

A abordagem-padrão da física quântica, conhecida como interpretação de Copenhague porque foi nesta cidade que Niels Bohr, Werner Heisenberg e seus colegas a desenvolveram, assevera que antes de um pesquisador medir uma quantidade física, seu estado quântico, envolvido em um objeto matemático chamado função de onda, tipicamente corresponde a uma gama de possibilidades. A função de onda de uma partícula fornece informação sobre os valores potenciais de suas quantidades físicas, distribuídas de acordo com sua probabilidade. (Tecnicamente, é a função de onda ao quadrado que fornece a verdadeira probabilidade de distribuição.) Representada graficamente de acordo com a posição, momento ou outra quantidade, a função de onda oferece um *insight* sobre qual desses parâmetros podem permanecer vagos antes da medida, mas dirigir-se para determinado resultado tão logo a medição ocorra. A transformação de uma distribuição de possíveis valores em um resultado único, escolhido aleatoriamente, é chamada colapso da função de onda.

O colapso da função de onda pode ser comparado ao que aconteceria com a distribuição dos créditos dos alunos da professora Krabappel se de repente toda a turma desaparecesse, exceto um aluno aleatório. Antes do desaparecimento, a distribuição pareceria o que os estatísticos chamam de curva de Bell, refletindo a grande variedade de habilidade dos estudantes da classe. Depois, ela pareceria um pico, centrado na performance do único estudante. Claramente, se Martin Prince fosse o único sobrevivente, o pico do gráfico ficaria próximo do alto das notas; se Bart permanecesse, ela ficaria em algum lugar muito diferente. Da mesma forma, quando uma função de onda quântica atinge o colapso, sua distribuição da quantidade, medida de repente, se torna um pico bem definido e aleatoriamente localizado.

Uma restrição importante é que, em virtude do princípio da incerteza, seria impossível para uma função de onda chegar ao colapso em distribuições de posição e momento perfeitamente definidas de modo simultâneo. Se ela tiver um pico na distribuição de posição, ela terá uma distribuição de momento mais alargada, e vice-versa.

A ideia do colapso da probabilística quântica era um anátema para Einstein, que veementemente alegava que o plano divino para o universo não incluiria o jogo de dados.* Ele também estava atormentado pela não-localização inerente à física quântica, a que ele chamou de "ação estranha a distância". Isso se ma-

* Referência a sua frase "Deus não joga dados com o Universo" (N. do T.).

nifestava quando duas partículas interativas eram representadas por uma função de onda comum.

Em uma dissertação em coautoria com Boris Podolski e Nathan Rosen, Einstein apresentou o que é normalmente conhecido como o paradoxo EPR (Einstein, Podolski e Rosen). O argumento deles foi desenvolvido para mostrar que a física quântica é detestável filosoficamente, porque parece permitir comunicação instantânea entre partículas amplamente separadas. Isso contradizia a ideia há muito aceita de que a comunicação entre objetos deve levar uma quantidade finita de tempo, limitada pela velocidade da luz. Uma variação do paradoxo EPR desenvolvida pelo físico David Bohm transmite esse dilema de forma simples.

Elétrons e outras partículas possuem uma propriedade quântica chamada *spin*, que se relaciona com seu comportamento quando colocado em um campo magnético. Um elétron, por exemplo, tem dois estados de *spin*: "para cima" e "para baixo". Em uma analogia fácil de visualizar, mas não exatamente acurada do ponto de vista físico, podemos pensar em elétrons como pequenas bolinhas carregadas. Se essas bolinhas giram no sentido anti-horário, seus eixos de rotação apontam para cima; se giram no sentido horário, eles apontam para baixo. De acordo com a teoria magnética, o eixo para cima e o eixo para baixo teriam arranjos opostos de polos norte e sul magnéticos e, portanto, se comportariam diferentemente se um poderoso ímã externo estivesse perto. Embora um elétron não esteja realmente girando em seu eixo como uma bolinha, ele compartilha de objetos que giram dois alinhamentos magnéticos diferentes. Pesquisadores podem observar as duas orientações distintas dos *spins* dos elétrons analisando linhas atômicas espectrais.

De acordo com o princípio da exclusão, proposto pelo físico austríaco Wolfgang Pauli, dois elétrons na mesma localização não podem ter o mesmo estado quântico e, portanto, devem ter estados de *spin* opostos. Se um está para cima, o outro deve estar para baixo, como Ralph Wiggum, o colega estúpido de Lisa, e seu pai, o chefe de polícia Clancy, usando uma serra. Um par de elétrons deve, portanto, estar em um "*spin* singleto", que significa um estado de *spin* misturado, combinando as duas indicações de direção. Os físicos se referem a essa ligação como "emaranhamento quântico". Qual elétron do par está para cima e qual está para baixo pode ser determinado apenas por medições – o que faz a função de onda representando o estado entrelaçado atingir o colapso em uma das duas possibilidades (para cima/para baixo ou para baixo/para cima, conforme o caso).

Agora imagine produzir em laboratório um estado de *spin* singleto e separar as duas partículas por uma grande distância. Mova uma para o Alasca e outra para a Flórida, se você quiser. Até que você meça o *spin* delas, você não saberá qual está para cima e qual está para baixo. Agora coloque um desses elétrons em um detector de *spin*. A função de onda associada ao estado quântico entrelaçado iria instantaneamente atingir o colapso. Se o detector de *spin* para o elétron medido mostrar "para cima", a função de onda do outro irá imediatamente atingir o colapso em um puro estado de *spin* para baixo. Não importa o quão distantes eles estejam, não haveria nenhum lapso de tempo entre a medição de um e a transformação do outro.

Einstein considerava extremamente perturbadora a ideia de que um estado quântico passa instantaneamente de um ponto no espaço a outro ponto distante e causa uma transformação. Para ele, isso violava o princípio de que a luz é o limite mais alto para a taxa de comunicação. Consequentemente, procurou em vão uma teoria mais fundamental para explicar o comportamento dos elétrons e de outras partículas elementares. Defensores da teoria quântica observam, contudo, que nenhuma matéria ou radiação seria verdadeiramente trocada entre as partículas entrelaçadas. A determinação de seus estados de *spin* apenas revelaria propriedades correlacionadas. Daí a comunicação nunca exceder a velocidade da luz.

É como se marido e mulher compartilhassem dois cartões de crédito – um *gold* e outro *platinum* – e cada um levasse um, escolhido aleatoriamente, cada vez que viajasse. Vamos supor que o marido viaje para o Alasca para uma reunião de negócios e que a mulher viaje na mesma época para a Flórida, para uma convenção. Se a mulher tira o cartão de crédito da bolsa e vê que é o *platinum*, ela instantaneamente vai perceber que o marido deve ter levado o *gold*. E embora ela tenha imediato conhecimento da escolha de seu marido, ninguém diria que eles trocaram entre si um sinal mais rápido que a luz.

Até o início dos anos 1990, ninguém acreditava que alguma coisa como a experiência EPR pudesse ser utilizada para o teletransporte do tipo descrito na ficção científica. Em 1993, contudo, uma equipe liderada por Charles Bennet, pesquisador da IBM, demonstrou que propriedades podiam ser retiradas completamente de uma partícula e cedidas para outra. A implicação é que a informação necessária para reproduzir um objeto pode ser totalmente transferida, desde que o original perca por completo sua identidade.

Desde então houve um grande número de experiências confirmando que o teletransporte quântico é possível desde que as propriedades do objeto primário sejam anuladas. O mais distante teletransporte já feito até hoje ocorreu em 2004 e envolveu a transferência de propriedades físicas através do rio Danúbio, em Viena. Uma equipe da Universidade de Viena, incluindo Rupert Ursin, Anton Zeilinger e outros cinco, construiu duas estações, uma de cada lado do rio. Uma foi chamada de Alice, e a outra, de Bob, e foram ligadas por um cabo de fibra ótica instalado através de uma canalização de esgoto. Eles utilizaram a estação Alice para teletransportar até a estação Bob um conjunto completo de informação sobre um determinado fóton (uma partícula de luz), particularmente seu estado de polarização.

Polarização diz respeito à direção angular em que a componente do campo elétrico de uma onda de luz oscila no espaço. Por exemplo, ela poderia oscilar, como uma corda, tanto na vertical quanto na horizontal, ou em alguma direção entre essas duas. É uma das propriedades características de um fóton, como uma impressão digital.

Para completar a transferência das propriedades, diversos passos foram necessários. Primeiro, ambas as estações precisaram compartilhar um outro conjunto de fótons, que atuou como uma espécie de código. O fóton de Alice foi combinado com um dos fótons entrelaçados, e uma medição conjunta foi feita. Com base no resultado da medição, o estado de polarização do fóton de Alice foi anulado e um sinal foi enviado ao fóton de Bob, do outro lado. Assim que o fóton de Bob recebeu o sinal, ele se transformou no exato estado de polarização que Alice costumava ter. O resultado final foi que as características do fóton de Alice foram teletransportadas para o outro lado do Danúbio, e essencialmente o fóton de Bob se transformou no de Alice.

Se isso, de alguma maneira, puder ser feito com pessoas, algo como o teletransportador de Frink poderá ser aperfeiçoado. Imagine se Homer estivesse de pé em uma cabine de um lado do Danúbio, e houvesse uma cabine do outro lado, cheia dos exatos ingredientes necessários para reproduzir seu corpo. Suponhamos que raios de fótons entrelaçados fossem enviados para cada cabine. Um deles se combinaria com Homer e um detector analisaria todos os átomos de seu corpo. Com essa análise, Homer se tornaria uma pilha insípida de material inerte, e um sinal complexo seria enviado para o outro lado. O raio combinaria o material e os fótons que já estavam do outro lado e reconstituiria o exato estado do corpo de Homer. De repente, ele se encontraria no outro lado. Podemos vê-lo pegando uma Duff danubiana da cervejaria local (servida talvez por um *bartender* automatizado da convenção da Roboexótica) e cantando satisfeito.

Teletransportar uma pessoa parece quase viável, até que se pensa na imensa quantidade de átomos do corpo humano e nas implicações éticas de destruir alguém para gerar uma réplica. Pioneiros do teletransporte quântico enfatizam que as experiências de última geração envolvem sistemas imensamente mais simples que corpos verdadeiros. Zeilinger, por exemplo, observou que os desafios envolvidos no teletransporte de pessoas seriam astronômicos:

> Estamos falando de fenômenos quânticos. Não temos a menor ideia de como produzi-los com objetos maiores. E mesmo que seja possível, os problemas envolvidos seriam enormes. Primeiro: por razões físicas, o corpo original tem de ser *completamente isolado* de seu ambiente para a transferência funcionar. É preciso existir um vácuo total. E é um fato bem conhecido que isso não é particularmente saudável para um ser humano. Segundo, você tomaria todas as propriedades de uma pessoa e transferiria para outra. Isso significa produzir um ser que não tem mais cor de cabelo, nem cor de olhos, nadinha. Um homem sem características! Isso não é apenas antiético – é tão maluco que é impossível de imaginar.[1]

O teletransporte quântico está longe de ser o único meio de transporte instantâneo. Uma maneira de atingir distâncias maiores por meio da realocação, pelo menos de acordo com pessoas que estejam observando a ocorrência, seria a habilidade hipotética de parar o tempo. Se uma pessoa pudesse se mover enquanto tudo ao seu redor permanecesse congelado no tempo, ela poderia passear de um ponto a outro sem perder nenhum instante. Tal estratégia seria particularmente útil para garotos que adoram provocar confusão, mas nunca acham tempo durante o dia para fazer suas brincadeiras. Você conhece alguma criança assim?

Parte três

Sem tempo para d'ohs

Então nossos filhos estão ficando mais inteligentes. Se tivermos outro, ele poderia construir uma máquina do tempo que usaríamos para voltar no tempo e não ter nenhum filho.

Homer Simpson, "Ativa a Mais Ativa"

Terráqueos idiotas! Totalmente despreparados para os efeitos da viagem no tempo!

Kang, "Time and Punishment"

14

Parando o relógio

Bart nunca tem tempo para perpetrar todas as proezas que sua mente diabólica arquiteta. Há poucos segundos em um dia para fazer brincadeiras desagradáveis, atar os cadarços de seus colegas de aula, escrever *slogans* humilhantes sobre o diretor Skinner nas paredes da escola, envergonhar a sra. Krabappel por causa de seus casos amorosos, quebrar a cabeça da boneca "Malibu Stacy" de Lisa, costurar por entre o tráfego pesado com sua prancha de *skate*, enganar Homer para que o deixe jogar violentos *videogames*, e assim por diante. Para Bart, isso tudo seria apenas uma manhã bem aproveitada.

O pobre Milhouse, pretendente de Lisa, não consegue acompanhar as brincadeiras de Bart. Ele quer desesperadamente ser legal, custe o que custar, mesmo que isso o meta em encrenca. Contudo, não tem a menor ideia do que seja, de fato, uma encrenca e, como um aluno de judô principiante, precisa olhar atentamente os movimentos do mestre. Lento para apreender, Milhouse poderia usar *replays* em câmera lenta das proezas de Bart para praticá-las.

No mundo real, o tempo não perdoa. As oportunidades passam em um átimo e, se não são aproveitadas, pode ser muito tarde. Um momento de hesitação pode significar a diferença entre disfarçadamente colocar um simulacro de vômito na cadeira de um professor e ser mandado à cabana do jardineiro Willie para lições de gaita de fole como punição depois da aula.

No episódio "Stop the World, I Want to Goof Off" [Pare o Mundo, eu Quero Vadiar], Bart e Milhouse descobrem uma surpreendente panaceia para seus problemas em administrar o tempo. Um anúncio de uma antiga revista faz com que eles comprem um cronômetro que tem o poder de fazer o tempo parar. Simplesmente pressionando um botão do relógio, tudo no mundo, exceto a pessoa que está com o cronômetro, fica como morto, pregado no chão, até que o relógio seja acionado de novo.

Segurando o relógio ao mesmo tempo e pressionando o botão nos momentos oportunos, os astutos vilõezinhos desencadeiam um reino de absoluto caos. Cada intervalo congelado dá a Bart a oportunidade de rearranjar as pessoas e as coisas a sua volta da maneira mais tortuosa, embaraçosa e hilariante possível. Finalmente, Milhouse consegue equiparar-se a seu companheiro no crime e saboreia a estupenda arte de produzir pandemônios. Nenhum pedaço de dignidade é poupado, e os habitantes de Springfield descobrem os letreiros e os sinais de trânsito reescritos com mensagens sem sentido, as calças do diretor Skinner abaixadas de repente em uma assembleia da escola e as roupas do prefeito Quimby substituídas sucessivamente pelo uniforme de uma empregada, uma vestimenta da época colonial e outros trajes estranhos.

Quando o prefeito descobre uma maneira de localizar os culpados por meio de suas pegadas, reveladas por um "pó ultravioleta" especial, os cidadãos pegam em armas para tentar capturá-los. O companheiro de Krusty, Sideshow Mel, está determinado a matá-los antes de ter seu segredo revelado. Fugindo dos moradores revoltados, Bart e Milhouse pressionam o relógio para desligá-lo e, então o deixam cair e quebrar. Instantaneamente, todo movimento cessa no mundo inteiro, exceto os frenéticos esforços dos garotos. Apenas depois de eles conseguirem remontar o relógio – peça a peça, no decurso de 15 anos – é que o passar do tempo retoma seu ritmo.

Será que o tempo pode realmente ser congelado e descongelado – como a carne do Krusty Buger antes de ser maravilhosamente servida por uma equipe de eficientes adolescentes? Se é assim, será que acharíamos o resultado apetitoso ou ficaríamos tão revoltados quanto os cidadãos de Springfield? Esse processo, se puder ser desenvolvido, terá uma utilidade melhor que simples matar o tempo?

Provavelmente você já teve a experiência de estar se divertindo muito enquanto, ao seu redor, os outros estão completamente entediados – essa é uma versão menos extrema do fenômeno em que o fluxo do tempo se dá em um nível diferente. Se você está vendo uma apresentação ao vivo de sua banda favorita, as horas parecem passar muito rápido, em uma espécie de névoa musical. Contudo, se os membros da família estão olhando para o relógio enquanto aguardam você remover os fones de ouvido e se juntar a eles para o jantar, possivelmente dirão que estão esperando há uma eternidade.

O tempo psicológico – o tempo da mente – é muito conhecido por ser extremamente variável. Muitos fatores influenciam o fato de o tempo parecer acelerar ou ficar lento, entre eles a quantidade e a qualidade das atividades com as quais se está envolvido. Os psicólogos acreditam que haja uma conexão entre a complexidade do que se está fazendo e nossa estimativa de quanto tempo isso pode levar.

O envelhecimento também afeta a percepção da passagem do tempo. As crianças têm uma visão do tempo muito mais alongada que adultos. Para uma criança da idade de Bart ou de Lisa, esperar um mês por um presente de aniversário pode parecer muito demorado. Contudo, quando Abe Simpson relembra suas heroicas ações durante a Segunda Grande Guerra, ele fala como se tudo tivesse acontecido ontem. Embora possamos creditar isso a sua grave perda de memória, fica claro que seu relógio opera em um ritmo muito diferente do relógio de seus netos.

Drogas que alteram o funcionamento da mente, como os alucinógenos, são outra influência conhecida na percepção do tempo, como alguém com as predileções farmacêuticas de Otto poderia atestar. Por exemplo, a droga DMT,* ingrediente de um chá usado em algumas cerimônias de religiões nativas do Brasil, parece colocar um freio na passagem do tempo e unir todos os momentos em um só. (Talvez por isso Homer tenha relatado, enigmaticamente, que ele foi o primeiro não-brasileiro a viajar através do tempo.) Sobre os efeitos dessa substância psicodélica, o pesquisador Rick Strassman escreveu: "Passado, presente e futuro se misturam em um momento atemporal, a eternidade agora. O tempo para, visto que ele não 'passa' mais. Há existência, mas ela não é mais dependente do tempo".[1]

Um ingrediente farmacológico poderia ser usado para congelar as pessoas literalmente em uma posição? Nenhuma droga conhecida faz as pessoas

* DMT é a sigla para dimeltriptamina, componente alucinógeno de algumas plantas amazônicas, como a *ayahuasca* e a jurema (N. do T.).

ficarem paradas precisamente onde e como elas estavam, mantendo seus corpos como estátuas, tornando suas memórias vazias e, depois, permitindo que elas recomecem suas atividades como se nada tivesse acontecido. Na verdade, há drogas conhecidas por provocar uma paralisia temporária em várias partes do corpo – até parar o coração, durante algumas cirurgias de revascularização, inundando-o com potássio. Esse tipo de procedimento não é rotineiro, pois oferece muitos riscos e pode causar dano permanente. Naturalmente é realizado sob anestesia geral, que age temporariamente como um "congelador de tempo" para a mente da mesma forma que para o corpo. Os que acordam de um sono anestésico muitas vezes sentem uma desorientação resultante de horas de completa não-consciência.

Mais comumente, experimentamos estados temporais alterados toda noite. O sono normal oferece um grande salto através de abismos de escuridão, que duram sete, oito ou mais horas, em um estado de repousante ausência de tempo. Você já adormeceu tão rapidamente que não percebeu e acordou horas depois, surpreendido pelo brilhante sol de um novo dia? É quase como se alguém tivesse parado, e depois religado, seu cronômetro pessoal.

Sonhos – o voo de divertimento da viagem do sono – oferecem esplêndidas excursões pelos múltiplos caminhos secretos do tempo. Em devaneios noturnos, um sonhador pode sentir que dias, ou mesmo meses, se passaram enquanto ele sonhou por apenas poucos minutos. Adormecido na aula da sra. Krabappel, Bart poderia imaginar uma vida inteira como Homem Radioativo, derrotando inimigo após inimigo, para acabar acordando com um pontapé de Nelson e descobrir que seu sono não durou mais que o soar do sino do intervalo.

Emoções poderosas, como um profundo temor ou ansiedade, também podem fazer parar o relógio. Os pais percebem isso durante situações de emergência, quando devem agir rapidamente, e uma descarga de adrenalina lhes permite fazer o que é preciso. Como mãe preocupada, por exemplo, se alguma coisa acontece a Bart, Lisa, ou especialmente à pequena e indefesa Maggie, o coração de Marge acelera e ela entra em ação imediatamente, com poderes quase super-humanos.

Sonhos, drogas, estados emocionais e outros fatores alteram o ritmo de nossos corpos e nossa percepção de tempo. Os cientistas testam essas alterações pedindo a participantes de pesquisas que, sem acesso a um relógio, estimem a duração de determinados intervalos de tempo; depois eles comparam essas estimativas ao tempo marcado por relógios aferidos. Esses relógios, por seu lado, são calibrados para marcar o tempo de acordo com os melhores padrões terrestres, atualmente medidos por níveis de oscilações atômicas.

No século XVII, Isaac Newton propôs que os relógios de uso na Terra poderiam, em teoria, ser acertados conforme o padrão do ritmo universal, que ele chamou de "tempo absoluto". Assim, relógios perfeitos, viajando por qualquer região do espaço, poderiam manter a mesma fluidez uns em relação aos outros, não importando sua velocidade ou condições. No início do século XX, contudo, Albert Einstein descobriu que, para resolver certas contradições físicas, esse ponto de vista absoluto necessitava ser abandonado em favor de uma perspectiva relativa. Suas descobertas levaram a física a abraçar uma visão mais flexível do tempo – não apenas de nossa experiência pessoal com ele, mas também de sua natureza fundamental.

Os princípios em conflito que Einstein deveria reconciliar eram duas proposições físicas básicas. A primeira é que todo movimento em velocidade constante é relativo. Observamos esse efeito quando estamos em um veículo fechado, movendo-se de forma constante, como um elevador subindo suave e vagarosamente, e sentimos que não estamos nos movendo. Inversamente, também o percebemos quando estamos em um veículo parado, como um trem em uma estação e, ao olhar para fora, vemos outro trem saindo da plataforma: por um momento, parece que nós é que estamos nos movendo. Nossos sentidos nos informam – e a física de Newton confirma – que não podemos sentir a diferença entre um movimento uniforme, perfeitamente retilíneo, e a ausência de movimento. A única maneira de distinguir entre os dois é procurar pistas referenciais, como objetos passando. Manipular essas imagens referenciais pode enganar o olho e apresentar a ilusão do movimento. Dessa forma, se o carro de polícia do Chefe Wiggum está estacionado em um *set* de cinema e ele vê imagens projetadas em um cenário correndo na direção contrária, ele pode se enganar e pensar que está realmente perseguindo um suspeito.

Einstein percebeu que o conceito de velocidades relativas parecia contradizer um outro princípio físico estabelecido, o de que a velocidade da luz no vácuo parece ser a mesma para todos os observadores. Descrições da luz desenvolvidas pelo cientista britânico James Clerck Maxwell, entre outros, estipulavam que sua velocidade medida deve ser independente da velocidade relativa de qualquer um que esteja fazendo a medida. Dessa forma, se os alienígenas Kang e Kodos apontassem um gigantesco raio *laser* para a Terra, e se uma nave de seres simpáticos tentasse ultrapassar o raio e resgatar nosso planeta, os esforços dos ETs bonzinhos seriam em vão. Com Kang e Kodos gargalhando loucamente no fundo, os bonzinhos perceberiam que, por mais rápidos que viajassem, a luz sempre pareceria afastar-se deles exatamente na mesma velocidade, e eles nunca recuperariam o terreno perdido.

Para explicar o comportamento da luz pela física do movimento, Einstein descobriu que precisava substituir o conceito de Newton de tempo absoluto por uma definição dependente do observador. Ele propôs a ideia de "dilatação do tempo" como uma maneira de dois observadores, viajando com velocidades diferentes, ainda assim medirem a mesma velocidade para a luz. Em resumo, isso quer dizer que o relógio daqueles que estão em um veículo se movendo próximo à velocidade da luz anda mais devagar que o relógio daqueles que não estão no veículo – por exemplo, observadores estacionários na Terra. Como velocidade é a distância dividida pelo tempo, se o relógio de alguém está andando mais devagar, este alguém poderia viajar distâncias cada vez maiores durante esses intervalos e ainda assim não exceder a velocidade da luz. Dessa forma, no caso de extraterrestres amigáveis tentando salvar a Terra, embora eles continuem forçando seus motores e aproximando-se cada vez mais de nosso planeta durante os intervalos de tempo marcados pelo relógio de sua espaçonave, eles ainda assim não podem derrotar o raio *laser*.

Dilatação do tempo é um ingrediente da teoria especial de Einstein sobre a relatividade, proposta em 1905. Outro é a contração dos comprimentos, a noção de que objetos movendo-se próximos à velocidade da luz parecem, do ponto de vista estacionário (isto é, não se movendo com o objeto), ser comprimidos na direção do movimento. Por exemplo, se Kang e Kodos estão voltando rapidamente para Zigel 7 próximo à velocidade da luz, aqueles que continuarem na Terra, assumindo-se que tenham telescópios muito poderosos, veriam a espaçonave e seus diabólicos ocupantes amassados como tomates podres na viagem de volta. Um terceiro aspecto da teoria de Einstein é o da intercambialidade entre a matéria e a energia, resumida na expressão $E = mc^2$ e que ajuda a fornecer a força do vasto império nuclear de Burns.

Agora consideremos uma maneira, admitidamente inverossímil, mas teoricamente válida, de usar o efeito da dilatação do tempo de Einstein para construir um tipo de relógio que pareceria parar o tempo (ou, mais precisamente, comprimi-lo relativamente ao tempo da Terra). Para essa experiência, Bart e Milhouse precisariam de espaçonaves ultravelozes (talvez tomando uma emprestada de Kang e Kodos) e um relógio especial, operado por controle remoto. Imagine que toda vez que Bart e Milhouse dessem um clique no relógio, a espaçonave fosse programada para sair sacudindo pelo espaço a uma velocidade próxima da velocidade da luz, levando quem estivesse por perto (Skinner, Quimby e assim por diante). Permanecendo em Springfield, os garotos poderiam fazer as travessuras que quisessem (reagrupar letras nos quadros de avisos, invadir a casa de Skinner e colar cartazes com a expressão "chute-me" no traseiro de suas calças etc.). Quando tivessem terminado todas as traquinagens, eles dariam outro clique no relógio, e a espaçonave retornaria. Os passageiros ficariam atônitos ao descobrir que seus pertences tinham sido misteriosamente depredados em um período de tempo incrivelmente curto, segundo os seus relógios.

Por todas as razões práticas, contudo, a realização de um projeto de dobra temporal seria quase impossível. A fim de que a "parada temporal" parecesse rápida, a espaçonave teria de acomodar os passageiros e acelerar do repouso até próximo da velocidade da luz no espaço de segundos, correspondendo a forças de ascensão* que seriam mortais. Se o veículo atingisse uma taxa de aceleração mais razoável, então haveria um longo intervalo em que ele estaria ganhando velocidade. Mas isso impediria a ideia de "ligar e desligar o tempo" em relação a minutos e horas, substituindo-a por diferenças perceptíveis em um período de meses ou anos.

Por exemplo, se uma espaçonave lotada com habitantes de Springfield (exceto Bart e Milhouse) acelerasse continuamente para fora da Terra em uma taxa tolerável de 1 g (a aceleração dos corpos caindo livremente sobre a terra), ela poderia atingir uma velocidade próxima à da luz em mais ou menos um ano. Poderia cruzar, nessa velocidade, por um certo número de dias e depois retornar à

* Forças de ascensão são forças relacionadas ao referencial não-inercial (nave); são equivalentes às forças que nos pressionam para trás, no banco do carro, quando aceleramos (N. de R.T.).

Terra enquanto desacelerasse. Essas pessoas estariam fora de Springfield por cerca de dois anos segundo o ponto de vista da espaçonave, mas mais tempo que isso do ponto de vista da Terra. Se eles viajassem suficientemente próximos à velocidade da luz durante o intervalo do cruzeiro, eles poderiam, por exemplo, perder 15 anos do tempo da Terra. Como consequência, nesse caso, o resultado equivaleria pelo menos a um aspecto do episódio "Stop the World, I Want to Goof Off". Enquanto Bart e Milhouse teriam envelhecido uma década e meia, atingindo o esplendor da idade adulta, Skinner, Quimby e os outros teriam ficando apenas dois anos mais velhos.

Relatividade especial não é a única teoria de Einstein que permite aos relógios se moverem em velocidades diferentes. Uma década depois de terminar sua primeira e monumental teoria sobre espaço e tempo, Einstein apresentou uma obra-prima ainda maior: sua teoria geral da relatividade. Enquanto a teoria especial trata de velocidades ultra-rápidas, a teoria geral se relaciona à gravidade. Para mostrar como a gravidade influencia o movimento dos objetos, ela descreve espaço e tempo juntos, como uma espécie de tecido flexível, chamado *continuum* espaço–tempo, que se curva toda vez que é atraído pela matéria. Quanto maior for a massa de uma região, mais o tecido vai se curvar, como uma rede esticada pelo peso de corpos cada vez mais pesados. Se Maggie fosse colocada em uma rede, por exemplo, a rede mal se curvaria, mas se Homer se sentasse nela bebendo uma Duff, ela se curvaria muito mais, e se o Cara dos Quadrinhos vestisse uma fantasia de Super Skrull e pulasse nela, a rede poderia até se romper. Infelizmente, essa é a frágil natureza da realidade física. Os imitadores de Super Skrull de barriga grande não são muito apreciados pelo *continuum* espaço–tempo.

A "rede" em que a Terra mora é o Sistema Solar, ocupado no centro pelo maior corpo de nossa região, o Sol. A massa do Sol distorce nossa região, fazendo com que os objetos em sua vizinhança façam um movimento curvo pelo espaço. De uma maneira semelhante, se Homer, sentado sobre a rede, deixasse cair uma lata de Duff vazia sobre o tecido, ela rolaria na direção dele ou rolaria em volta dele, dependendo de como caísse. Então, em virtude do efeito curvo do Sol, a Terra "rola" em uma órbita elíptica em redor do Sistema Solar, em vez de se mover sem interrupção em uma trajetória retilínea pelo espaço.

Um dos mais revolucionários aspectos da relatividade é que espaço e tempo estão intimamente inter-relacionados. Toda vez que o espaço se curva, o tempo também se estica. É por isso que a contração dos comprimentos e a dilatação do tempo caminham de mãos dadas. Portanto, perto de um objeto enorme como uma estrela, intervalos de tempo são mais compridos comparados com aqueles do espaço vazio.

Talvez os objetos mais densos do universo sejam as ruínas de estrelas colapsadas, conhecidas como buracos negros. Sobre estas, o Cara dos Quadrinhos é, sem dúvida, um renomado especialista, pois ele discutiu longamente sobre ruínas de estrelas em convenções de ficção científica. Os buracos negros exerceram muita atração sobre a imaginação tanto dos físicos quanto dos fãs da ficção-científica em virtude de sua gravidade forte e incomum, e outros aspectos cativantes. Se esses físicos atraídos pelos buracos negros pudessem encontrar um modo de escapar a essa intensa gravidade, eles provavelmente contariam que a curvatura extrema do tecido espaço–tempo, em virtude da enorme concentração de matéria dos buracos negros, levaria a enormes diferenças no andamento dos relógios perto de um buraco negro e na Terra.

Viajar próximo a um buraco negro é outra maneira pela qual o tempo poderia ser retardado ou até parado, comparado com o tempo terrestre normal. Isso representa um exemplo da dilatação do tempo em razão muito mais de forças gravitacionais extremamente fortes que de alta velocidade. Imaginemos um cenário em que Burns decide lançar alguns de seus funcionários no espaço, a fim de que eles possam investigar a tecnologia nuclear em condições de vácuo. Smithers equipa a espaçonave com aparelhos de monitoramento para assegurar que os empregados lançados não diminuam sua atividade. Infelizmente sua espaçonave dirige-se à região de um buraco negro. Quando a nave se aproxima de uma estrela colapsada, os passageiros Lenny e Carl, alheios ao perigo que se aproxima, decidem jogar uma partida de pôquer. Por causa dos efeitos de curvatura do buraco negro próximo, seus relógios começam a mover-se cada vez mais lentamente, comparados com o tempo da Terra – efeito não perceptível para eles, mas apenas para os que estão de fora. Observando atentamente as atividades de ambos, Smithers perceberia seus movimentos no jogo de pôquer ficando mais letárgicos. Ao saber disso, Burns poderia resmungar que seus empregados não só estavam relaxando durante o trabalho, mas pareciam estar relaxando em seu relaxamento!

Cada buraco negro é envolvido por uma zona a partir da qual não há volta – um horizonte de eventos –, que corresponde ao limite da região dentro da qual qualquer fuga seria fisicamente impossível. Se Lenny, Carl e os outros trabalhadores entrassem nessa zona, seus relógios imediatamente parariam em relação ao tempo na Terra. Em outras palavras, transcorreria uma infinidade de segundos da Terra para cada simples segundo transcorrido dentro da espaçonave. Smithers veria a nave congelar-se para sempre no sombrio precipício do horizonte de eventos. Quando Burns ficasse sabendo disso, ele poderia ficar com ciúmes da aparente imortalidade deles. Sua inveja, contudo, não teria sentido, dado que seus trabalhadores ainda estariam sujeitos à passagem do tempo em seu ritmo habitual, ao mesmo tempo em que a espaçonave estaria sendo esticada e dilacerada pelas mortais forças gravitacionais.

Se, no entanto, eles conseguissem safar-se do buraco negro antes de cruzarem o horizonte de eventos, eles eventualmente poderiam retornar à Terra. Após a chegada, eles perceberiam que teriam envelhecido muito menos que nós. Por exemplo, eles poderiam ficar atônitos ao descobrir que Bart e Milhouse não são mais garotos, mas completamente adultos, e que Homer se aposentou há 30 anos.

Parar o relógio não é um truque fácil. Diferentemente de bugigangas como cigarras de brinquedo que disparam e dão choque na palma da mão quando se cumprimenta, dos anéis de decifração* ou das carteiras de habilitação falsas, não se pode encontrar relógios que param o tempo em revistas infantis antigas. Contudo, a variação de nossas percepções sobre o quão rapidamente os eventos transcorrem e a flexibilidade da relatividade de Einstein permitem que um minuto para uma pessoa seja uma hora, um dia, 15 anos para outras. Duas décadas, para alguns adolescentes, pode ser muito pouco tempo para todas as traquinagens que eles querem cometer.

* Brinquedo popular nos Estados Unidos, encontrado como brinde em caixas de cereais e revistas infantis. Se dois ou mais amigos usassem os anéis (ou broches), poderiam se comunicar conforme o código que vissem no anel um do outro (N. do E.).

15

Um brinde* ao passado

É um lugar-comum acreditar que o passado já foi, é história, está acabado. Mas o passado tem suas maneiras de voltar, adquirindo o matiz dourado da nostalgia ou a tintura ácida do arrependimento, dependendo da situação. Alguns tentam recobrir o passado com a cobertura cremosa e doce da fantasia. Mas quando o creme se revela falso e rançoso, muitos simplesmente não acreditam que não se trata de um creme. Se você tentar colocar suas memórias em um micro-ondas, elas vão ficar encharcadas e quase intragáveis.

Tudo isso pareceria uma velha metáfora crocante não fossem as circunstâncias curiosas em que, no episódio "Time and Punishment" [Tempo e Castigo], em "A Casa da Árvore dos Horrores V", Homer literalmente volta ao passado ao baixar a alavanca de uma torradeira. Era uma torradeira quebrada, veja só, e Homer, ao tentar consertá-la, a transforma em uma rudimentar máquina do tempo. Mergulhando de cabeça nas eras, ele chega ao tempo dos dinossauros. Em uma óbvia paródia do conto histórico de Ray Bradbury, "O Som do Trovão", ele descobre horrorizado que qualquer mudança rumo ao passado distante, por menor que seja, aumenta as diferenças substanciais em relação ao presente para o qual ele retorna. Homer lembra-se que seu pai o tinha advertido no dia de seu casamento sobre a possibilidade de voltar no tempo e alterar a história, e agora a razão daquela advertência se tornou muito clara.

* O autor faz um trocadilho, usando aqui *toast*, no sentido de "brinde", e mais abaixo *toaster*, torradeira, palavras com a mesma raiz, do latim *tostare* (N. do T.).

Por exemplo, na primeira vez que Homer volta ao passado, ele esmaga uma mosca irritante. Essa morte insignificante deflagra uma longa cadeia de eventos que se estende pelo tempo como peças de dominó derrubadas uma a uma. Quando a alavanca da torradeira sobe, Homer retorna a um horripilante presente, no qual Ned Flanders é o ditador supremo, um tipo de Grande Irmão. Todos em Springfield devem obedecer-lhe sem questionamento ou sofrerão uma lobotomia que elimina completamente o livre-arbítrio. Bart, Lisa e Marge, todos aceitaram a autoridade de Ned; Homer vai ser o próximo?

Fugindo das forças de Ned, Homer novamente pressiona para baixo a alavanca da torradeira e volta à era dos dinossauros. Promete solenemente não tocar em nada nem mexer com o tempo, mas acidentalmente senta sobre um peixe que tinha acabado de sair da água e o esmaga. Assim, uma vez mais ele perturbou a frágil cadeia de eventos que conduziu ao presente familiar. Quando a alavanca da torradeira sobe, Homer retorna ao presente, mas descobre que o resto de sua família é de gigantes. Pensando que ele é um tipo de inseto que parece Homer, os enormes Bart e Lisa tentam golpeá-lo com seus punhos. Pressionando para baixo a alavanca da torradeira, Homer escapa no último segundo.

Na terceira excursão de Homer aos dias dos imensos dinossauros herbívoros, ele espirra, deflagrando uma reação em cadeia que derruba um dinossauro depois do outro. De volta ao presente, ele se entrega às bizarras alterações que estão a sua espera. Inicialmente Homer fica deliciado com o fato de que sua casa e família parecem ser as mesmas, com poucas exceções: suas cunhadas, Patty e Selma, acabaram de morrer, a família está mais rica, todos são muito educados com ele, eles têm um sedã Lexus. “Uhh-uhh!”, ele exclama.

Então vem o choque – a virada cruel que faz Homer gritar e lamentar-se em completa incredulidade. Objetivamente, é apenas uma pequena diferença entre a alternativa de realidade que ele tinha criado com seu espirro primevo e o mundo que ele costumava chamar de lar. Contudo, para Homer, essa distinção abala a essência de sua vida, como um tornado chocalhando sua alma. Ninguém nesse desolado universo jamais ouviu falar de rosquinhas! E quando Homer apressadamente pressiona para baixo a alavanca da torradeira-máquina-do-tempo, uma irônica saraivada de rosquinhas marca sua partida. Aparentemente rosquinhas são muito comuns, só que são chamadas de "chuva". Mas é tarde demais; ele já jogou os dados do destino outra vez.

No final, depois de várias tentativas, Homer acaba encontrando um universo que lhe agrada. As rosquinhas são numerosas e as pessoas realmente as comem. A única diferença é o que elas usam para comer: todo mundo tem uma língua comprida, bifurcada como a dos répteis e que se estica até a comida para sugá-la. Bem, isso não incomoda muito Homer.

A ideia de viajar no tempo é recorrente na cultura popular, pelo menos desde o aparecimento do épico romance de H. G. Wells, *A Máquina do Tempo,* publicado em 1897. O protagonista, um inventor chamado apenas Viajante do Tempo, explica nas páginas iniciais que, como espaço e tempo são lados da mesma moeda, o fato de se poder mover através do primeiro significa que teoricamente é possível também viajar através do segundo. De maneira intrigante, essa opinião ficcional de que espaço e tempo estão conectados precedeu – por mais de uma década – as primeiras afirmações científicas sobre o mesmo tema, sugeridas pela teoria da relatividade especial de Einstein.

A relatividade especial em si mesma permite apenas certos tipos de viagem no tempo, principalmente para o futuro, não para o passado. Ao viajar cada vez mais próximo da velocidade da luz, os relógios dos viajantes do espaço se atrasariam em relação ao tempo na Terra, o que tornaria possível longas e indefinidas viagens pelo futuro. Mas eles não poderiam, contudo, reverter o curso e retornar ao presente. Mesmo que viajassem próximos da velocidade da luz na direção espacial oposta, essa viagem os levaria para cada vez mais distante no futuro.

Uma partícula hipotética, chamada táquion, em teoria pode se mover permanentemente mais rápido que a luz e daí sempre retornar no tempo. A lógica dessa ideia é que, como a viagem progressivamente mais próxima da velocidade da luz retarda o tempo cada vez mais, mover-se à velocidade da luz faz o tempo parar, e mover-se mais rapidamente faria o tempo correr para trás. Contudo, nas quatro décadas seguintes à proposição dessa partícula pelo físico Gerald Feinberg, da Universidade de Colúmbia, essa anomalia ainda não foi constatada. Além disso, uma partícula ordinária não poderia se transformar em táquion porque seria necessária uma infinita quantidade de energia para fazê-la atingir a velocidade da luz, e uma outra quantidade infinita para ir além dela, o que obviamente é impossível.

Isso que dizer que voltar no tempo está fora de questão? Não necessariamente. A relatividade geral oferece uma flexibilidade muito maior que a relatividade especial, pois ela permite que o espaço–tempo se curve em uma variedade de maneiras quase sem fim, dependendo da configuração precisa da matéria e da energia em uma região. Se o espaço–tempo for configurado na forma exata, isso pode provocar o que os teóricos chamam de curvas tipo–tempo fechadas (CTC, na sigla em inglês). Hipoteticamente, qualquer um que descobrisse uma dessas curvas poderia viajar de volta, como Homer, através das eras. Legal.

O primeiro exemplo teórico conhecido de uma CTC é um modelo de universo proposto pelo matemático austríaco Kurt Gödel (pronuncia-se "Guêrdel") em 1949. O estranho sobre o modelo de Gödel é que ele gira em torno de um eixo central como um carrossel, diferentemente do que os astrônomos consideram ser verdadeiro. O consenso astronômico é que o universo está se expandindo, não girando. Nenhum giro perceptível foi ainda detectado. Alguém poderia pensar que isso se constitui em um grande obstáculo ("hurdle", no original, que se pronuncia "Hûrdel") para o austríaco, mas ele manteve sua crença.

Se o espaço é como um carrossel giratório, então o tempo é como os cavalos mecânicos se erguendo em suas estacas. (Nessa analogia, imaginamos os cavalos apenas se erguendo, e não descendo, pois normalmente nos movemos apenas à frente no tempo.) Mas imagine o passado como as posições dos cavalos para baixo e o futuro como as posições para cima. Como os cavalos estão todos orientados retilineamente e em paralelo, os "passados" de cada estaca se alinham com os "passados" da estaca próxima, e os "futuros" de cada estaca se alinham com os "futuros" da seguinte.

Agora suponhamos que as estacas estejam mal presas na base. Enquanto o carrossel gira, cada estaca se inclina e toca na mais próxima. As estacas não estariam então paralelas, mas misturadas. Por analogia, percebemos que a rotação do universo em carrossel de Gödel permitiria contato entre o futuro de cada região e o passado da vizinha. Isso causaria ciclos contínuos através do tempo – em outras palavras, CTCs. Então, ao viajar em qualquer círculo fechado em redor do eixo central do universo, um explorador poderia retornar no tempo. Teoricamente, qualquer um com uma espaçonave poderosa poderia tentar mudar a história.

Imagine, por exemplo, que Moe quisesse voltar no tempo, matar seu avô e eliminar todos os traços de sua miserável existência. Ele poderia pensar que, se nunca fosse concebido, estaria livre de fazer uma série de coisas dolorosas, como ser expelido de um ventre, crescer, ser rejeitado, crescer um pouco mais, ser novamente rejeitado, cuidar de Barney, ser rejeitado cuidando de Barney – a lista continua indefinidamente. Seria melhor, Moe poderia concluir, não se incomodar com este mundo. Então, voltar no tempo seria uma forma de colocar esse plano em ação.

Suponhamos que Moe começou a implementar esse plano de viagem pelo tempo e de erradicação. Ele enfrentaria obstáculos formidáveis, como a enormidade do universo e a probabilidade de que ele realmente não gira (pelo menos não o suficiente para produzir CTCs). Felizmente para ele, contudo, a rotação do universo não é a única fonte potencial de CTCs. Outras ideias incluem um cilindro giratório infinito proposto pelo físico Frank Tipler, da Universidade de Tulane, em 1974, e um sistema de "buraco de minhoca atravessável" proposto pelos físicos Michael Morris, Kip Thorne e Ulvi Yeltsever, do Caltech, do Instituto de Tecnologia da Califórnia, em 1988.

A proposta dos físicos do Caltech tem uma história curiosa. Seu método teórico de viajar no tempo emergiu de um esquema de viagem espacial que supunha maneiras de conectar partes remotas do universo. Thorne originalmente concebeu os buracos de minhoca atravessáveis em resposta à solicitação do amigo Carl Sagan, que necessitava de uma forma imaginativa, mas cientificamente viável, de um personagem de seu livro *Contato* fazer uma rápida viagem interestelar. Como túneis atravessando montanhas para servir de atalho entre comunidades, buracos de minhoca são túneis hipotéticos no tecido espacial que ligam regiões remotas do cosmos. Em uma terminologia-padrão, os buracos de minhoca têm duas "bocas" (entradas), uma em cada ponta, ligadas por uma "garganta" (o túnel em si). A garganta é construída de acordo com o princípio da relatividade geral, através da configuração exata do material, incluindo uma substância hipotética com massa negativa e propriedades de repulsão gravitacional, chamada matéria exótica. Viajantes espaciais entrariam no buraco de minhoca através de uma boca, atravessariam a garganta e sairiam pela outra boca, situada em uma região remota do espaço.

Percebeu-se que os buracos de minhoca poderiam, teoricamente, ser usados não apenas para excursões espaciais, mas, sob certas circunstâncias, também para viagens no tempo. Depois que os pesquisadores do Caltech mandaram o esquema para Sagan, eles perceberam que um buraco de minhoca atravessável poderia ser transformado em uma máquina do tempo ao se transportar uma de suas bocas a uma velocidade próxima da velocidade da luz em relação à outra boca. A dilatação do tempo que se seguiria atrasaria o relógio da boca em alta velocidade em comparação com a boca em baixa velocidade. Enquanto anos transcorreriam para a primeira, apenas meses se passariam para a última. Então, se os viajantes do espaço entrassem na boca de baixa velocidade, em que muitos anos tinham se passado, atravessassem a garganta e surgissem na boca de alta velocidade, em que poucos meses tinham se passado, eles seriam transportados de volta no tempo.

Vejamos agora como isso funcionaria imaginando um cenário envolvendo Kodos e Moe e seus avós. Imagine que o *grandpod* de Kodos construiu uma máquina do tempo do tipo buraco de minhoca por volta dos anos 1940, colocando uma das bocas em uma órbita razoavelmente perto da Terra e lançando a outra boca no espaço, em uma viagem de ida e volta a uma velocidade próxima da velocidade da luz. Consequentemente, enquanto a primeira boca envelheceu seis décadas, a segunda boca envelheceu muito menos – digamos uns poucos meses.

Agora, nos anos 2000, Moe tem uma estranha visão desse buraco de minhoca e uma compulsão pecaminosa de cometer um ato odioso contra sua própria carne e osso. Com sobras de etiquetas, latas de batata frita, material físsil descartado e outros materiais, ele constrói uma espaçonave e se lança ao espaço. Como em um sonho, Kodos aparece para ele e o guia através da boca em órbita do buraco de minhoca – cuidadosamente alinhada pelo *grandpod* de Kodos, que era um ortodontista e também um octópode. A espaçonave de Moe passa pela boca, avança pela garganta e sai pela outra. Ele retorna à Terra, mas em virtude do retardo de tempo da segunda boca, ele está agora justamente nos anos 1940. Moe, ao ver seu avô, que está indo para a igreja se casar, logo se assegura de que o jovem noivo não pode cumprir seu destino.

O que Moe não percebe, contudo, é que (como já apontamos) o passado tem suas maneiras de voltar. Ao matar o próprio avô, a linha ascendente de

Moe foi interrompida e ele não vai existir. Se ele simplesmente some, contudo, quem construiu a espaçonave, voltou no tempo e cometeu o ato abominável? Ninguém. Nesse caso, o avô de Moe deve ter sobrevivido, se casado e tido um filho que gerou Moe. Então, Moe *existe.* Em resumo, Moe está simultaneamente vivo e extinto – um destino comprovadamente pior que ser rejeitado pelos outros ou rejeitar a si próprio. Esse bizarro cenário no qual alguém mata o próprio avô e continua a aparecer e sumir da existência é um dos mais famosos enigmas da viagem de volta no tempo, chamado, apropriadamente, paradoxo do avô.

Escritores de ficção científica consideraram inúmeras outras situações contraditórias relacionadas às viagens de volta no tempo. Viajar para o futuro não teria a mesma bagagem filosófica porque a história do futuro ainda está por ser escrita e, portanto, pode ser alterada de qualquer forma sem criar uma contradição. O passado, contudo, é um pergaminho inscrito com tinta indelével; como o registro permanente da vida de Bart, ele não seria facilmente apagado. É curioso pensar em voltar para aquelas mesmas páginas e alterar ou destruir todos os traços do que já aconteceu.

Em virtude desses enigmas enganosos, muitos cientistas argumentaram que voltar no tempo é impossível. Por exemplo, o convidado especial dos Simpsons, Stephen Hawking, cujo trabalho durante o dia é ser professor de matemática aplicada da Universidade de Cambridge, defendeu uma "conjetura de proteção cronológica", um teorema da física que excluiria as CTCs. A ideia é que sempre que alguém tentasse usar a relatividade geral para criar um ciclo de tempo, forças naturais emergiriam e o destruiriam, como marés crescentes que aplainam os castelos de areia.

Thorne e seus colegas, ao lado do astrofísico russo Igor Novikov, escolheram um caminho diferente. Eles partiram da ideia de que a viagem de volta no tempo é viável, contanto que seja autoconsistente. Em outras palavras, se alguém viaja para o passado e não altera a história, mas é *parte* da história, tudo bem. O resultado, eles defendem, seria uma coerente cronologia de eventos, e não um evento com distorções confusas e paradoxais.

Por exemplo, consideremos uma variante de uma viagem no tempo do episódio "Lisa, a Iconoclasta". Lisa, ao fazer uma pesquisa na Sociedade Histórica de Springfield, descobre um bilhete com uma confissão. Segundo o bilhete,

Jebediah Springfield, o fundador da cidade, era na verdade um impostor. Ela informa isso ao curador da sociedade, Hollis Hurlbut, um ardente defensor dos lendários atos patrióticos de Jebediah, e ele tenta encobrir a verdade. No final, Lisa percebe que o melhor para a cidade é que ninguém saiba o que realmente aconteceu.

Agora imaginemos, nessa variante, que Hurlbut, de alguma forma, descobre uma máquina do tempo e tenta determinar de uma vez por todas as circunstâncias da fundação de Springfield. Ele empacota alguns artefatos da época, coloca no bolso a confissão, regula os controles para o período em que Jebediah Springfield supostamente fundou a cidade e viaja para trás no tempo. Ao chegar, contudo, Hurlbut não encontra nenhum traço de Jebediah, nem de um impostor. Frustrado porque os lendários eventos históricos parecem não estar acontecendo, ele decide fazê-los acontecer. Com sua soberba memória da história, ele se assegura de que tudo que supostamente aconteceu realmente aconteça, incluindo um famoso evento em que um búfalo selvagem é amansado. Mais tarde, ele pede a um entalhador local para inscrever o nome de Jebediah em um túmulo, desenterra um corpo do cemitério dos indigentes, veste-o com a indumentária de um desbravador da fronteira e cria uma falsa sepultura. Tudo isso é feito sem que se ninguém perceba a "farsa", exceto pelo fato de que, antes de voltar ao presente, Hurlbut deixa cair do bolso o bilhete com a confissão, que fica para trás.

De volta ao presente, Hurlbut fica aliviado de que nada tenha mudado. Lisa ainda descobre o bilhete e percebe que Jebediah era um impostor, mas chega a uma conclusão errada sobre quem ele era realmente. Os outros habitantes da cidade ainda acreditam na história tradicional. Assim, a excursão no tempo de Hurlbut correspondeu perfeitamente ao registro histórico, oferecendo um relato não-ambíguo e unificado sobre como Springfield tinha sido fundada. Dentro das ideias de Thorne, Novikov e outros, o ciclo temporal fechado que ele implementou é absolutamente autoconsistente e livre de paradoxos.

Contudo, a natureza surpreendente do bilhete de confissão levanta uma questão significativa. Se um artigo descoberto no presente é levado de volta ao passado, deixado lá e eventualmente redescoberto, quem originariamente o criou? Aparentemente, ninguém. Contudo, sua existência é um efeito sem causa. E, estranhamente, se as viagens ao passado fossem possíveis, *qualquer coisa* poderia ser fabricada do nada.

Por exemplo, suponhamos que Smithers quisesse dar de presente de aniversário a Burns um brilhante reluzente e puro de cinco quilates, fixado em um suporte de esmeralda, folheado a ouro e incrustado de rubis. Tudo o que ele precisava fazer era decidir pegar o anel, viajar para o futuro para a época em que ele já teria dado a Burns o brilhante, retirá-lo da coleção de Burns e trazê-lo de volta ao presente. Então ele o embrulharia e daria a Burns. Maravilhado com o presente, Burns, sem dúvida, o colocaria de volta em sua coleção, sem perceber que, de alguma forma, ele já tinha estado lá. Ele permaneceria lá até que Smithers, no futuro, o retirasse novamente e o trouxesse de volta mais uma vez em tempo. Claramente, ninguém ainda fez a peça preciosa, mas não obstante ela existe. Autoconsistência não é garantia de razoabilidade.

Outra alternativa que tornaria completamente impossível a viagem ao passado, ou a faria viável somente no caso de uma rígida autoconsistência, é a existência de universos paralelos. Suponhamos que sempre que uma viagem de volta altera o futuro curso dos eventos, a realidade se bifurca, gerando um completo novo universo paralelo ao anterior. Por exemplo, durante as excursões provocadas pela torradeira de Homer, cada viagem ao passado estabeleceria uma cronologia independente, com sua própria versão dos Simpsons e de Springfield. Em alguns desses universos, Flanders se tornaria ditador; em outros, ele seria um humilde vizinho; e ainda em outros, ele nem sequer existiria. Algumas realidades incluiriam rosquinhas em caixas de papelão; em outras, as rosquinhas cairiam do céu; e ainda em outras, as rosquinhas seriam tão raras e cobiçadas que a raça humana estaria perpetuamente brigando e se mordendo para obtê-las, tristemente reduzida a uma existência ao estilo Comichão e Coçadinha.

O conceito de universos paralelos tem base em certas teorias físicas especulativas, incluindo a interpretação dos "muitos mundos" da mecânica quântica. Essa alternativa à abordagem quântica de Copenhague (a padrão) foi proposta em 1957 por Hugh Everett, então um estudante de graduação de Princeton, e popularizada pelo físico Bryce DeWitt. Ela estipula que toda vez que uma medição com mais de um possível resultado é feita no nível atômico, a realidade física se divide em um número de porções igualmente válidas, uma para cada desfecho.

A mais famosa aplicação da interpretação dos muitos mundos concerne a um enigma conhecido como o paradoxo do gato de Schrödinger. Segundo esse paradoxo, um gato é colocado em uma caixa fechada e ligada a um detector de *spin* de elétron. Lembremo-nos de que o *spin* é uma propriedade quântica na qual os elétrons podem ter dois possíveis valores, chamados "acima" e "abaixo". Se o detector de *spin* indica "acima", o gato sobrevive, mas se ele indica "abaixo", o gato vai se juntar a Bola de Neve I no paraíso dos gatos.

De acordo com a interpretação tradicional de Copenhague, o gato permanece em um estado de mistura quântica até que um observador leia os resultados do detector ou abra a tampa da caixa. Apenas então é que seu estado "colapsa" em uma das duas possibilidades. Em outras palavras, em cerca de 50% do tempo, a curiosidade mata o gato. A interpretação dos muitos mundos evita esse tema afirmando que o universo se bifurca em dois ramos. Em um, o detector de elétron indica "acima", e o gato está vivo; no outro, o detector indica "abaixo", e o gato está morto.

A física quântica seria capaz de produzir uma versão paralela da Terra idêntica em quase tudo, porém sem nenhuma rosquinha? Em virtude de sua natureza probabilística, a mecânica quântica permite uma quase ilimitada variedade de ocorrências aleatórias, incluindo a improvável possibilidade de que as moléculas de açúcar em cada rosquinha espontaneamente degradem em substâncias não comestíveis – por exemplo, formiato de metila, que tem a mesma fórmula química que moléculas simples do açúcar, o glicoaldeído, mas é utilizado como inseticida. Com esse tipo de "adoçante", as rosquinhas acabariam por repelir até mesmo Homer.

A viagem no tempo seria um jogo arriscado. Perturbar a história não seria boa coisa, mas imagine ser apanhado em uma realidade alternativa sem nenhum bolo parcialmente hidrogenado e calórico como conforto. Embora possamos ser curiosos a respeito do passado e do futuro, a maioria de nós não iria querer arriscar. Mas, e se pudéssemos ver outros tempos – eventos bem antigos ou de muitos anos à frente – sem ter de colocar o pé nessas épocas? Como nos sentiríamos, por exemplo, ao ver no que nossas vidas vão se transformar daqui a muitos anos? Se a família Simpson está envolvida, talvez não seja uma visão muito boa. Ou como um certo valentão poderia dizer: "Posso sentir o cheiro de seu futuro. Haha!".

16

Frinkando sobre o futuro

Uma das maiores frustrações da vida é a imprevisibilidade do futuro. As forças da natureza são notoriamente caprichosas, como atestam os horrores de catástrofes como terremotos e tornados. Além disso, mesmo se pudéssemos prever cada aspecto da natureza, teríamos grandes dificuldades em antecipar o comportamento humano. Nosso planeta está repleto de bilhões de indivíduos com livre-arbítrio, capazes de alterar suas decisões a cada momento. Por essa razão, a vida dos indivíduos e a história das sociedades, muitas vezes, mudam de direção de maneira inesperada. Um casal pode gastar todo seu dinheiro na compra da casa dos sonhos e descobrir que as autoridades decidiram demolir a propriedade para construir uma autoestrada. Uma mulher pode encontrar o parceiro ideal e descobrir que ele acabou de receber uma notificação de deportação. Ou, no caso de Patty, cunhada de Homer, que seu gênero não é o que ela esperava.*

Com os Simpsons, mudanças e reviravoltas frenéticas são típicas. Vendo o começo de cada episódio, não se tem a menor idéia de para onde ele vai. Por exemplo, o episódio "Os Monólogos da Rainha" abre com Bart achando uma nota de mil dólares (perdida por Burns) e criando um museu baseado na cédula. Em uma comédia de situação comum, administrar um museu poderia gerar proveito próprio e o episódio terminaria mostrando como a ideia malu-

* No seriado, Patty, irmã de Marge, é lésbica e certa vez se envolveu com uma mulher que, na verdade, se revelou um homem (N. do E.).

ca de Bart funcionou. Mas com esta série não é assim. A família vai para a Inglaterra, usando o dinheiro ganhado com o museu, e lá encontra o, na época, primeiro-ministro Tony Blair, a escritora J. K. Rowling e o ator Ian McKellen, além de trombar com a carruagem da rainha. Homer acaba preso na Torre de Londres, mas escapa. Vovô reencontra uma antiga amante e descobre uma filha ilegítima que é o retrato escarrado de Homer. Quem poderia ter imaginado tudo isso com base no começo do episódio?

A despeito da imprevisibilidade, diversos episódios da série tratam de previsão do futuro. Como na outra série de Matt Groening, *Futurama*, a presença desse tema parece refletir seu fascínio pela ficção científica. Além disso, considerando que nos episódios regulares os personagens nunca envelhecem (pelo fato de serem um desenho animado, mas também por uma sábia decisão de não os fazer mais velhos artificialmente), nos episódios futuristas, os roteiristas puderam dar mais dimensão à vida dos personagens. Afinal de contas, uma série com mais de duas décadas e quase nenhuma alteração nos personagens principais é algo sem precedentes.

Os três episódios que tratam principalmente de visões do futuro são "O Casamento de Lisa", da sexta temporada, "Bart no Futuro", da décima primeira, e "Futuro-drama", da décima sexta. Esses episódios tiveram um intervalo de cinco anos entre si, o que me faz prognosticar que o próximo será na vigésima primeira temporada, supondo-se que a série continue a ser exibida. O ritmo, contudo, é a única coisa que se pode antecipar sobre os episódios. Consistentes com o espírito frenético e a imprevisível natureza da série, esses episódios oferecem retratos contraditórios sobre o que acontece a cada um dos principais personagens. Parte disso deriva da confusão cronológica gerada pelas alterações sobre qual ano é considerado o presente (para cada ano do tempo verdadeiro, o "presente" da série move-se para anos posteriores). Por exemplo, o episódio "O Casamento de Lisa" retrata o ano 2010, quando Lisa deveria estar na faculdade, e "Futuro-drama" imagina a vida em 2013, quando se afirma que Lisa estava se formando dois anos antes no colégio! Se a série continuar assim, em sua vigésima primeira temporada em 2010, Lisa ainda estará cursando o colégio. (A menos que se mude para a comunidade do caipira Cletus, duvido que ela estará noiva por essa época.) Em face desses parâmetros conflitantes, os autores da série parecem sugerir que, como as limitações inerentes tornam todas as previsões duvidosas, o cenário que eles apresentam deve ser entendido com reservas.

Nos três episódios proféticos, Lisa e Bart conhecem seu futuro de maneiras diferentes. Em "O Casamento de Lisa", ela encontra uma cigana que parece ser especialista em prever maus relacionamentos. Seu método para prever um casamento catastroficamente abortado para Lisa é a cartomancia. Em "Bart no Futuro", ele encontra um índio americano gerente de cassino, que evoca imagens da vida de Bart aos 40 anos de idade usando o método da piromancia, adivinhação pelo fogo. Chamas tremulantes preveem Lisa sendo eleita presidente e Bart como um grande espinho a seu lado, à maneira de Billy Carter.* "Futuro-drama" envolve uma máquina inventada pelo professor Frink, a qual, ele garante, está baseada na astrologia. Outros métodos de adivinhação (a serem reservados, talvez, para futuros episódios) incluem a frenologia (leitura de caroços no crânio), a quiromancia (leitura das mãos), a cleromancia (lançamento de dados ou outras sortes) e a oniromancia (interpretação dos sonhos – talvez o método favorito do dr. Marvin Monroe, o psiquiatra de Springfield, e de sua classe). Nenhum desses métodos tem uma base científica, a despeito das alegações de Frink a respeito de sua máquina astrológica.

O aparelho de Frink funciona mais ou menos como um tocador de DVD ou um TiVo (marca de um gravador de vídeo digital) com um menu repleto de opções. Ele apresenta fatos do futuro como se fossem episódios de uma série. Por exemplo, ao clicar em um item chamado "Vice-presidente Cletus", o aparelho mostra Cletus, o caipira, pedindo a sua namorada Brandine que ponha suas calças em uma mala para uma viagem oficial a Brunei.

Frink mostra a Bart e Lisa um tema mais pungente: a vida deles na época da festa de formatura.

De acordo com a previsão da máquina, Bart e Lisa são assediados por acompanhantes narcisistas. Jenda, uma garota zelosa de sua classe social, pressiona Bart por uma relação íntima. Ele parece interessado, mas teme perder sua independência. Ao mesmo tempo, um Milhouse sarado e obcecado por músculos manipula Lisa, que se apaixonou pelo rapaz depois que

* Irmão mais novo de Jimmy Carter, presidente dos Estados Unidos entre 1977 e 1981, e causador de muitos problemas políticos para o presidente (N. do T.).

ele a salvou de um incêndio. Mesmo depois de descobrir que, na verdade, Milhouse havia começado o fogo, ela continua com ele, aparentemente por desespero. Quando Bart ganha uma bolsa para Yale que havido sido prometida a ela por Burns, Milhouse explora os sentimentos de rejeição de Lisa para se aproximar ainda mais. Enquanto isso, depois que Homer esbanja as economias da família em uma casa submarina, Marge decide se separar e tem alguns encontros com Krusty. Isso enfurece Homer imensamente. O "Snake Jailbird do tempo"* parece ter roubado a família de toda sua possibilidade de verdadeiro amor e felicidade.

No final, Bart percebe que Jenda é a escolha errada para ele e que Milhouse é a escolha errada para Lisa. A revelação surge depois que ele entra na casa de Frink, agora abandonada, e quer ver o que há lá dentro. Jenda abandona Bart frustrada por ele estar mais interessado na casa que nela. Uma vez dentro do laboratório de Frink, Bart descobre a máquina astrológica e a regula ainda mais para o futuro. Ele vê uma imagem deprimente da vida de casados de Milhouse e Lisa, com um perturbado Milhouse informando a Lisa que ele acabou de vender sua medula em uma tentativa desesperada de pagar a conta de luz. Consternado em ver como sua irmã vai ser oprimida, Bart a afasta rapidamente de Milhouse e devolve-lhe a bolsa de estudos que ela merece. Marge e Homer se reconciliam, e tudo fica bem na casa dos Simpsons do futuro.

Típico dos episódios futuristas, "Futuro-drama" apresenta misturas genéticas bizarras, estranhos robôs e tecnologia que mal funciona. Moe tem um clone exato que o ajuda no bar. No processo de clonagem, uma aranha com algum material genético de Moe é inadvertidamente produzida – sem dúvida um gancho para o episódio "Fly *versus* Fly". Essa noção de clonagem é baseada no entendimento popular de que os clones seriam formados como adultos completos, quando, na verdade, os clones precisam crescer a partir de células simples, como qualquer embrião. Dessa forma, Moe deveria estar trocando as fraldas de seu clone, e não permitindo que ele o ajude no bar.

O episódio traz ainda outras formas absurdas de tecnologia futurista. O Chefe Wiggum é agora um robô com uma rotisseria no lugar do estômago. A nova casa submarina de Homer requer três horas de descompressão apenas pa-

---

* Snake Jailbird é uma personagem criminosa, um ladrão (N. do E.).

ra abrir. Ele dirige o primeiro carro que levita, o qual parece um limão. Junto de Bart, ele atravessa um "túnel quântico" que passa por uma montanha.

Para uma partícula elementar, túneis quânticos ocorrem quando sua função de onda se estende através da barreira que a partícula, na forma clássica, seria incapaz de atravessar. Nesse caso, enquanto a física clássica prevê que a partícula teria chance zero de estar do outro lado da barreira, a física quântica afirma que a chance é pequena, mas mensurável. De acordo com nosso atual entendimento, o efeito do túnel quântico quase sempre se aplica a objetos nas escalas atômicas ou subatômicas, e não do tamanho de carros, mas vamos deixar isso pra lá.

Quando o carro sai da montanha, de alguma forma já havia apanhado Bender, o robô de *Futurama*. (Este é um caso raro de *crossover* entre as duas séries.) A aparição inexplicável de Bender fornece outro exemplo dos absurdos da tecnologia do futuro segundo *Os Simpsons*. Quando ele tenta ficar amigo de Homer e Bart, eles parecem completamente desinteressados e logo o jogam fora do carro.

Para uma máquina baseada em previsões astrológicas, suas visões do futuro parecem incrivelmente detalhadas. A ciência verdadeira poderia fazer o mesmo truque? Já vimos como buracos de minhoca atravessáveis, hipotéticos atalhos através do espaço – para objetos macroscópicos, não apenas minúsculas partículas –, poderiam ser túneis de acesso ao passado. Uma avançada civilização do futuro, desejosa de se comunicar com o passado, poderia transmitir correntes de informação através de um buraco de minhoca na esperança de que alguém pudesse captar e interpretar essas mensagens. De maneira geral, esses esforços seriam arriscados, dado que informações sobre o futuro poderiam mudar o curso da história e alterar, ou até mesmo destruir, a civilização que enviou as mensagens. Contudo, se as civilizações futuras tivessem de enfrentar um desastre iminente, como uma praga mundial, uma invasão alienígena ou uma guerra nuclear devastadora, sua única esperança poderia ser uma mensagem de alerta transmitida ao passado, para uma época em que a catástrofe pudesse ser evitada.

O aclamado romance *Timescape*, de Gregory Benford, baseado em algumas de suas ideias especulativas sobre a física teórica, aborda essa situação de resgate de um planeta. Um cientista de 1998 (o romance foi publicado em 1980) desenvolve um meio de comunicação com o passado em uma tentativa de alertar as pessoas do início dos anos 1960 sobre um iminente desastre ecológico causado por um produto químico que devasta a cadeia alimentar. O mecanismo utilizado para enviar a mensagem envolve os táquions que, como vimos, são partículas hipotéticas que excedem a velocidade da luz. Transmitidos em sinal modulado, como as ondas flutuantes de rádio, eles são usados para passar informações ao passado ao interferir com processos nucleares em maneiras mensuráveis. O cientista aponta os sinais na direção em que a Terra estava em 1963, afetando os resultados de uma experiência nuclear que estava sendo realizada naquele tempo. Quando os pesquisadores de 1963 conseguem decifrar os resultados, eles publicam um importante trabalho que evita a produção de danos químicos, impedindo a catástrofe.

Embora os táquions nunca tenham sido detectados, e as partículas comuns não possam ser aceleradas a velocidades maiores que a da luz, nada nas leis da física torna sua existência impossível. Assim, embora Homer possa impedir Lisa de violar as leis da termodinâmica em sua casa, ele relutaria em proibi-la de enviar sinais de advertência ao passado, por meio de táquions, sobre catástrofes ecológicas – um superaquecimento acidental do núcleo de uma usina nuclear, por exemplo. Ela argumentaria com ardor, em sua voz suave e convincente, que a relatividade permite a existência de partículas viajando a uma velocidade maior que a da luz, velocidade esta que age como uma barreira entre partículas móveis menos rápidas e mais rápidas – as primeiras conhecidas como "tárdions". O que é proibido é apenas cruzar a barreira.

Dados esses métodos teóricos para transmitir partículas ao passado, é curioso como Frink baseia sua máquina na astrologia, e não em uma ciência verdadeira. Ao fazer essa escolha, remete-nos aos tempos antigos, quando a linha entre a astronomia e a astrologia era borrada. Os primeiros astrônomos possuíam muito mais habilidades de previsão que os especialistas de qualquer outra disciplina da época. Tinham um vasto conhecimento sobre os movimentos das estrelas e das constelações (representações atribuídas pela mitologia a vários arranjos estrelares), o que lhes possibilitava mapear calendários e prever acontecimentos celestes como os eclipses. Presumindo que esse domínio do reino celestial se estendesse também aos eventos terrenos, reis e outras figuras poderosas recorriam a esses "homens sábios" quando decisões importantes precisavam ser tomadas. Guerras seriam deflagradas e importantes pronunciamentos seriam feitos somente quando os consultores astrais julgassem que as estrelas estavam corretamente alinhadas.

Através dos séculos, a astrologia permaneceu uma atividade lucrativa e popular. Até Johannes Kepler, o pioneiro alemão do método científico do século XVII, vendeu previsões astrológicas para ganhar um dinheiro extra. Ele nutria um entendimento errôneo de que as estrelas influenciam o curso das vidas humanas. Ao investigar os movimentos celestes, Kepler sugeriu que esse conhecimento poderia ampliar nossa habilidade de prognosticar eventos futuros na Terra. Felizmente, ele foi capaz de colocar suas crenças de lado e trabalhar com as informações fornecidas pelos fatos. Isso o levou a deduzir as leis fundamentais da dinâmica planetária, um desenvolvimento essencial que preparou o caminho para a mecânica de Newton.

Graças a Kepler, e a seu contemporâneo italiano Galileu Galilei – que inventou o telescópio astronômico em 1609 –, a astronomia estabeleceu-se como uma ciência moderna. Mesmo que as estrelas não tenham a chave do nosso destino pessoal, elas fornecem pistas essenciais sobre a origem e o destino do cosmos. E com o esplendor dos céus aberto a nossa investigação a cada noite, qualquer um, desde astrônomos famosos até garotas curiosas de oito anos, pode explorar profundos mistérios cósmicos. Isto é, se a poluição atmosférica não atrapalhar.

Parte quatro

Springfield, o universo e além

A ciência alguma vez beijou uma mulher, ou ganhou o Super Bowl, ou colocou um homem na Lua?
Homer Simpson, "A Casa da Árvore dos Horrores XV"

Há tanta coisa que eu não sei sobre astrofísica.
Homer Simpson, "A Casa da Árvore dos Horrores VI"

17

As habilidades de percepção de Lisa

Os consideráveis talentos de Lisa Simpson são subestimados por sua família e colegas de escola, exceto, talvez, pelo olhar ardente e apaixonado de Milhouse. Ah, amor não correspondido! Virtuose do jazz, campeã de ortografia, cientista amadora e guardiã do meio ambiente, Lisa é realmente uma pupila do Renascimento, um verdadeiro Leonardo de lancheira.

Que descaramento teve então Eric Idle, do Monty Python,* de aparecer na série – dublando o personagem Declan Desmond – e acusar Lisa de ser uma "intelectual de festinhas" e uma diletante! Enquanto fazia um documentário sobre as crianças de Springfield denominado *Os Americanos Tapados*, Desmond desdenha as qualificações de Lisa ao chamá-la de "Garota que joga em todas as posições, mas bem em nenhuma", e maldosamente perguntando "Qual a sua ambição *du jour* [de hoje]?" Ele, o consumado comediante, escritor de comédias, ator, letrista, membro tanto do Monty Python quanto dos Rutles,** autor do musical da Broadway *Spamalot*, entre outras qualificações, tem mesmo a petulância de apontar o dedo para uma talentosa garotinha por sua falta de foco.

---

* Grupo de humor inglês de grande sucesso, atuante de 1969 a 1983 (N. do E.).

** Rutles é um grupo que faz paródias dos Beatles (N. do T.).

O episódio no qual Idle apareceu, "Eu Quero Ver o Céu", é sobre astronomia, em que ele tem ampla experiência por causa de sua veia musical. Um dos trechos clássicos de seus últimos dias no Python foi um poema musicado que ele escreveu e apresentou para o filme *O Sentido da Vida*, chamado "The Galaxy Song [A Canção da Galáxia]". Cantada para uma dona de casa sem atrativos, representada por Terry Jones, a canção descreve a falta de sentido da vida terrestre diante da inimaginável vastidão do cosmos. Um compêndio de conhecimento astronômico, a canção realça o diminuto lugar da Terra em nossa galáxia, a Via Láctea, que com suas centenas de bilhões de estrelas compreende uma minúscula fração de nosso universo constantemente em expansão. Daí, em comparação com as areias sem fim da eternidade, em essência, somos apenas um grão de poeira. Belo tema para um filme.

Se você já olhou para as milhares de luzes como diamantes contra o dossel de veludo preto do céu, deve ter experimentado essa sensação de pequenez. De pé em um lugar escuro como breu, olhando para cima, para o sortimento sem fim de estrelas, você ficaria, sem dúvida, estupefato pela humilde posição da Terra diante da enormidade de tudo. Se você não conseguir encontrar em sua região um lugar que não seja escuro o suficiente, aguarde até estar de férias em um local menos iluminado – o campo, por exemplo. As estrelas irão saudá-lo como amigos esquecidos de uma época distante. Ou, você pode ter sua experiência transcendental, como Lisa faz, na seção de astronomia de um museu de história natural.

No episódio, após crítica mordaz de Declan Desmond, Lisa corre para o Museu de História Natural de Springfield e embarca em uma desesperada busca por identidade. Depois de visitar outras mostras científicas do museu, incluindo dinossauros e achados geológicos não-particularmente excitantes, ela chega a um espetacular show planetário sobre o nosso lugar no universo. Isso a inspira a querer ser uma astrônoma. Acabou a hora dos aperitivos de bufê. Ela quer o prato principal.

Persuadindo Homer a comprar-lhe um telescópio, Lisa se põe a explorar o céu estrelado. Como Galileu fez séculos antes, ela espera perscrutar os planetas e examinar suas características curiosas: Saturno e seus famosos anéis; Júpiter com sua grande mancha vermelha e um grupo de satélites; a Lua com suas montanhas e crateras. Galileu, contudo, não teve de lutar com a luminescência onipresente dos restaurantes de *fast-food*, *shopping centers*, lojas de conveniência abertas 24 horas, autoestradas entupidas de carros e assim por diante. Quando ele fitava o céu através de seu instrumento, o céu da noite era absolutamente escuro, exceto talvez pela suave luz do luar.

Em contraste, as aventuras astronômicas de Lisa precisam competir com uma barragem de fontes locais de luz. A iluminação brilhante de um estádio suplanta seus esforços para ver Vênus, e a luminosidade do hotel rodoviário Starlight mata toda tentativa de ver Júpiter. Lisa corre até uma colina, mas não consegue escapar do "brilho laranja-pálido e repulsivo" que recobre Springfield. Perto, no observatório administrado pelo professor Frink, ele confirma que a poluição luminosa é um dos maiores desafios dos astrônomos – mais difícil, Frink explica, que "marcar um encontro".

Enfurecida, Lisa faz circular uma petição e convence o prefeito Quimby a diminuir a intensidade da iluminação noturna de Springfield. Os habitantes da cidade ficam deslumbrados com o espetáculo da observação das estrelas, e Lisa aguarda ansiosa uma chuva de meteoros, que ela espera observar em toda sua glória.

O céu escurecido, contudo, acaba sendo um prato cheio para os criminosos – particularmente vândalos que gostam de serrar os enfeites dos capôs dos carros. Até Bart e Milhouse, na tentativa de parecerem legais, juntam-se à loucura do furto de enfeites e tentam conseguir um. A gritaria pública que se segue força o prefeito a aumentar a iluminação da cidade a níveis ainda mais brilhantes que antes, frustrando as aventuras astronômicas de Lisa e as diabruras de Bart e Milhouse.

Então, a insônia toma o lugar do vandalismo. Com uma inundação de luz elétrica invadindo todos os cantos e frestas de Springfield, ninguém consegue dormir. Homer fica absolutamente catatônico, o que se revela muito conveniente para Lisa e Bart que engendram um esquema para escurecer o céu. Homer, em seu estado hipnótico, é conduzido por Lisa e Bart até a usina nuclear e compelido a desativar o sistema de segurança. Os irmãos ajustam o controle de produção para além da carga máxima e queimam toda a iluminação de Springfield. De repente todas as luzes se apagam, e o brilho some.

Assim, Lisa, Frink e os outros podem admirar as maravilhas de uma espetacular chuva de meteoros contra a tela de ébano do céu. Frink inspeciona um meteorito caído e encontra evidências de moléculas à base de carbono, necessárias para a vida, até que essa prova é apanhada rapidamente por um minúsculo alienígena. Não importa – pelo menos por enquanto tudo está bem naquela noite.

Enfrentar a poluição luminosa é um dos desafios da astronomia contemporânea. Há um século, observatórios de pesquisa podiam ser instalados em quase todo lugar, até mesmo nos subúrbios das cidades maiores, e ainda assim se beneficiar do céu escuro para obter informações sobre o cosmos. Uma das grandes descobertas de todos os tempos – a expansão do universo – foi feita pelo Mount Wilson Observatory, que fica a menos de 40 quilômetros do centro de Los Angeles. Lá, com um telescópio refletor Hooker de 250 centímetros de diâmetro, Edwin Hubble determinou as distâncias de numerosas galáxias, concluindo que elas estão muito além da Via Láctea e se afastando cada vez mais (tanto de nós quanto das outras). Essas descobertas foram feitas nos anos 1920, quando Los Angeles já era uma grande cidade e principal centro de produção cinematográfica – mesmo assim o céu sobre o Monte Wilson era escuro o suficiente para Hubble captar a luz de inúmeras estrelas variáveis* em galáxias a milhões de anos-luz de distância (um ano-luz, a distância que a luz viaja durante um ano, equivale a 9,5 trilhões de quilômetros). Registrando a luminosidade dessas estrelas variáveis, chamadas cefeidas, e comparando-a à energia que elas estavam realmente produzindo (uma quantidade conhecida para esse tipo de estrela), Hubble estimou a que distância elas estavam, e daí a distância até suas galáxias. Combinando esses dados com informações sobre a velocidade de afastamento de cada galáxia, ele demonstrou que as galáxias estão fugindo e o espaço está ficando cada vez maior. Todas essas observações ocorreram muito perto de Hollywood, à distância de um arremesso de lata de filme.

Embora ainda haja muitos observatórios perto de cidades, sua utilidade científica foi grandemente reduzida por causa da névoa urbana. Os pesquisadores preferem disputar horários para observação nos grandes telescópios nas montanhas do Chile, ou no topo dos mais altos picos do Havaí. Para eliminar completamente a poluição luminosa e a distorção atmosférica, numerosas sondas

* Estrelas cuja luminosidade varia, em oposição a estrelas cujo brilho é constante (N. do E.).

foram lançadas até o vácuo no espaço, incluindo o telescópio espacial Hubble, assim chamado em homenagem ao grande astrônomo e lançado em 1990.

Livre da névoa e do brilho da atmosfera terrestre, o telescópio Hubble tem sido extraordinariamente bem-sucedido em fotografar as mais distantes extensões do cosmos, captando a luz de galáxias a bilhões de anos-luz. Quando, em 1995, um pequeno e aparentemente deserto pedaço do céu observado pelo Hubble revelou milhares de galáxias, os astrônomos perceberam que o espaço contém mais de 50 bilhões de galáxias. Isso é muito mais que o superdotado Martin Prince poderia escrever em seus trabalhos de escola, mesmo que ele bebesse uma centena de Squishees por dia durante toda sua carreira no ensino fundamental. Isso não quer dizer que ele faria isso, bem entendido.

O Hubble expandiu as fronteiras do conhecimento astronômico, estendendo nosso entendimento do passado cósmico para cada vez mais perto da aurora dos tempos. Porque a luz leva tempo até chegar aqui, e quanto mais distante é a imagem produzida pelo telescópio, mais antiga é. Assim, por exemplo, quando vemos uma estrela que está a 65 anos-luz de distância, seus raios levaram 65 anos para chegar até nós, e estamos vendo como ela era em uma época em que Abe Simpson perseguia as enfermeiras do exército. Embora atualmente esse corpo possa ter perdido a maior parte de seu calor e atingido um estado de inatividade, naquela época era extremamente quente e fumegante. Voltar aos tempos da Segunda Grande Guerra, ou mesmo à época dos dinossauros, contudo, é café pequeno comparado com os feitos do Hubble. O Hubble já registrou imagens de objetos tão distantes que sua luminosidade foi produzida durante os primeiros 5% da história do universo – o primeiro acorde da primeira música do concerto cósmico.

Além de mapear as profundezas do espaço e do tempo, o Hubble revelou um verdadeiro cofre de maravilhas cósmicas: os padrões dos sistemas planetários em formação, como pedras preciosas, o característico brilho secundário de incríveis explosões de energia conhecidas como raios gama, o resíduo poeirento de galáxias colidindo e tantas outras imagens incríveis. Ele chegou até a mostrar ausências reveladoras: lugares onde pode haver buracos negros, lacunas em que se admite que existe matéria invisível. Não é de espantar que a astronomia cative crianças como Lisa, curiosas sobre a miríade de maravilhas dos céus.

O Hubble, embora seja o mais famoso instrumento espacial, não é o único. Nos anos recentes, ele fez parte de um conjunto que trabalhou em harmonia para cobrir todas as faixas do espectro luminoso. Como um quarteto de cordas com seus violinos animados, a doce viola de gamba e o grave violoncelo, os grandes observatórios espaciais da Nasa cobriram as mais altas frequências (taxas de oscilação) da luz, bem como as médias e as baixas. O Compton Gamma Ray Observatory [Observatório Compton de Raios Gama], lançado em 1991 e que operou durante mais de nove anos, registrou luz de frequências tão altas que elas estavam muito além da visibilidade. Isso é análogo aos apitos para cachorros cujo tom é tão alto que está acima da capacidade auditiva humana.

Como a física quântica nos informa, a frequência de uma onda luminosa está muito relacionada a sua energia. Portanto, os raios gama, a mais alta frequência luminosa, são também os que possuem mais energia. Felizmente para os seres humanos, eles são bloqueados pela atmosfera da Terra, e são também os mais fáceis de serem detectados no espaço – uma grande justificativa para o lançamento do Compton. A informação coletada pelo Compton, em conjunto com os resultados óticos do Hubble, produziu pistas vitais a respeito de eventos catastróficos como as fantasticamente poderosas explosões estelares.

Registrando imagens de frequências um pouco mais baixas, mas ainda acima da visibilidade, o Chandra X-ray Observatory [Observatório Chandra de Raios X] preencheu um importante nicho entre o Compton e o Hubble. Sinais de raios X são produzidos rotineiramente por vários processos energéticos, como buracos negros devorando a matéria próxima. Quando a matéria cai nos poços gravitacionais infinitos dos buracos negros, os raios X se disseminam pelo espaço e podem ser captados por detectores. Assim, embora não possamos ver os buracos negros, o Chandra registrou ampla evidência de seu apetite voraz. O Chandra também forneceu prova da existência da matéria escura intergaláctica.

Completando o planejado quarteto (que, infelizmente, se tornou um trio pela retirada de órbita do Compton em 2000), o Spitzer Space Telescope [Telescópio Espacial Spitzer] mede a luz na escala infravermelha, com frequências muito baixas para serem vistas. A radiação infravermelha é mais conhecida como calor comum, do tipo que é liberado por corpos humanos e rosquinhas quentes. Essa radiação pode ser captada por óculos de proteção especiais para visão noturna, oferecendo a crianças como Bart a oportunidade de observar seus pais comendo rosquinhas proibidas na escuridão. Embora estrelas como o Sol produzam radiação normalmente na escala visível, planetas como a Terra produzem apenas luz infravermelha. Eles podem refletir a radiação visível de uma estrela, mas emitem apenas infravermelho.

Dada a capacidade do Spitzer, não surpreende que seus maiores triunfos incluam fotos de planetas impossíveis de serem observados visualmente por estarem muito distantes. Em 2005, o Spitzer forneceu as primeiras fotos diretas de planetas em outros sistemas estelares, provando que nosso sistema solar não é único. Enquanto os que se dizem sequestrados por Kodos, Kang e sua turma nunca duvidam dessa premissa, as descobertas do Spitzer trouxeram a confirmação para o resto de nós.

Embora os telescópios espaciais tenham produzido até agora resultados magníficos, eles não podem ser a única resposta aos problemas da poluição luminosa. Extremamente caros de construir, lançar e manter, cada um exige décadas de planejamento, financiamento e negociações políticas. Quando seus sistemas falham – e vão falhar –, eles precisam ser abandonados ou ter sua vida útil encurtada, ou então espaçonaves como os ônibus espaciais devem ser enviados para fazer reparos. O programa dos ônibus espaciais vai ser descontinuado, o que trará enormes problemas para a manutenção dos observatórios no espaço em longo prazo.

O que, então, pode ser feito para manter os observatórios terrestres livres do clarão noturno que caracteriza a moderna vida urbana? O primeiro passo é trazer o problema ao conhecimento público. Como os cidadãos de Springfield, muitas pessoas associam lâmpadas brilhantes nas ruas com segurança, e a falta delas com o perigo. Muitos não percebem que luz forte e ofuscante representa intrinsecamente um risco. Ela pode, na verdade, reduzir a visibilidade, muito mais que aumentá-la. Por exemplo, suponhamos que um respeitável cidadão mais velho – digamos o rico proprietário de uma usina de energia nuclear – esteja passeando pela rua principal de uma cidade e encontre um grupo de bandidos. Se ele acabou de passar por uma brilhante luz da rua ou por um carro com seus poderosos faróis, seus olhos podem não ter tido tempo de ajustarem-se, deixando-o temporariamente cego enquanto ele se agarra sua maleta cheia de dobrões de ouro. Assim, mesmo um barão da energia seria sábio se defendesse esquemas de iluminação pública responsáveis.

O celebrado astrônomo amador John Bortle, escrevendo na revista *Sky and Telescope* [Céu e Telescópio], propôs uma escala de escuridão em nove níveis para avaliar a adequação de uma área à observação astronômica. A escala utiliza a visibilidade da faixa luminosa principal da Via Láctea como um parâmetro de escuridão noturna. O nível 1, as melhores condições de visibilidade possíveis, representa o mais próximo da escuridão total. Nenhum objeto terrestre próximo pode ser visto – nem o próprio telescópio, talvez – pois o céu, e tudo em torno, está absolutamente escuro. Nessas circunstâncias, a Via Láctea aparece como uma inconfundível nuvem cremosa pelo do céu. O nível 9, as piores condições possíveis, corresponde à iluminação radical implementada pelo prefeito Quimby, ou a alguma coisa próxima, em que nenhuma estrela pode ser vista a olho nu e talvez apenas a Lua e um ou dois planetas são discerníveis. A área de Tóquio chamada de Ginza, a área da Times Square em Manhattan e outras regiões urbanas muito concentradas são nível 9. No meio ficam os céus rurais e suburbanos, com vários graus de iluminação. Onde Springfield se encaixa? Parece que depende de qual segmento da população o prefeito Quimby está tentando satisfazer. Se for sua namorada, pode acreditar que ela vai estar em uma área bem escura – para o bem público, naturalmente.

A Associação Internacional Dark-Sky [Céu Escuro] é uma organização dedicada, como Lisa, a reduzir a poluição luminosa no globo. Ela defende vigorosamente a substituição das lâmpadas de rua que lançam luz em todas as direções por unidades especiais, livres de ofuscamento, desenvolvidas para iluminar apenas o local abaixo delas. Dessa forma, as pessoas podem ver claramente as calçadas e as ruas, sem serem ofuscadas pela iluminação excessiva. Isso eliminaria a irradiação da luz para cima, e as comunidades seriam capazes de reduzir o "brilho laranja-pálido e repulsivo" sobre elas, desfrutando a formidável visão da Via Láctea.

Luzes de várias frequências chovem sobre a Terra o tempo todo, oferecendo abundante informação sobre o universo. Os astrônomos lutam para coletar e interpretar o maior número possível dessas informações, presumindo que a luz veio diretamente da estrela ou da galáxia que a produziu. Como Albert Einstein demonstrou, contudo, essa suposição nem sempre é válida.

A influência gravitacional de objetos celestes pode curvar a trajetória da luz e criar curiosas ilusões de ótica: imagens múltiplas do mesmo corpo. Esse estranho fenômeno, uma importante previsão da teoria da relatividade geral, é chamado lente gravitacional. É bem conhecido pelos astrônomos, embora as pessoas não-familiarizadas com seus efeitos, como os Simpsons, possam tomá-los erradamente como insanidade.

18

Raios defletidos

Com a série *Everybody loves Raymond* [Todo Mundo Ama Raymond] tão popular, e sua estrela, Ray Romano, tão afável, os redatores de *Os Simpsons* acharam Ray suficientemente divertido para merecer um episódio. Infelizmente, Ray mostrou-se tão divertido* que até a luz se desviava dele, de modo que na maior parte do episódio ninguém o via, a não ser Homer. Raios de luz defletidos podem oferecer esplêndidas ilusões de óptica, lucrativos truques para os mágicos, meios de testar teorias astronômicas e todas as vantagens sociais da invisibilidade. No caso de Homer, sua família e seus amigos apenas o consideraram completamente maluco.

O título do episódio, "Não Tema o Carpinteiro", é uma referência à canção "Don't Fear the Reaper" ["Não Tema o Ceifador", a morte], da banda de rock Blue Öyster Cult, que inspirou uma geração inteira de guitarristas que fingiam tocar e irritou uma geração inteira de pessoas que gostam de citar a Bíblia a toda hora. Os carpinteiros que consertam telhados, sem dúvida, podem ser assustadores, descendo de repente dos telhados no meio da noite, forçando passagem por entre telhas frouxas e arrebatando almas infelizes. Então, no dia seguinte eles retornam, com uma conta astronômica.

Ray Romano interpreta um tipo mais amigável de carpinteiro, chamado Ray Magini, que se oferece para ajudar Homer a consertar de graça seu telha-

* O autor faz um trocadilho com *diverting*, que tem o significado de "divertido" e a mesma raiz de *divert*, que significa "defletir" (N. do T.).

do cheio de goteiras depois que ele foi danificado por uma tempestade. Eles se encontram em um bar e vão ficando amigos, compartilhando bebida, nachos e planos para consertar o telhado de Homer. Os planos, contudo, desandam quando Homer e Ray se engajam em uma luta com pistolas de pregar, em vez de se concentrarem no trabalho.

Quando Marge descobre que o telhado ainda não foi consertado, fica furiosa. Ela implora a Homer para que faça o trabalho ele mesmo. Com Bart, ele corre até uma loja de material de construção chamada Builder's Barn [Celeiro do Construtor], onde encontra Ray por acaso, o qual lhe assegura que logo voltará à casa dos Simpsons para fazer o reparo. Mais tarde, em casa, Homer espera por Ray, até que Marge lhe diz que Ray é apenas uma invenção de sua imaginação. Bart concorda, afirmando que na Builder's Barn parecia que Homer estava falando sozinho. O curioso é que o nome completo de Ray é um anagrama para "imaginário".

Homer então é levado à força para um tratamento à base de choques elétricos com o dr. Hibbert. Sacudido para um lado e para o outro, Homer finalmente para de acreditar que Ray existe. E então Ray aparece, surpreendendo a família e deixando o dr. Hibbert nervoso com a possibilidade de sofrer uma ação judicial. Agora que todo mundo vê Raymond, todos se perguntam por que não o viram antes.

Além de Ray Romano, o outro convidado do episódio é Stephen Hawking. Na segunda de suas duas aparições na série, Hawking representa a si mesmo como o novo proprietário da Little Caesar's, uma pizzaria de bairro, e que alega que sua voz gerada por computador fica travada quando ele diz "pizza, pizza!". Como um especialista em astrofísica, Hawking fornece uma rebuscada explicação relativística para o fato de Bart não ter visto Ray no Builder's Barn. Hawking conta que ele "estava procurando uma fissura no tecido do espaço–tempo, o que, combinado com as peças de metal da Builder's Barn para criar um buraco negro em miniatura [etc., etc.] entre Homer e Bart, gerou uma lente gravitacional, que absorveu a luz refletida de Ray, o carpinteiro".

A explicação de Hawking recebe uma confirmação de assentimento de Lisa, mas será que é realmente viável? Lente gravitacional é um fenômeno físico bem compreendido, e que deriva da curvatura do espaço–tempo provocada por grandes objetos. Quando a matéria curva o tecido do espaço–tempo ao seu redor, linhas retas, como a trajetória assumida pela luz, curvam-se também. Quando os olhos seguem de volta a trajetória através do espaço, eles veem imagens distorcidas. Einstein foi quem primeiro descreveu esse efeito, em 1916, quando afirmou que se dois corpos astronômicos – digamos duas galáxias – estão situados um diante do outro dentro da trajetória da luz em direção à Terra, a luz do objeto mais distante se curvaria em redor do mais próximo em todas as direções, formando um anel. Esses "anéis de Einstein" têm sido observados pelo Hubble e outros telescópios como padrões de luz parcial ou completamente concêntricos.

Se os corpos não estão perfeitamente alinhados, eles ainda podem produzir um efeito de curvatura, embora não um anel, mas imagens múltiplas do objeto mais ao fundo. Esse efeito foi observado pela primeira vez em 1979, quando astrônomos, utilizando o Kitt Peak National Observatory, perceberam um par de quasares gêmeos (ultrapoderosas fontes de energia de uma massa galáctica) que pareciam idênticos em todos os aspectos, exceto que um era uma imagem refletida do outro. Eles logo deduziram que era a luz do mesmo quasar, dividida em duas imagens por uma galáxia intermediária. Desde então, numerosos outros exemplos foram identificados.

O efeito de lentes gravitacionais ocorre também com objetos menores, não apenas os de tamanho galáctico. Contudo, quanto menor o objeto que provoca a curvatura, menos perceptível é o efeito. Por exemplo, se um planeta remoto de nossa galáxia passa em frente a uma estrela de outra galáxia, ele poderia curvar a luz da estrela distante de uma forma mínima, dirigir mais uma fração do feixe luminoso da estrela em direção à Terra e, portanto, fazer a estrela parecer ligeiramente mais brilhante durante o intervalo da passagem do planeta. Durante alguns anos os cientistas tentaram detectar planetas ainda não vistos usando essa técnica, chamada de microlentes gravitacionais. Diversos candidatos promissores já foram localizados dessa forma.

Buracos negros poderiam provocar o efeito das microlentes, mas no espaço, e não na Terra, e certamente não na minúscula escala mencionada no episódio. Um buraco negro formado por peças de metal reunidas em uma loja de material de construção seria extraordinariamente pequeno e virtualmente impossível de produzir, mesmo com a ajuda da "fissura no tecido do espaço–tempo". De maneira típica, os buracos negros são constituídos durante implosões de imensas energias de núcleos estelares, quando gigantescas estrelas contendo esses núcleos são, de repente, colapsadas por uma explosão em eventos como a irrupção de raios gama. Quando esses núcleos implodem, os átomos dentro deles são absolutamente pulverizados. Essas condições extraordinárias não podem ser criadas com nenhum material comprado em uma loja.

Mesmo que um "rasgo no espaço–tempo" pudesse de alguma forma provocar tal calamidade, ele sem dúvida afetaria a região em seu redor. Por que ninguém na loja percebeu uma implosão do metal? Além disso, o tamanho de um buraco negro formado por essa coleção de materiais seria muito pequeno para ser detectado. Sua curvatura da luz seria completamente imperceptível e certamente não impediria Bart de ver Ray. Talvez Ray – ou pelo menos o metal flutuando em volta dele – afinal de contas não seja tão defletido.

Mas Ray é um tipo muito esperto e talvez tenha inventado uma outra maneira de se tornar invisível, desconhecida dos Simpsons (e até dos roteiristas da série). Para fazer uma brincadeira com Homer talvez ele tenha desenvolvido maneiras experimentais de não ser visto. Como o Homem Invisível do romance de H. G. Wells, ele está se esforçando ao máximo para ficar invisível.

Suponhamos que Ray tenha lido um artigo do professor John B. Pendry, do Imperial College, de Londres, um especialista moderno em invisibilidade. Seguindo a orientação de Pendry, Ray projetou um esquema de deflexão suficientemente efetivo para bloquear a visão de Bart. Talvez isso seja uma forçada de barra, mas não mais que buracos negros feitos com folhas de metal.

As teorias de Pendry, publicadas na *Science* e em outras revistas especializadas conhecidas, envolvem a utilização de substâncias especialmente desenvolvidas chamadas "metamateriais", para redirecionar campos eletromagnéticos (feixes de luz) em torno de objetos e fazê-los retornar a sua trajetória original. Em outras palavras, a luz continua sua trajetória à frente, como se os objetos interpostos não estivessem lá. Pendry e seus colegas calcularam que tal deflexão é possível em teoria e esperam completar um projeto experimental em um futuro próximo.

Agora, imagine que Ray Magini já produziu esse metamaterial com itens das gôndolas apinhadas da Builder's Barn. Prendendo placas desse material em toda sua volta – exceto o lado virado para Homer –, ele poderia pregar uma peça em seu novo amigo. A luz do resto da loja passaria em volta, como uma bola chutada em curva, e retomaria a trajetória original como se não houvesse nada interposto. Consequentemente, ninguém exceto Homer – cuja linha de visão não é afetada pelo metamaterial – poderia vê-lo.

Criar uma ilusão simples de invisibilidade é um truque comum dos mágicos. Eles não estão preocupados se você pode realmente ver através de um objeto; eles só querem que você pense que pode ver. Nesse caso, espelhos cuidadosamente dispostos podem tranquilamente fazer o truque. Se Krusty quisesse fazer Sideshow Mel desaparecer, ele poderia pedir-lhe que entrasse em uma caixa munida de uma frente com um espelho inclinado. O espelho inclinado pode refletir um padrão do teto idêntico ao padrão por trás da caixa, levando os espectadores a acreditarem que Mel desapareceu.

Espelhos comuns e lentes curvam a luz quando ela é refletida (bate e volta) ou refratada (passa através) da fronteira entre dois materiais diferentes – por exemplo, a interface entre o ar e o vidro. Quando a luz atinge essa fronteira, muda sua velocidade e começa a tomar uma trajetória diferente no espaço. Então, espelhos estrategicamente posicionados podem curvar a luz o suficiente para uma caixa parecer vazia quando ela está realmente cheia.

Meios óticos de curvar a luz são muito mais comuns e efetivos na Terra que qualquer outra deflexão perceptível da luz pela gravidade. Ao contrário das lentes normais, o fenômeno das lentes gravitacionais só é percebido como um fenômeno do espaço profundo, além de distâncias interestelares extremamente longas. Em geral, na verdade, é muito mais fácil utilizar as propriedades eletromagnéticas que a gravitação para qualquer tipo de curvatura ou manipulação. De um lado, enquanto a gravidade é sempre uma força de atração, a eletricidade e o magnetismo podem ser de atração ou de repulsão. Além disso, o eletromagnetismo é uma força muitíssimo mais forte que a gravidade. Pode-se ver isso ao prender uma tachinha com um pequeno imã caseiro. A força do ímã ao erguer a tachinha sobrepuja a força gravitacional da Terra, que tenta puxá-la para baixo.

Considerando suas forças relativas, não é de surpreender que enquanto as ondas eletromagnéticas (isto é, raios de luz) são extremamente fáceis de perceber, as ondas gravitacionais ainda não foram vistas. Elas são produzidas por mecanismos similares: as primeiras por cargas oscilatórias, e as últimas, por massas oscilatórias. As ondas eletromagnéticas são muito mais fáceis de produzir e detectar, como se vê nas transmissões convencionais de rádio e de televisão.

Quando Kent Brockman transmite as notícias, um microfone capta sua voz. O som faz vibrar um diafragma dentro do microfone, oscilando um ímã e criando um sinal elétrico variável. O princípio operacional é que sempre que os ímãs se movem próximos a um fio, eles geram um sinal elétrico. Da mesma forma, a imagem de Brockman é gravada e transformada em outro sinal. Esses sinais de áudio e vídeo são combinados e enviados a uma grande antena de transmissão. O sinal elétrico variável faz com que as cargas no interior da antena oscilem e produzam campos elétricos e eletromagnéticos variáveis – em outras palavras, uma onda eletromagnética. Colocando isso de maneira simplista, agite as cargas e você obterá uma onda. Agitando-as no mesmo padrão de sua voz e imagem, a onda terá a sua voz e imagem.

Agora vamos dar uma olhada na ponta da recepção. Primeiro, deixemos de lado a TV a cabo e nos fixemos na TV aberta. Imaginemos que Burns comprou todas as companhias de TV a cabo de Springfield e esteja cobrando 1.000 dólares mensais pelo serviço. D'oh! Todos nós sabemos que ficar sem TV deixa Homer maluco, então suponhamos que ele peça a Ray a instalação de uma grande antena no telhado. Uma antena funciona porque contém cargas que remexem e gingam no ritmo das ondas de rádio captadas – frequências baixas dos sinais eletromagnéticos. Quando esses sinais elétricos oscilam, produzem uma voltagem elétrica variável que controla o som e os *pixels* (pontos de luminosidade) no aparelho de televisão. Presumindo que o aparelho esteja sintonizado no canal certo, e cada canal represente uma frequência diferente de ondas de rádio, Kent Brockman vai aparecer, ou talvez Comichão e Coçadinha. A família inteira pode, então, se aquecer com o calor brilhante de uma notícia ou de um desenho violento. Ah, o milagre da televisão!

Para alguns físicos, contudo, ondas eletromagnéticas são coisas de antanho; elas são *tão* século XX! A nova onda é tentar captar as fugidias ondas gravitacionais. Pesquisadores envolvidos com o projeto Ligo (Laser Interferometer Gravitational-Wave Observatory, ou Observatório de Ondas Gravitacionais por Interferômetro Laser), por exemplo, direcionaram seus esforços para a captação de radiação gravitacional provinda do espaço profundo. Instituído por pesquisadores do Caltech e do MIT, o Ligo mantém detectores nos

Estados de Louisiana e Washington, na esperança de registrar as tênues "transmissões" de sinais gravitacionais. Eles seriam captados não por cargas oscilantes, mas por massas vibratórias.

Diferentemente da usina nuclear de Springfield, o projeto Ligo requer monitoramento delicado e responsável. Isso porque as cascatas de ondas gravitacionais suficientemente fortes para serem detectadas seriam produzidas em raros eventos cataclísmicos, como a explosão de uma supernova – quando uma estrela gigante expele a maior parte de seu material em uma poderosa explosão de energia – ou uma colisão entre dois buracos negros. Mesmo assim, as massas de teste suspensas dentro dos detectores do projeto Ligo, projetados para vibrar sob a influência das ondas gravitacionais, vibrariam somente um mínimo em resposta – menos que um trilionésimo de um grão de areia. De forma surpreendente, os instrumentos do Ligo são suficientemente sensíveis para medir essas disparidades. Entretanto, todos os eventos que sensibilizaram os instrumentos até agora tinham alguma outra explicação. Por exemplo, um desses candidatos revelou-se ser o distúrbio gravitacional, produzido por um avião sobre nossas cabeças. Sem desanimar, os pesquisadores do projeto Ligo continuam a vasculhar montes de informações, esperando algum dia identificar a inconfundível assinatura gravitacional de uma catástrofe no espaço.

Se algum dia as "transmissões" gravitacionais forem detectadas, elas poderão se mostrar muito mais interessantes que a dieta televisiva típica de Springfield. Imagine só sintonizar a cobertura ao vivo da explosão de uma supernova – as palhaçadas explosivas de Comichão e Coçadinha pareceriam truques pueris em comparação.

Como podemos ver com a experiência do projeto Ligo, alguns fenômenos da física e da astronomia são sutis, exigindo instrumentos extremamente sensíveis para serem detectados. Outras ocorrências são muito mais fáceis de observar, ocorrendo até em ambientes domésticos, por exemplo, no banheiro. Descargas podem refletir a influência de um *spin* planetário ou será preciso um instrumento mais delicado? Bart quer descobrir isso em uma visita ao Sul.

19

Mergulho terra abaixo

A Austrália é uma terra de muitas maravilhas, desde o ornitorrinco com bico de pato – um improvável mamífero que põe ovos, tem uma bolsa, parece-se com o castor e apresenta patas palmadas – até os conservadores membros do Parlamento australiano conhecidos como Liberais. O tempo lá é confuso também. O Natal, em algumas das regiões centrais e ao Norte, é tipicamente a mais de 30 graus de temperatura. Quando Papai Noel salta de *bungee-jump* de seu trenó, ao dar sua passada pelos Territórios do Norte, ele, muitas vezes, atira-se em qualquer poça d'água ou riacho que encontra para dar uma refrescada. Não é muito agradável receber presentes ensopados e cobertos por pele de crocodilo. Algumas pessoas juram que a água da Austrália também é diferente. Não estou falando da água que sai das torneiras, chamada de cerveja, mas principalmente da que turbilhona no que eles chamam de "latrina". Isso é o que outras partes do mundo chamam de privada, WC, "casinha".

O episódio "Bart *versus* Austrália" começa com Bart e Lisa despejando xampu e pasta de dente no ralo da pia do banheiro para ver eles escoam no sentido contrário ao do relógio. Lisa afirma que a água do ralo sempre gira no sentido anti-horário no hemisfério norte, e no sentido horário no hemisfério sul, por causa de uma propriedade denominada efeito Coriolis. Pensando que aquilo é uma rematada tolice, Bart aperta a descarga e vê a água girar no sentido anti-horário, da mesma forma que na pia. Então, para verificar o que acontece no hemisfério sul, ele liga para pessoas em vários locais diferentes, incluindo a Antártida, a América do Sul e a Austrália. Quando ele liga para a Austrália, a ligação cai em uma cidade chamada Squatter's Crog, onde um garoto com o nome de Tobias atende. Tobias verifica a pia e o banheiro de sua casa, e os de seus vizinhos, e com segurança relata que em todos a água escoa no sentido horário. Baseado nesses fatos, Bart conclui com relutância que Lisa está certa. Parece que o padrão de escoamento do ralo é bastante confiável – será mesmo?

Um evento infeliz leva os Simpsons até a Austrália, para que chequem por si mesmos. Tobias deixou o telefone fora do gancho durante todo o tempo em que estava verificando ralos e vasos sanitários, o que resultou em uma enorme conta telefônica. Como Bart ligou a cobrar, o pai de Tobias, Bruno, ficou com a conta. Furioso, ele passa o nome de Bart a uma agência de cobrança. Depois que Bart não atende às ligações, o governo australiano se queixa ao governo dos Estados Unidos. Para preservar as delicadas relações entre os dois países, Bart deve escolher: ir para a prisão ou pedir desculpas públicas na Austrália. A escolha é fácil; os Simpsons pegam um avião para a terra lá embaixo.*

Uma vez na Austrália, a família vai à embaixada americana, onde os toaletes são especialmente configurados para funcionar ao "estilo do hemisfério norte". Embora, depois de acionada a descarga, a água escoe no sentido horário, em seguida ela é forçada a girar no sentido anti-horário, para os americanos se sentirem mais em casa. Uma crescente torrente de evidências parece reforçar a premissa de Lisa – um dilúvio aumentado a cada descarga. Mas será essa torrente palatável, dada sua fonte?

A resposta é negativa, pois qualquer um que tenha estudado a água de toalete (*eau de toilette* é o termo técnico, acho)** poderia atestar. Em circunstâncias normais, a água que sai pelos ralos não gira ao reverso no hemisfério sul. Mas, sim, há um efeito hemisférico que pode influenciar o fluxo da água, mas para uma pequena bacia do tamanho de uma pia ou de uma privada ele pode ser visto apenas sob condições laboratoriais extremamente precisas – com absoluta imobilidade e total simetria – e não por meio de práticas normais de

* No original, *the land down under*, expressão pela qual a Austrália é comumente designada (N. do E.).

** Brincadeira com a água da privada e *eau de toilette*, um tipo de perfume (N. do E.).

higiene. Então por que, no episódio, Lisa – que supostamente é a mais inteligente – defendeu a ideia oposta?

Desenhos animados podem nos ajudar a entender e a apreciar a ciência, mas eles, muitas vezes, exageram ou distorcem as propriedades da natureza em nome de uma boa risada. Observem cenas do desenho Papa-léguas em que Coiote, o vilão, fica suspenso no ar sobre o cânion por muitos segundos enquanto contempla seu infortúnio; somente depois que ele e os telespectadores tiveram muito tempo para pensar sobre seu destino é que ele finalmente despenca no chão. Como Roger Rabbit explicou em seu filme de estréia, a única lei inflexível dos cartuns é obter uma risada (a não ser que você queira considerar também as "Laws of cartoon motion", de O'Donnel, discutidas no capítulo 9). Não obstante, ao parodiar princípios físicos, os roteiristas de desenhos animados obrigatoriamente precisam entender as leis da física, e muitas vezes fazem pesquisas antes de escrever.

Em "Bart *versus* Austrália", os roteiristas deliberadamente decidiram fazer a Austrália e o hemisfério sul parecerem bizarros. Para produzir o humor que deriva de diferenças culturais, reais ou imaginárias, eles propositadamente enfatizaram várias noções erradas, como o estereótipo do australiano *Crocodilo Dundee*, pouco familiarizado com a vida moderna, quando, na realidade, a maioria da população vive em áreas urbanas ou suburbanas. Portanto, abraçar a lenda urbana de que as descargas das privadas giram em direções opostas conforme o hemisfério cai como uma luva nos planos dos roteiristas.

Alguns mitos folclóricos têm uma pitada de verdade; por exemplo, o verdadeiro Drácula chupava o sangue das vítimas de seus homicídios, mas aparentemente não o engolia. As balas Mentos estalam quando misturadas com refrigerante, mas não fazem você explodir. Um esquálido e pálido fantasma assusta as ruas escuras de Springfield na noite de Halloween, mas seu confiável assistente garante que ele não fará mal a nenhuma criança.

No caso das lendas sobre como gira a água, a noção errônea popular é derivada dos efeitos em larga escala observados nos ciclones e furacões, e não em pias e privadas. É como presumir que um elefante e um rato, por serem ambos criaturas de quatro patas, compartilhem a mesma andadura. O que se aplica ao grandão nem sempre ocorre com o pequenininho.

O efeito Coriolis, no qual fluidos ou objetos não retardados (um pêndulo em movimento livre, por exemplo) tendem, com o tempo, a desviar de sua posição original em um movimento horário ou anti-horário, deriva do fato de a superfície da Terra ser um sistema de referência não-inercial comparada com o espaço "fixo" em redor dela. Um sistema de referência não-inercial significa um estado de aceleração: aumentando a velocidade, diminuindo ou girando. A física de Newton nos informa que as leis do movimento parecem diferentes dessa perspectiva do que de um ponto de vista inercial (em repouso ou em uma velocidade constante). A razão para essa diferença reside no famoso princípio de Newton para a inércia: objetos em repouso tendem a continuar em repouso e objetos em movimento tendem a continuar em movimento na mesma velocidade e na mesma direção, a menos que uma força externa os obrigue a mudar de trajetória.

O princípio da inércia pode ser observado quando Marge empurra Maggie em um carrinho de bebê de rodas perfeitamente lisas sobre um rinque de patinação também perfeitamente liso. Se Marge se distrai e solta as mãos, Maggie e o carrinho continuarão na mesma velocidade ao longo de uma trajetória retilínea indefinidamente. Qualquer um que esteja no rinque terá a mesma perspectiva inercial e concordará que o movimento de Maggie é uniforme e linear. Mesmo que Bart esteja se movendo em uma velocidade constante em seu *skate,* ele vai concordar.

Contudo, suponhamos que Hans Moleman, o azarado da cidade, decidiu aprender a patinar. Ele começa a fazer piruetas e perde o controle. Ele então estará em uma moldura de referência não-inercial. Ao girar e girar, se ele der uma olhada no carrinho de Maggie, ele pode pensar que ela está se movendo em um tipo de espiral para longe dele, e não em uma trajetória retilínea, principalmente porque nada se parece com uma reta para alguém que esteja girando.

Agora imaginemos a situação oposta. Suponhamos que todo o rinque de patinação de Springfield esteja em uma plataforma rotativa, como um restaurante giratório, que vagarosamente gira em redor de seu eixo. Imaginemos que bem no centro dessa plataforma haja um ponto que não gira – um ponto fixo em que Moleman está pousado. Bem na frente dele, mas na parte giratória do rinque, está o carrinho de Maggie. Se o carrinho de Maggie fosse empurrado e solto, Moleman agora estaria numa moldura de referência inercial. Ele veria o carrinho se distanciando dele em uma trajetória perfeitamente retilínea. Mas Marge, Bart e os outros no rinque estariam girando em uma moldura não-inercial. Em vez de ver Maggie se movendo em uma trajetória retilínea, em função de sua perspectiva de rotação, ela lhes pareceria estar dando uma guinada.

O que faz Maggie dar uma guinada? Um observador de fora, como Moleman, pensaria que ela está, na verdade, seguindo o curso normal da inércia. Na ausência de forças externas, a natureza prefere o movimento retilíneo. Contudo, alguém na própria plataforma rotativa, como Marge e Bart, pode não saber disso. De sua perspectiva, uma força extra, ou um conjunto de forças, está empurrando o carrinho de Maggie e curvando sua trajetória. Essas forças, algumas vezes, são chamadas de "fictícias" porque podem ser anuladas pela inércia. Elas incluem o que é chamado de força centrífuga e força de Coriolis.

Muitos textos de físicos clássicos desconsideram essas forças não-inerciais por causa de seu desaparecimento assim que uma perspectiva diferente seja tomada. Como Einstein e outros enfatizaram, contudo, quem pode dizer qual perspectiva é a ideal – uma moldura giratória ou estacionária – se não há nenhum ponto de vantagem absoluta como base de comparação? A Terra, por exemplo, está girando ao redor de seu eixo e se movendo circularmente em volta do centro do Sistema Solar, o qual, por seu lado, está girando em volta do centro da Via Láctea. A tentativa de Einstein de incorporar todas as molduras possíveis em uma única teoria foi uma de suas motivações para desenvolver a teoria geral da relatividade, mencionada anteriormente.

Das forças não-inerciais, a força centrífuga provavelmente é a mais familiar. Nós a sentimos quando estamos em um objeto que gira e percebemos que nosso corpo tende a mover-se para fora. Por exemplo, quando está sentado no ônibus escolar, cada vez que Otto faz uma curva, o pequeno Ralph pode sentir que está quase saindo pela janela, mas felizmente o vidro – que age como uma força centrípeta (voltada para o centro) mantendo-o dentro do ônibus – impede que ele voe para fora. Os que estão dentro do ônibus podem concluir que as forças centrífuga e centrípeta se equilibram. Contudo, os que estão fora do ônibus só veem uma força, a centrípeta, fazendo com que crianças se movam para frente e para trás com o movimento do ônibus.

A força Coriolis é um pouco mais sutil. Ela entra em ação quando um objeto se move para mais perto ou para mais distante do eixo de um corpo girando, como os polos Norte e Sul da Terra, em virtude de diferenças de velocidade entre essas duas regiões. Pegue, por exemplo, uma corrente oceânica dirigindo-se para o norte a partir do clima tropical do Mar do Caribe. Ela começa sua jornada não apenas movendo-se para o norte, mas também se movendo para o leste com a Terra, na mesma velocidade de rotação. Quando a corrente se aproxima do polo Norte, ela mantém a mesma velocidade para o leste. Contudo, pontos em latitudes mais ao norte não necessitam cobrir tanta distância no mesmo período de tempo (24 horas) que os mais próximos do Equador, e, portanto, se movem mais lentamente. Consequentemente, nas regiões mais ao norte a velocidade da corrente movendo-se para leste ultrapassa a da Terra, e ela se vira cada vez mais naquela direção. Eventualmente ela continua para o leste e atravessa o Oceano Atlântico na direção da Europa. Isso empurra as águas próximas da Europa para o sul, onde elas se movem mais devagar que a rotação da Terra e, portanto, rumam para oeste. O resultado final é um movimento circular da água, conhecido como a Corrente do Golfo, servindo como uma correia transportadora que leva um pouco do calor do Caribe para a costa norte da Europa.

No hemisfério sul, o efeito Coriolis funciona na direção oposta, porque quanto mais ao sul a corrente se movimenta, mais rapidamente para leste ela se move, relativamente à rotação da Terra, fazendo com que ela se virc no sentido anti-horário. Em outras palavras, enquanto do norte para o leste o sentido circular da corrente é horário, sul para o leste o sentido é anti-horário. Essa diferença é perceptível não apenas nas correntes oceânicas, mas também em grandes eventos climáticos como os furacões e as tempestades tropicais.

A menos que você tenha uma banheira circular extremamente grande (digamos, do tamanho de um lago), é duvidoso que você sinta esse efeito durante o escoamento da água. A diferença da velocidade de rotação da Terra em duas partes de uma bacia normal corresponde à diferença de latitude – que na verdade é minúscula. Outros fatores, como correntes que permanecem na água depois que a banheira está cheia, ou assimetrias na cerâmica, desempenham um papel muito mais importante. Apenas se a banheira estiver absolutamente imóvel e for totalmente simétrica os cientistas podem, sob condições de laboratório, medir a mínima contribuição do efeito Coriolis sobre o escoamento, e sabe-se que os pesquisadores já fizeram exatamente isso.

É uma pena que quando Bart e Lisa visitaram a Austrália eles não tenham parado na Universidade de New South Wales, em Sidney. Trabalhando lá, no departamento de física, está o professor Joe Wolfe, que já escreveu muito sobre o efeito Coriolis. Ele afirma que enchendo uma bacia, deixando a água assentar por um bom tempo para eliminar correntes residuais e cuidadosamente retirando o tampão, ele podia demonstrar (para crianças curiosas como Bart e Lisa, por exemplo) como a água escoaria sem nenhuma rotação em qualquer direção. Então o efeito Coriolis não afetaria o escoamento.

No caso de uma banheira caseira não tão cuidadosamente preparada, Wolfe explica:

> As direções nas quais a água escoa podem depender da localização da torneira que você usa para enchê-la, pois isso pode estabelecer um padrão de circulação durante o enchimento. Se você tem torneiras de água quente e fria em lados opostos, você pode ter resultados diferentes para a água quente ou fria! Também, algumas bacias podem não ser simétricas, daí em algumas você tende a obter mais de 50% de sentidos horários, enquanto em outras o resultado poderia ser menor que 50%. Contudo, esses efeitos devem se anular. Pessoas que fizeram a experiência nos Estados Unidos relatam, na média, 50% para cada lado. Isso não é o que se poderia esperar. Mas as pessoas, muitas vezes, confundem o que elas esperam que aconteça com o que realmente acontece.[1]

Wolfe acrescenta que, embora banheiras convencionais e pias não ofereçam a oportunidade para a observação do efeito Coriolis, um dispositivo instalado no saguão do edifício de física da Universidade de New South Wales faria o truque. Chamado de pêndulo de Foucault, em homenagem a seu inventor, o físico francês Jean-Bernard-Léon Foucault, ele consiste em um peso preso à ponta de uma corda comprida pendurada no teto e posta a oscilar para um lado e para outro, como o maquinismo de um relógio antigo. Há inúmeros pêndulos de Foucault espalhados pelo mundo; o original ainda oscila no Panteon, em Paris.

Suponhamos que o pêndulo de Foucault australiano originariamente se movesse em um plano norte–sul. Por causa da rotação da Terra, cada vez que o pêndulo se move para o norte ele se retarda em relação ao movimento da Terra para leste e avança um pouco para oeste. Então, quando ele se move para o sul, ele ultrapassa o movimento da Terra e vai um pouco para leste. O resultado é que enquanto a Terra faz o movimento de rotação, o plano de movimento do pêndulo vagarosamente muda seu movimento de rotação (altera seu ângulo) em uma trajetória anti-horária em redor de um círculo. No hemisfério norte, esse processo acontece em reverso (porque o movimento a partir do Equador é em direção ao norte, não ao sul), levando a uma alteração para o sentido horário. Portanto, um pêndulo de Foucault adequado é uma indicação precisa para se saber em qual hemisfério você está.

Uma maneira ainda mais rápida de estabelecer sua localização, desde que os céus estejam livres de névoa e do clarão das cidades, é olhar para o padrão das estrelas. Dependendo de sua latitude e da época do ano, você verá arranjos distintos de constelações. Na Austrália, Nova Zelândia e em muitas outras partes do hemisfério sul, você verá muito provavelmente o Cruzeiro do Sul; na maior parte do hemisfério norte essa constelação não pode ser vista. Em vez dela, você encontrará a Ursa Maior, parte da qual é também conhecida como a Grande Concha ou o Arado. Essa constelação do hemisfério norte oferece um meio conveniente de localizar a Estrela do Norte, a companheira amiga dos navegantes que procuram a passagem para o norte. Um velho capitão do mar lhe diria que um marinheiro que vai muito longe precisa de uma estrela para saber onde está.

Se há alguém capaz de usar um guia confiável para encontrar seu caminho na vida, esse alguém é Homer. Surpreendentemente, enquanto faz as compras de Natal, ele encontra um dos mais antigos instrumentos astronômicos usados na navegação e na previsão do tempo. A coisa mais curiosa sobre esse aparato, que o distingue de todos os predecessores, é que ele fala. Um guia confiável e de boa conversa – o que mais você pode querer? Lamento muito, Ajudante de Papai Noel, nesse departamento você está ultrapassado.

20

Se os astrolábios pudessem falar

Muitos especialistas em programas de televisão antigos deliciam-se com as peculiares séries em que animais e objetos inanimados adquirem miraculosamente a habilidade de falar e se põem a passar a perna nos deslumbrados humanos que encontram. O caso clássico é Mister Ed, o cavalo falante do seriado de mesmo nome dos anos 1960, que dá conselhos a seu dono, Wilbur. Há ainda *Mamãe Calhambeque*, seriado dos anos 1960 sobre um automóvel falante que deixa seu dono perturbado. Na verdade, o carro é tomado pelo espírito da mãe do protagonista, vejam só, como resultado de uma bizarra volta da roda do carma. Mas a série foi colocada na garagem rapidamente. E quem poderia esquecer daquele maluco *spin-off* (série derivada de outra) dos Simpsons (apresentado no episódio "O Grande Show dos Simpsons"), no qual Vovô morre e aparece junto a uma "máquina de testar o amor" instalada na taverna de Moe, dando conselhos aos infelizes no amor? Não foi exatamente um *spin-off* duradouro; ele durou apenas um centésimo da temporada (menos de dez minutos, mais precisamente). Mas quem poderá esquecer?

Contudo, desde o aparecimento das comédias de costumes ninguém jamais tinha desenvolvido uma série baseada em um astrolábio falante. Mas o que é um astrolábio?, você pode perguntar. Para os antigos, ele era tão útil quanto os cavalos eram no século XIX, os carros no século XX e a máquinas de testar o amor nos dias de hoje. Uma representação plana do céu, o astrolábio era usado para determinar a hora (principalmente à noite, mas também um marcador da posição do sol durante o dia), a data do calendário, a altura de um objeto no céu, fazer levantamento topográfico e medir latitude. Os canivetes suíços, se comparados, decidamente não servem para nada.

Homer consegue seu astrolábio falante em um dos atos mais egoístas da história da televisão. Faz os personagens de *Dallas*, *Dinastia*, *Desperate Housewives* [Donas de Casa Desesperadas] e *Família Soprano* parecerem bons samaritanos, e põe Scrooge, dr. Smith (de *Perdidos no Espaço*) e o Grinch em desgraça. No episódio "Esta é a 15ª Temporada", o sr. Burns distribui presentes de Natal para seus funcionários e suas famílias. Depois de receber um cartão com a foto de Joe DiMaggio em seu primeiro ano no New York Yankees como um presente para Bart, Homer o vende para o Cara dos Quadrinhos. O cartão é tão valioso que o Cara dos Quadrinhos dá a Homer até o último dólar que ele tem na caixa registradora. Então, em vez de usar o dinheiro para comprar presentes para a família, Homer gasta quase tudo na compra do astrolábio falante. A sobra só dá para comprar uma pequena e esquálida árvore de Natal. Não surpreende que só uma máquina estúpida queira falar com ele. Mais tarde no episódio, depois de assistir ao "Conto de Natal do sr. McGrew" na TV, Homer admite sua cobiça, arrepende-se e vira o modelo acabado da generosidade – suplantando até mesmo o amável Flanders.

O aparelho de Homer parece útil principalmente para lembrar o dia do aniversário de celebridades, que ele informa a Homer com prestimosa alegria. Astrolábios reais, ao contrário, exprimem-se apenas por meio da utilidade e da elegância de seu desenho. Assim, se você levar um até ao cinema ou ao teatro, vai atrair mais suspiros de inveja que gemidos de aborrecimento. "Uau, olhe só aquele bárbaro astrolábio", os frequentadores do cinema vão murmurar. "E ele é silencioso. Talvez esteja ajustado apenas para vibrar."

O termo deriva da palavra grega *astrolabos*, que significa "instrumento que captura as estrelas". Embora inventado há milhares de anos na Grécia e amplamente utilizado no mundo árabe, o aparelho foi aperfeiçoado durante a Idade Média e desenvolvido até se transformar em um mecanismo intricado.

Em 1391, Geoffrey Chaucer, autor de *Os Contos de Cantuária*, escreveu um famoso tratado sobre astrolábios que é o mais antigo "manual técnico" em língua inglesa. Embora Chaucer tenha escrito as palavras a seguir para um garoto chamado "Pequeno Lewis", elas poderiam ter sido ditas por Homer a Bart durante um momento de afeição paternal (e depois de algumas latas de cerveja Duff):

> Meu filho, bem apercebo eu, por roborações certas, tua aptitude em adestrar-se em ciências que se conjuminam com números e proporções, e estou de sobreaviso pelo repetimento de tuas invocatórias para encerebrar o manejo do Astrolábio.[1]

Isso significa alguma coisa como "Garoto, evidentemente você estudou alguma ciência e matemática, então você deve ser capaz de entender este astrolábio", ao que o garoto deve ter respondido algo como: "Ai, caramba!".

Chaucer continuou a descrever no tratado a função de um astrolábio de sua época. Uma cópia desse aparelho, datada de 1326, é conhecida como o astrolábio de Chaucer. Representando o primeiro exemplar europeu conhecido, está na coleção medieval do British Museum em Londres. A peça é realmente extraordinária na complexidade de seu desenho.

Como Chaucer detalhou, o aparelho consiste em um disco de cobre, com pouco mais de 12 centímetros de diâmetro, preso a um pequeno anel. Essa placa é meticulosamente gravada com informações detalhadas sobre a Terra, o céu, e várias horas do dia. Um lado é marcado com gradações representando os ângulos de um círculo e os dias e meses do ano. Esse lado podia ser usado para cálculos, bem como para astronomia. Do outro lado, as horas do dia e os signos do zodíaco (várias constelações de Capricórnio a Sagitário) são mostrados. Há também uma lista de santos e datas comemorativas, três especialmente ligadas à Inglaterra. A latitude de várias cidades está indicada, entre elas Oxford, Paris, Roma, Babilônia e Jerusalém.

Preso à placa maior está um disco menor, chamado de rede, que pode girar livremente para qualquer posição. Disposta na forma de um "Y", a rede contém ponteiros para indicar a posição de várias estrelas, incluindo um indicador apontando para o corpo astronômico favorito do Ajudante de Papai Noel, Sírius, estrela da constelação do Cão Maior. Ajustando a rede, um astrônomo pode "sintonizar" o astrolábio para uma determinada latitude ou uma época do ano. Por exemplo, se o professor Frink desejasse precisar onde o cinturão de Órion apareceria no dia de São Basílio sobre os céus de Cucamonga, ele poderia girar a rede do astrolábio para o lugar e determinar a localização em um instante. Grande sacada, que bela de uma engenhoca!

Para os que não gostam de carregar astrolábios em tamanho natural, eles são encontrados também em formato de bolso. São quadrantes que contêm informação astronômica condensada em uma área de um quarto do tamanho natural – dessa forma fáceis de carregar, como os comunicadores da série *Jornada nas estrelas*. Boatos dão conta de que usuários ficaram tentados a pegar o aparelho e a gritar: "Scotty, acho que estou no quadrante de Oxford, em alguma época na idade pré-industrial da Terra. Os historiadores estão fechando o cerco. Um para subir* imediatamente".

Astrolábios também foram usados para astrologia, a qual, contrariamente ao que o professor Frink alega em "Futuro-drama", não tem nenhuma validade científica. Contudo, algumas pessoas, impressionadas pelo funcionamento intricado desses aparelhos, pensaram que eles poderiam ser utilizados para prever o futuro tanto pessoal quanto astronômico. Através da história, eventos astronômicos, muitas vezes, foram associados a um destino bom ou ruim, dependendo de como são interpretados. Talvez não houve um símbolo mais ameaçador do que a passagem de um cometa. A visão de cometas muitas vezes traz comoção. No caso em que Bart descobre seu próprio cometa, esse temor é certamente justificado.

* "Um [dois, três etc.] para subir" é o modo usual como os personagens de *Jornada nas Estrelas* falam quando precisam ser teletransportados (N. do E.).

21

Cometário Cowabunga*

Para uma pequena cidade de um estado despretensioso (ei, qual é o estado mesmo?), Springfield certamente já viu sua cota de desastres. De radiação letal a invasões de alienígenas, ela já testemunhou tudo. Irwin Allen, o produtor de *O Destino do Poseidon*, *Inferno na Torre* e vários outros filmes-catástrofe, poderia ter instalado uma *web camera* nas ruas da cidade e reunido cenas suficientes para sua carreira inteira. Felizmente, os Simpsons e seus vizinhos são uma turma vigorosa e parecem ter resistido muito bem a todos os infortúnios. Tudo parece "okely-dokely",** como Ned Flanders sempre nos relembra.

Talvez uma razão para Ned sentir que tudo está bem é que ele tem seu próprio abrigo antibomba, só para uma eventualidade. Mas ele não sabe que quando ele mais precisar do abrigo, não poderá utilizá-lo, pois o lugar estará bloqueado por seus amigos. Isso acontece no dia em que um cometa se dirige diretamente para Springfield.

O cometa foi visto primeiro por Bart, em circunstâncias bem peculiares. Normalmente, Bart é pouco inclinado a gastar muito tempo observando a natureza – a não ser para apanhar animais rastejantes e pegajosos e soltá-los nos momentos mais inoportunos. Capturar o movimento dos corpos celestes,

---

* Exclamação de alegria originada no início dos anos 1990, proferida por adolescentes usando neons coloridos, e popularizada pelo desenho *Tartarugas Ninja* (*Urban Dictionary*) (N. do T.).
** "Okely-dokely" é uma variante de Flanders para "okey-dokey", que por sua vez é uma variação de OK (N. do E.).

mesmo que eles exalem sinistras torrentes de partículas, não chega a ser nojento. Como Sísifo, imprudente o bastante para frustrar os desígnios dos deuses e receber punição eterna por isso, Bart acaba observando os astros como um castigo. Ele estraga uma experiência da escola lançando um balão meteorológico com uma caricatura do diretor, e um irado Skinner força o infrator de dez anos de idade a se tornar seu assistente astronômico. Então Bart faz sua descoberta, capaz de abalar a Terra (ou pelo menos Springfield).

Skinner sempre desejou encontrar um cometa a que pudesse dar seu nome. Ele alegava que tinha descoberto um uma vez, mas o "diretor Kohoutek" se adiantou e deu seu nome. Provavelmente Skinner refere-se ao cometa Kohoutek, visto pela primeira vez pelo astrônomo checo Lubos Kohoutek. Embora eu tenha certeza de que ele é um homem de grandes princípios, e um dos principais astrônomos, Kohoutek, na verdade, nunca dirigiu realmente uma escola americana.* (Quanto a isso, pode-se dizer que ele e Skinner têm muito em comum.) Kohoutek trabalhou em vários observatórios, fazendo inúmeras descobertas de cometas e asteróides.

Com um jovem e confiável assistente a seu lado (ou pelos menos um servo que pode ser dispensado por razões de contrato), Skinner anseia gravar seu nome nos anais da descoberta astronômica – como Kohoutek, Alan Hale, David Levy, Carolyn, Gene Shoemaker e assim por diante, cada um dos quais descobriu vários corpos celestes. Para Bart, acordar às 4 horas é a parte mais cruel de sua provação. Antes de ser assistente de Skinner no projeto, ele nem sequer sabia que essa hora execrável existia. Para astrônomos que caçam cometas, a arena noturna é o único campo de caçada, e se você perde a hora, você está fora do jogo.

Direcionando seu telescópio para uma porção aparentemente vazia do céu, Skinner instrui seu sonolento ajudante a fazer anotações sobre o que ele encontrasse em várias coordenadas. Como é típico das medidas astronômicas, identificam-se pontos no céu através de suas ascensões retas e declinações. Estas são utilizadas da mesma maneira que a longitude e a latitude nos aju-

* O termo *principal*, em inglês, tanto pode ser "o mais importante" quanto "diretor de colégio". "Diretor Kohoutek", no original, é "Principal Kohoutek", o que justifica o trocadilho com *man of great principle* (homem de grandes princípios) e *principal astronomer* (principal astrônomo) (N. do E.).

dam a especificar localizações na Terra. A ascensão reta divide o domo celeste de leste para oeste, como as horas de um relógio. Da mesma maneira que o movimento diário do sol, as estrelas nascem no leste e se põem no oeste a cada noite. Portanto, os astrônomos podem distinguir as posições das estrelas pelas horas em que elas ascendem no horizonte. Essas medidas de ascensão reta são equivalentes a utilizar a hora do nascer do sol – indicada por um padrão comum como a Hora do Meridiano de Greenwich – para estabelecer a longitude de um determinado local na Terra. O que a ascensão reta é para a longitude, a declinação é para a latitude. Ela mostra aos astrônomos o quão para o norte ou para o sul um objeto está no céu (acima de pontos na Terra ao norte ou ao sul). Registrada sob a forma de ângulo, a declinação varia de 90 graus no polo Norte a –90 graus no polo Sul, com a linha do Equador representando exatamente 0 grau. No passado distante, os astrolábios eram utilizados para determinar essas posições celestes, mas os telescópios atuais têm um sistema de aferição, permitindo a Skinner fazer a leitura das coordenadas e a Bart fazer os registros.

Tendo em vista o triste céu de Springfield mostrado no episódio "Eu Quero Ver o Céu", não surpreende que, de início, o diretor e seu ajudante não vejam nada de interessante. Então Skinner dá uma olhadela no balão meteorológico suspenso com sua caricatura e corre para puxá-lo. Se ele não pode encontrar um cometa, pelo menos pode tentar salvar o que resta de sua reputação. A isso, a mãe de Skinner, Agnes, provavelmente retrucaria dizendo que ele não precisava se preocupar – de qualquer forma não restava mais nada.

Enquanto Skinner está perseguindo o balão, Bart faz a descoberta de sua vida. Ele vislumbra uma bola de neve suja correndo pelos céus – em outras palavras, seu próprio cometa. Bart avisa um observatório, e a descoberta imediatamente fica conhecida como o cometa Bart Simpson. O processo pelo qual cometa recebeu seu nome não é compatível com a realidade; normalmente descoberta de objetos como os cometas e asteróides é informada ao Minor Planet Center, no Harvard-Smithsonian Observatory, onde eles são analisados e acompanhados antes de receberem um nome oficial.

No dia seguinte, Bart, famoso da noite para o dia, é convidado a fazer parte do *Super Friends*, um grupo de garotos superdotados da escola com apelidos *nerd* como Database [Banco de Dados] e Report Card. Por causa da descoberta de Bart, eles passam a chamá-lo de Cosmos. Ao almoçar com seus novos companheiros, Cosmos menciona que seu cometa é visível através da janela, à luz do dia. Os *Super Friends* correm até o observatório do professor Frink e ficam sabendo, horrorizados, que o cometa vem a toda velocidade na direção da Terra. De fato, como Frink atesta, ele está rumando diretamente para o coração de Springfield – em rota de colisão com a Taverna do Moe, para sermos mais precisos. Moe já teve muitas flechas atravessando seu coração antes, mas dessa vez o fato é excessivamente cruel. Ele nem recebe uma carta dizendo "Caro Moe" que sirva como protetor para o balcão.

Para salvar a cidade, Frink bola um plano. Ele propõe o lançamento de um foguete para interceptar e destruir o invasor espacial. Depois de disparar o foguete, os habitantes da cidade ficam mortificados quando ele erra o cometa e acaba pulverizando a única ponte que leva para fora da cidade. Agora, sem esperança de escapar e com o cometa sendo esperado em seis horas, eles estão realmente enrascados.

É aí que o abrigo antibomba de Flanders entra em cena, como último refúgio. Ele é suficientemente grande para abrigar duas famílias, o que é muito conveniente quando Homer pressiona Ned a abrigar os Simpsons. Sendo um bom samaritano, Flanders atende. Mas depois todos os vizinhos forçam a entrada, de Krusty a Barney, superlotando o abrigo. Alguém vai ter de sair e enfrentar a fúria do invasor gelado, mas quem? Homer rudemente escala Flanders para enfrentar bravamente, sozinho, o cometa do lado de fora. Depois de alguns minutos de consideração, Homer percebe sua crueldade e decide fazer companhia a Flanders. Logo todo mundo se junta a eles, abandonando o abrigo e corajosamente cantando à espera da catástrofe.

O momento da verdade chega. O cometa faísca por um instante e então se divide em zilhões de pequenos pedaços. A atmosfera densa, pesada e tóxica da cidade tinha pulverizado o invasor celestial. Resta apenas um grande pedaço, que ruma diretamente para o abrigo antibomba de Flanders, reduzindo-o a cacos. A solidariedade dos habitantes da cidade para com Ned salvou a vida de todos.

Cometas são objetos de fascínio e temor. Ao lado do Sol e dos planetas e suas luas, eles formam um conjunto importante de componentes do Sistema Solar – essencialmente o material que sobrou da formação dos corpos esféricos maiores. Seguindo as leis da gravidade, cada um segue uma órbita em volta do centro do Sistema Solar. Contudo, comparado com os planetas e as luas, os cometas tendem a seguir uma faixa maior de padrões orbitais – muito mais alongadas –, indo muito além do alcance de Netuno, o planeta mais distante. (Plutão agora é chamado de "planeta-anão", com um *status* planetário menor.) Apenas brevemente viajam para a parte interna do Sistema Solar, que é quando nós podemos observá-los melhor. Por causa de seus grandes períodos orbitais, eles sempre parecem estar chegando como um raio, inesperadamente. Enquanto alguns cometas têm trajetórias bem conhecidas – o cometa Halley é um famoso exemplo – a vasta maioria ainda tem de ser procurada. Por isso, são uma grande fonte de consternação: nunca sabemos quando um vai aparecer do nada e chegar perto da Terra, até mesmo colidindo com nosso planeta.

Há dois lugares-chave onde os cometas moram, se não estão em nossa parte do Sistema Solar. O primeiro, chamado cinturão de Kuiper, fica logo além da órbita de Netuno e se estende para fora ao longo do plano orbital do Sistema Solar. Esses cometas têm órbitas comparativamente pequenas, com menos de 200 anos, e fazem visitas relativamente frequentes a nossa parte do espaço. Muito menos conhecidos são os cometas que habitam a nuvem de Oort, uma região esférica com um raio de trilhões de quilômetros circundando o disco do Sistema Solar. Essa região incrivelmente grande, cobrindo quase a metade da distância até a estrela mais próxima, contém aproximadamente um trilhão de cometas, cada um levando cerca de um milhão de anos para descrever uma órbita em redor do Sol. Ocasionalmente, a força gravitacional de uma outra estrela consegue retirar um deles de sua órbita, impulsionando-o em direção ao interior do Sistema Solar. Então os astrônomos, à maneira de Bart, anunciam a descoberta de um novo cometa.

Uma saborosa analogia ilustra essa situação. Imaginemos que as órbitas planetárias do Sistema Solar sejam uma rosquinha frita colocada no meio de um prato na bancada da cozinha dos Simpsons. O contorno externo da rosquinha é a órbita de Netuno, e o contorno interno é a de Mercúrio, com os outros planetas representados pela massa em forma de anel. Agora imaginemos que, quando a rosquinha é retirada do saco de papel, formam-se muitas migalhas. Enquanto algumas grudam na rosquinha, outras se espalham em volta do prato. Essas migalhas periféricas são os objetos do cinturão de Kuiper. Contudo, outras migalhas ficam misturadas à gigantesca quantidade de creme de leite batido que Homer espalhou sobre a rosquinha. Elas compreendem a nuvem de Oort. Quando Homer levanta o prato para levá-lo até a mesa, algumas dessas migalhas se desalojam, caindo na parte interna da rosquinha, talvez até colidindo com ela. Homer engole rapidamente a rosquinha, deixando o "ort" para Bart e Lisa. ("Ort", com um "o", significa "restos de comida".)

Um duradouro mito popular imagina os cometas como objetos flamejantes, com longas e ardentes caudas como torrentes de fogos de artifício. Na verdade, os cometas são extremamente frios, com o núcleo constituído de poeira, rochas e gelo. Alguns núcleos chegam a 15 quilômetros de comprimento. As caudas se desenvolvem durante os breves períodos da viagem em que eles estão próximos do Sol. A energia solar faz evaporar um pouco do gelo, provocando a emissão de vapor e poeira. Quando luzes atingem a esteira das partículas liberadas, como reflexos de um vestido longo de lantejoulas, observamos a cauda do cometa. Os cometas também deixam uma esteira de íons, átomos de gases evaporados que tiveram seus elétrons mais distantes do centro expulsos pela luz solar.

Primos próximos dos cometas, com uma variedade similar de tamanhos, mas com composições diferentes, são os asteróides. Asteróides são corpos rochosos que descrevem órbitas em redor do Sol em uma faixa semelhante à dos planetas. Uma grande quantidade deles ocupa uma zona entre Júpiter e Marte chamada cinturão de asteróides. Outros mantêm órbitas mais próximas, até mesmo cruzando a região da Terra, e em raros casos colidindo com nosso planeta. Estes são chamados asteróides próximos da Terra (NEAs, sigla em inglês para *near-Earth asteroids*). Com os cometas de duração curta, eles pertencem a uma categoria denominada objetos próximos da Terra (NEOs, sigla em inglês para *near-Earth objects*), a qual é cuidadosamente vigiada pelos astrônomos por causa de seu perigo potencial.

O maior perigo para a Terra reside nos NEOs, medindo de 450 metros até vários quilômetros de diâmetro – seu perigo potencial aumenta na proporção de seu tamanho. Se um cometa ou um asteróide do tamanho de um grande edifício colide com a Terra, ele pode provocar uma catástrofe localizada. Como uma bomba, ele gera enormes quantidades de energia, varrendo tudo o que estiver próximo do ponto de impacto – árvores, casas etc. Em 1908, um asteróide ou cometa atingiu uma região de floresta da Sibéria, chamada Tunguska, dizimando completamente uma grande área. Embora milhares de veados com galhadas tenham sido mortos na explosão, felizmente a região era erma e nenhum ser humano foi morto. Se uma explosão semelhante ocorresse em uma grande área urbana como Xangai ou Calcutá, dezenas de milhares de vidas seriam perdidas.

Cometas e asteróides maiores, do tamanho de povoados ou cidades, embora menos comuns em nossa região do espaço, representam ameaças muito mais mortíferas. A ocorrência de uma colisão com um desses titãs seria absolutamente aterradora. Se um objeto com quatro quilômetros de comprimento, ou mais, atingisse nosso planeta, ele geraria uma explosão de milhões de megatons, expelindo poeira no ar suficiente para bloquear a luz solar durante meses. Isso reduziria a temperatura da Terra de maneira significativa, dizimando colheitas por todo o mundo e extinguindo várias espécies. Muitos cientistas acreditam que essas gigantescas colisões cósmicas ocorreram regularmente ao longo da história geológica, produzindo registros fósseis de extinções em massa. Digno de nota é um impacto ao largo da costa do México, há 65 milhões de anos, que possivelmente anunciou os últimos suspiros da idade dos dinossauros.

Para tentar reduzir a chance futura de colisões, os astrônomos desenvolveram um sistema mundial de rastreamento, ligado a um programa chamado Spaceguard. Nos Estados Unidos, um grande centro para observação dos NEOs é o Estado do Arizona, onde o projeto Spacewatch, da Universidade do Arizona, e o projeto Loneo, do Lowell Observatory, lançam um permanente olhar para os céus à procura de invasores astrais. Missões astronômicas ao redor do globo foram capazes de identificar dois terços do provável número de NEOs maiores.

Até agora, nenhum dos NEOs rastreados parece estar em um curso de colisão com a Terra. No entanto, como novos cometas emergem regularmente da nuvem de Oort, e pelo fato de cometas e asteróides mais antigos poderem ter sua trajetória afetada por outros objetos, a ameaça de um impacto cósmico permanece um fato aterrorizante. Se um cometa estiver prestes a colidir com nosso planeta, não há nada que possamos fazer. Contudo, se os astrônomos determinarem que um deles vai colidir com a Terra em questão de anos ou décadas, é possível enviar uma nave espacial e tentar desviá-lo. Explodir o objeto não seria prudente, porque seu centro de massa e muitos de seus fragmentos poderiam ainda vir em direção da Terra. Contudo, uma explosão que atingisse uma pequena parte do cometa poderia desviá-lo o suficiente para poupar nosso planeta.

Embora colisões com grandes asteróides e cometas sejam raras, a Terra frequentemente passa por regiões do espaço com objetos rochosos menores. A maior parte dos detritos que caem sobre a Terra entre em combustão na atmosfera, o que provoca espetaculares chuvas de meteoros, como a que foi observada por Lisa e outros no episódio "Eu Quero Ver o Céu". Fragmentos rochosos que conseguem chegar ao chão, chamados meteoritos, são valiosos para os cientistas porque contêm pistas sobre a origem e a composição do Sistema Solar e porque podem trazer evidências de substâncias químicas orgânicas (moléculas à base de carbono) de fora da Terra. Eles podem indicar a existência de vida extraterrestre. Esse tema é controvertido, porém, pois quando um meteorito chega ao chão ele é imediatamente invadido por organismos terrestres, mascarando suas condições originais.

Assim, à parte os invasores maiores que conseguem passar, a atmosfera da Terra é como um macio e confortável colchão, protegendo-nos das realidades desagradáveis do espaço exterior. Ela funciona como um escudo contra certos tipos de radiação letal, ajuda a moderar as temperaturas em volta do globo distribuindo calor e reduz a quantidade de detritos que caem na Terra. Para saber como seria nosso planeta sem atmosfera, basta olhar a Lua, cheia de cicatrizes e esburacada, com milhares de crateras.

Por que alguém haveria de abandonar esse colchão confortável e se aventurar no espaço escuro, gelado e vazio, onde os perigos são inúmeros? Homer se faz essa pergunta, sem dúvida, toda vez que ergue seu traseiro do sofá. Contudo, como o legendário Ulisses,* cujas crônicas foram contadas por um Homer diferente (o antigo poeta grego Homero), ele muitas vezes deixou para trás confortos familiares para enfrentar incríveis perigos. Os ciclopes, por exemplo, não são nada diante do veneno combinado de Patty e Selma.

* Rei de Ítaca, também chamado Odisseus, cuja viagem de volta à terra natal, após a guerra de Tróia, é contada pelo poeta grego Homero (N. do T.).

E a atração irresistível das sereias, com suas canções sedutoras, não é páreo para o doce aroma de todas as lojas de rosquinhas pelas quais Homer deve passar a caminho do trabalho.

Se Homer pode enfrentar esses perigos e tentações com bravura e determinação – e algumas vezes ele nem mesmo chora quando umas das lojas está fechada –, certamente ele tem a fortaleza de deixar para trás as facilidades e o conforto da Terra e lançar-se no espaço. É um pequeno esforço para fora do sofá, mas um salto gigantesco para dentro do vácuo colossal. Ô-ô!

22

A odisséia espacial de Homer

A humanidade, há muito tempo, busca alcançar as estrelas. Abandonar o casulo protetor da Terra e rumar para o vasto vazio interplanetário representa uma das metas supremas de nossa raça. Nossos espíritos se esforçam para nos levar cada vez mais alto, mesmo que nossas limitações físicas façam da viagem ao espaço um desafio portentoso.

Durante o último meio século, um grupo intrépido de pioneiros enfrentou bravamente os rigores do ambiente inóspito além da atmosfera da Terra. Esses indivíduos passaram por intenso treinamento para aprender como enfrentar condições que variam da falta de gravidade até uma aceleração de dar cãibra no estômago, de aposentos exíguos até a vastidão inimaginável do espaço, e do silêncio absoluto ao embalo do som de Sonny e Cher. Uau, isso foi profundo.

Os rigores de uma viagem espacial são tais que praticamente todo momento deve ser cuidadosamente planejado, desde o tempo exato do lançamento e o instante em que foguetes propulsores devem ser acionados, até o tipo de música para despertar os astronautas todo dia. Recentemente, Paul McCartney cantou para os astronautas na Estação Espacial Internacional em uma transmissão ao vivo, e isso levou quase cinco décadas de planejamento: ele comprou um baixo e se apresentou no Cavern Club e em outros locais de Liverpool; fez carreira com os Beatles, Wings e solo; apareceu no *MTV Unplugged* e em *Os Simpsons*; recebeu o título de *sir*; e, finalmente, abriu espaço em sua agenda cheia para aquele "bico" na Nasa. Um movimento em falso na carreira e, talvez, Davy Jones, dos Monkees, o teria substituído para que o aspecto musical da missão não fosse colocado em risco. Como podemos ver, na verdade, cada detalhe de nossa audaciosa aventura no espaço deve ser meticulosamente preparado.

No episódio "Homer, o Astronauta", testemunhamos o próximo herói a seguir a trilha de John Glenn, Yuri Gagarin, Neil Armstrong e Sally Ride. É uma barra de carbono inanimada, levando Homer a tiracolo para a aventura de sua vida.

A viagem de Homer começa quando uma barra da usina nuclear ganha dele como "funcionário do ano". Todo mundo ri de Homer, até sua família. Deprimido, ele liga a TV e vê um programa nada interessante, com baixo índice de audiência, sobre o espaço. Quando ele reclama do programa à Nasa, a equipe de relações públicas da agência descobre uma oportunidade de aumentar os índices de audiência de seus programas. Eles convidam Homer, representando o "trabalhador americano médio", a participar de sua próxima missão espacial.

Com Buzz Aldrin, o segundo homem a pisar na Lua, como um de seus colegas de tripulação, Homer decola para o espaço, mas comete o erro de abrir um saquinho de batatas fritas que havia levado escondido. Por causa das condições de gravidade zero, as batatinhas seguem sua trajetória inercial natural e se espalham pela nave. Como Newton observou, em situações em que forças externas (como a gravidade) não geram efeito nem causam desequilíbrio, os objetos continuam se movendo em trajetórias retilíneas e velocidades constantes. A única maneira de desacelerá-los ou pará-los é introduzindo uma nova força. Por exemplo, uma chave de fenda de aço flutuando no espaço pode ser detida por um ímã. Portanto, para recolher as batatas fritas, a tripulação precisa agir de forma decisiva. Do contrário, elas continuarão seu movimento para sempre – ou, pelo menos, até que danifiquem algum instrumento de bordo – e a tripulação pode muito bem dizer "adeus, *mr.* Chips", e "adeus, *mr.* Ship".*

* "Adeus, *mr.* Chips" (*Good bye, mr. Chips*, título original) é um filme de 1939 de muito sucesso. O autor faz um trocadilho com "chips", que significa "batata frita" (N. do T.).

Em um momento "newtoniano", Homer decide que sua boca pode fornecer a força necessária para capturar as batatas fritas. Em uma paródia de uma cena do filme monumental de Stanley Kubrick, *2001: Uma Odisséia no Espaço*, ele tenta comer todas as batatinhas enquanto flutua pela nave. No processo, ele consegue libertar uma colônia de formigas trazida como uma experiência para determinar se esses insetos podiam ser treinados para manipular parafusos minúsculos no espaço. Livres, as formigas se espalham pela nave, causam um curto nos circuitos de navegação e põem a missão mais em risco ainda.

No meio desse desastre, os tripulantes são brindados com uma transmissão ao vivo de James Taylor e sua música melodiosa. O contato com Taylor se mostra, de fato, um golpe de sorte. Enquanto canta canções relaxantes de sucesso como *You've got a friend* [Você tem um amigo] e *Fire and rain* [Fogo e chuva], Taylor toma conhecimento dos problema da tripulação e conta que enfrentou uma vez uma infestação de formigas semelhante em seu chalé de verão. O cantor de baladas Art Garfunkel resolveu o problema criando condições de vácuo que sugaram as formigas para fora do chalé. Por que não fazer o mesmo no espaço?

Os cientistas da Nasa resolvem aceitar o conselho de Taylor. Depois de vestir seus trajes espaciais, Aldrin e a equipe abrem a escotilha, e as formigas são ejetadas. O problema é que Homer esquece de se segurar e quase voa para fora da nave. Ao se segurar na escotilha aberta, ele quebra a maçaneta. Agora a escotilha não pode ser fechada na reentrada na atmosfera. Para mantê-la fechada, Homer a escora com uma cópia idêntica da barra de carbono inanimada que ele conseguiu achar dentro da nave. Graças à solução improvisada de Homer, a tripulação consegue voltar para a Terra em segurança. Homer fica furioso quando a barra tem uma recepção de herói, com desfile e tudo, e seus próprios esforços são mais uma vez ignorados.

"Homer, o Astronauta" capta os esforços da Nasa, da Agência Espacial Européia (ESA) e da Agência Espacial Federal Russa (RFSA) de diversificar suas missões ao identificar pessoas de formação não-científica e treiná-las para serem membros de tripulação. Por exemplo, o programa Professores no Espaço, da Nasa, pretendia levar a bordo de suas espaçonaves educadores que pudessem, mais tarde, ensinar às crianças como é a vida no espaço. Tragicamente, esse programa foi desativado em razão do desastre de 1986 com o ônibus espacial Challenger, em que morreram a professora-astronauta Christa McAuliffe e seis outros tripulantes. Por causa dessa tragédia e do desastre com o ônibus espacial Colúmbia em 2003, uma outra professora-astronauta, Barbara Morgan, que fez treinamento com McAuliffe, foi impedida de viajar durante anos. Em 2007, entretanto, a Nasa planeja enviá-la em uma missão de montagem da Estação Espacial Internacional, ajudando a educar uma nova geração de crianças sobre voos espaciais.*

Em parceria com uma agência privada chamada Space Adventures [Aventuras Espaciais], a RFSA adotou uma abordagem diferente. Eles abriram algumas de suas missões ao turismo espacial, oferecendo a civis ricos oportunidades de voo espacial se estiverem dispostos a pagar milhões de dólares pelo privilégio. O primeiro turista espacial foi Dennis Tito, um empresário da Califórnia que tinha 60 anos de idade em 2001, quando pagou 20 milhões de dólares por uma visita de uma semana à Estação Espacial Internacional. Ele viajou para a estação a bordo do foguete russo Soyuz, com vários cosmonautas treinados. Dois outros turistas se seguiram: Mark Shuttleworth, em 2003, e Greg Olson, em 2005. Embora esses vôos tenham ajudado a arrecadar fundos para o programa espacial russo, a Nasa inicialmente manifestou oposição ao programa, temendo os riscos para passageiros civis sem treinamento adequado. Entretanto, com o sucesso do programa e a publicidade que gerou, a oposição da Nasa desapareceu. Afinal, nenhum dos passageiros, até então, havia aberto pacotinhos de batatas fritas, soltado colônias de formigas ou entoado canções de James Taylor.

Em 2006, a empresária americano-iraniana de 40 anos de idade Anoushe Ansari tornou-se a primeira mulher turista espacial. Colocados em uma lotada cápsula espacial Soyuz TMA-9, ela, um astronauta americano e um cosmonauta russo foram lançados da estação espacial de Baikonur, no Cazaquistão, e, pouco depois, se encontraram com a Estação Espacial Internacional. Ansari passou 11 dias na estação antes de voltar à Terra.

A família Ansari tem ligações estreitas com o turismo espacial. Eles estabeleceram um prêmio de 10 milhões de dólares, hoje conhecido como Ansari

---

* Barbara Morgan participou da missão do ônibus espacial Endeavour, lançado no dia 8 de agosto de 2007 rumo à Estação Espacial Internacional. O ônibus voltou à Terra no dia 11 de agosto (N. do T.).

X Prize, para a primeira organização privada que lançar duas vezes ao espaço uma nave espacial tripulada por seres humanos em um período de duas semanas. O ganhador do prêmio em 2004, Burt Rutan, da Scaled Composites, é um empresário americano especialista em veículos aéreos inovadores. Ele usou sua habilidade de inventor para projetar a SpaceShipOne, um protótipo de veículos espaciais reutilizáveis.

Em 2005, Rutan juntou-se a Richard Branson, do Virgin Group, para desenvolver uma frota de espaçonaves particulares, baseadas no modelo original de Rutan. A nova empresa de Branson, a Virgin Galactic, está planejando inaugurar voos espaciais comerciais de baixo custo (200 mil dólares por passageiro) em 2008. Então, o turismo espacial não mais ficará restrito aos Montgomery Burns deste mundo, mas também estará disponível para passageiros menos ricos – isto é, aqueles que desejam gastar centenas de milhares de dólares nos voos. Assim, se alguém como Marge tivesse de escolher entre gastar mil dólares em um voo de ida e volta a Las Vegas e 199 mil dólares nos cassinos, ou 200 mil dólares em um voo para o espaço vazio, ela poderia evitar o dilema moral e decidir gastar o dinheiro em um voo espacial. Homer só precisaria fazer hora extra durante alguns milênios para pagar a conta.

Uma vez que os não-tão-ricos possam arcar com viagens espaciais, imagine todas as possibilidades fabulosas de lazer. No fim das contas, até mesmo o extraordinário se tornaria corriqueiro. Se o voo espacial se tornar lugar-comum, ele poderá ser considerado apenas mais um dos itinerários de viagem dos computadores das agências de turismo. Os clientes que fizerem reservas nos antigos voos diretos de São Francisco para Los Angeles poderão acabar fazendo escala perto do cinturão de Van Allen. No futuro, ao reservar voos pela Internet, será prudente especificar "sem escalas, terrestre apenas" se não quisermos acabar flutuando na cabine.

Poderíamos imaginar excursões espaciais personalizadas, com possibilidades praticamente ilimitadas. Em *Os Simpsons*, haveria muito material para cenários futuros de voos espaciais. Krusty poderia promover voos de aniversário para as crianças, e qualquer dor de estômago seria atribuída às grandes forças de gravidade, não à comida. Eleanor Abernathy, a Louca dos Gatos, poderia anunciar voos "Faça seu Felino Feliz", como no filme *Serpentes a Bordo*, só que com os ronronantes bichanos enroscados nos assentos dos passageiros em vez de cobras. O Cara dos Quadrinhos poderia pilotar uma réplica da Enterprise de *Jornada nas Estrelas* – pagando a Willie, o zelador, para servir de engenheiro-chefe – e apagar a vergonha de seu "pior episódio de todos".*

Se os arautos do Juízo Final se mostrarem certos, os civis precisarão se acostumar às viagens espaciais. Algum dia a Terra poderá ser ameaçada por uma calamidade capaz de destruir nossa civilização. Suponha, por exemplo, que astrônomos descubram um cometa ou asteróide colossal rumando direto para nosso planeta e que não possa ser desviado a tempo. Então, evacuar a Terra e estabelecer colônias espaciais em outro lugar poderia ser uma opção viável.

Em um dos episódios de "A Casa dos Torrores", os moradores de Springfield enfrentam tal evacuação de emergência. Homer e Bart conseguem fugir da Terra a tempo de escapar de sua destruição. Infelizmente, eles acabam na nave espacial errada.

---

* O Cara dos Quadrinhos é uma sátira aos fãs mais críticos de *Os Simpsons*, que têm o hábito de, logo após a exibição de um episódio inédito, classificá-lo em grupos da Internet como o "pior episódio de todos". A frase "the worst episode/movie/comic book... ever" (o pior episódio/filme/quadrinho... de todos) é um bordão do personagem (N. do E.).

23

Isso poderia realmente ser o fim?

Para tudo existem temporadas. Nas séries de televisão e nas vidas humanas, há períodos de crescimento e períodos de decadência. Algumas vezes, os finais são repentinos; outras vezes, situações irremediáveis se arrastam e se arrastam. A série original *Jornada nas Estrelas* foi cancelada depois de apenas três anos e, no entanto, sobreviveu em quatro séries derivadas, bem como em vários filmes de longa metragem, livros e outras mídias. Foi necessária uma infusão permanente de atores mais jovens para manter a franquia renovada e vibrante. Simplesmente não funcionaria manter o elenco original já na casa dos 70 anos lutando aos socos contra alienígenas.

Com a vantagem característica de ser um desenho, *Os Simpsons* até agora evitaram esses perigos. Contudo, os especialistas se perguntam se o lançamento de *Os Simpsons, o filme,* sinaliza que o fim da série está próximo. Espero que não. Gostaria que meus netos e bisnetos pudessem assistir a novos episódios da série. Mas, infelizmente, algum dia será tomada a decisão de acabar com ela. Haveria então novas sequências e séries derivadas? (O episódio "The Simpsons Spin-off Showcase" oferece pistas irônicas de possíveis planos pós-série, incluindo um "Simpsons Smile-time Variety Hour" com outra atriz substituindo a Lisa original.)

E o que dizer da vida fora da tela? A civilização humana, apesar de muitos contratempos e incontáveis mudanças de elenco, tem sobrevivido há muitos milhares de anos na Terra. Esperamos que ela continue tendo sucesso por muito mais temporadas. Contudo, devemos encarar as terríveis perspectivas de que ela possa ser "cancelada" por causas naturais ou por outros meios. Será que haveria *spin-offs* – sequências de nossa cultura em outros planetas?

O resultado catastrófico provocado pelo impacto de um grande cometa ou asteróide é apenas uma das muitas calamidades que poderiam ameaçar a vida em nosso planeta. Já vimos como um impacto desses poderia lançar trilhões de toneladas de poeira no ar, bloqueando a luz solar por meses, reduzindo drasticamente as temperaturas e provocando extinções em massa, como nos últimos dias dos dinossauros. Em alguns casos, o corpo ameaçador poderia ser desviado, mas apenas se houvesse tempo suficiente. Do contrário, estaríamos condenados.

Um resfriamento global poderia resultar ainda de uma guerra nuclear em grande escala. Mesmo com o fim da Guerra Fria, um conflito nuclear mundial continua sendo um risco formidável. Quem sabe quando poderá haver uma nova corrida armamentista? Milhares de mísseis, se lançados, não apenas liberariam uma enorme carga radioativa como gerariam uma nuvem de poeira capaz de provocar uma longa era de escuridão frígida, conhecida como inverno nuclear. As fontes de alimentos seriam extintas, e a vida na Terra poderia ser suprimida para sempre.

Em um dos poucos episódios de *Os Simpsons* que realmente parece datado, do Dia das Bruxas de 1999, "Life's a glitch, then you die", uma outra ameaça global é abordada: a possibilidade do mau funcionamento dos computadores em todo o mundo. Comparar os efeitos de erros de computador aos do impacto de um asteróide ou de uma catástrofe nuclear é como igualar os desconfortos de um resfriado comum à devastação da peste bubônica. Contudo, no final da década de 1990, o "*bug* do milênio", um defeito de computador associado ao ano 2000, passou a ser visto por alguns especialistas não apenas como um incômodo, mas como a potencial deflagração do apocalipse mundial.

O problema do "*bug* do milênio" estava relacionado a computadores equipados com funções de data que não iam além dos anos 1900. Essas funções de data limitadas foram introduzidas como uma maneira de economizar memória – elas armazenavam apenas os últimos dois dígitos do ano, não o número inteiro. Portanto, se elas não fossem atualizadas, o ano 2000 não seria reconhecido e os calendários eletrônicos voltariam a 1900. Como consequência, os computadores defeituosos considerariam arquivos de *backup* de 1999, ou de antes, como se fossem mais recentes que arquivos de 2000 (erroneamente datados como de 1900). Eles apagariam as novas versões e deixariam as mais antigas, ou talvez até apagassem todos os arquivos. Isso poderia causar o caos nas contas bancárias, nos registros governamentais e em outros, gerando um caos total – pelo menos era o que se supunha. Para evitar esse possível desastre, bilhões de dólares foram gastos no mundo todo para atualizar os *softwares* de computador de acordo com o novo milênio. Também foi feito *backup* dos sistemas essenciais em toda parte.

Muitas empresas e agências designaram um "funcionário de inspeção do *bug* do milênio" para verificar cuidadosamente todos os sistemas informatizados e protegê-los contra falhas. Esse indivíduo precisava ter grande conhecimento tecnológico e ser altamente responsável. O destino de *gigabytes* de dados, representando os registros de numerosos indivíduos, estava sobre os seus ombros.

No episódio "Life's a glitch", a usina nuclear de Springfield escolhe Homer para essa tarefa, e você pode imaginar como o trabalho dele é eficaz. Na virada do 31 de dezembro de 1999 para 1º de janeiro de 2000, quando acontece a famosa contagem regressiva de Ano-novo de Times Square, a usina de Springfield não apenas para de funcionar como deflagra uma reação em cadeia que causa um pandemônio global. Os sinais de trânsito começam a piscar, um restaurante giratório fica fora de controle, os aviões caem do céu e até mesmo eletrodomésticos entram em pane. Nenhum componente eletrônico parece imune, desde chapas de *waffle* até congeladores. Quando Homer tenta abrir uma caixa de leite para seu lanche do meio da noite, ela espirra em todas as direções, supostamente por causa de um *chip* de computador interno que ficou fora de controle. A falha geral da tecnologia leva a um colapso social. Entre cenas de pilhagem em grande escala e pânico em massa, o reverendo Lovejoy declara que o Dia do Juízo Final havia chegado.

Enquanto fogem da catástrofe, os Simpsons encontram Krusty, o palhaço, sentindo-se muito chateado. O "*bug* do milênio" havia colocado seu marca-passo em "modo beija-flor" de alta velocidade. Depois de bater os braços durante algum tempo, ele desaba no chão. Bart, entristecido, descobre um bilhete no bolso de Krusty junto de um convite para a Operação Exodus, um plano de evacuação da Terra. Os Simpsons percebem que a carta significa uma passagem para sua salvação. Segurando-a cuidadosamente, eles correm em direção a um foguete espacial, na expectativa de um novo amanhã no espaço.

De pé em frente da espaçonave está um guarda cujo trabalho é deixar entrar somente os melhores e os mais brilhantes – Bill Gates e Stephen Hawking, por exemplo. Lendo uma lista, o guarda anuncia que Lisa tem autorização para entrar no veículo e pode levar com ela apenas um dos pais. Sem hesitação ela escolhe a mãe. Lisa, Marge e Maggie embarcam na nave, deixando para trás Homer e Bart furiosos. Eles conseguem encontrar outro foguete espacial, cheio daqueles que foram deixados para trás pelo primeiro veículo – em outras palavras, aqueles considerados supérfluos. Enquanto o primeiro foguete com as mulheres Simpsons e outros notáveis está rumando em direção a uma nova vida em Marte, descobre-se que o segundo, com os homens Simpsons e outros descartáveis, está indo em direção ao Sol. Quando os outros passageiros começam a cantar, Homer e Bart decidem apressar a própria morte, ejetando-se no vácuo.

Na vida real, a crise do "*bug* do milênio" nunca representou o cenário apocalíptico que alguns temiam. Por meio de providências que custaram bilhões de dólares, atualizações de *softwares* e *backups* evitaram problemas significativos. Talvez por causa desse planejamento cuidadoso, a chegada do ano 2000 não foi muito diferente da entrada do ano anterior. Mesmo que o pior tivesse acontecido, é pouco provável que as falhas de computador tivessem afetado muitas pessoas, exceto pelo inconveniente de reconstruir registros apagados inadvertidamente. Poderia ter sido uma grande dor de cabeça, mas não o Dia do Juízo Final.

Se quisermos ser tão sombrios quanto Hans Moleman e examinar potenciais cenários apocalípticos, infelizmente há coisas muito piores que podem vir à baila. O aquecimento global, se continuar nesse ritmo, pode produzir catástrofes ecológicas. Grandes áreas da Terra podem se tornar desérticas. A corrente do Golfo pode mudar e a costa norte da Europa pode perder sua proteção contra o frio do Ártico. A poluição e o superdesenvolvimento podem continuar a erradicar um incalculável número de espécies, destruindo a cadeia alimentar.

Possivelmente, a certa altura, nosso meio ambiente pode se tornar inadequado para a civilização como a conhecemos.

Se, no futuro, a raça humana deparar com uma forte possibilidade de extinção por causa de um desastre iminente, o estabelecimento de colônias espaciais pode ser a única esperança de nossa espécie. A viabilidade de uma evacuação em grande escala dependerá do quão disseminados estarão os voos espaciais na época. O atual programa de ônibus espaciais seria claramente inadequado para transportar milhões de pessoas para estações orbitais e depois para algum refúgio extraterrestre. Talvez algo como um elevador espacial fosse mais eficaz. Pesquisadores propuseram que fitas da espessura de um lápis e dezenas de milhares de quilômetros de comprimento saíssem da Terra e fossem amarradas a contrapesos colocados em órbita geossíncrona, isto é, exatamente na rotação da Terra, e, portanto, sempre acima do mesmo lugar no globo. Se as fitas forem robustas o suficiente (construídas, por exemplo, com as cadeias de moléculas superfinas e ultrafortes conhecidas como nanotubos de carbono), a gravidade e a rotação da Terra atuariam em concerto para mantê-las permanentemente esticadas. As fitas serviriam como cabos para elevadores espaciais que transportariam material para cima, pela atmosfera, e para fora e além, dentro da escuridão.

A família Ansari, a Spaceward Foundation e a Nasa apoiaram uma competição pelo X Prize de 2006 em Las Cruces, Estado do Novo México, chamada Space Elevator Games [Jogos do Elevador Espacial], destinada a desafiar as equipes de pesquisa a desenvolver protótipos de fitas e veículos duráveis, porém leves. O objetivo era incentivar a construção de um elevador espacial até 2010. O melhor concorrente na disputa do "raio de força", desenvolvido e montado pela Space Design Team da Universidade de Saskatchewan, do Canadá, foi uma plataforma que subiu por uma corda de 600 metros de comprimento em 57,5 segundos – um novo recorde de velocidade, mas um pouquinho abaixo do necessário para reclamar o prêmio de 200 mil dólares. Sem dúvida, a equipe está se preparando para estabelecer novos recordes em versões futuras da competição.

Se um elevador espacial eficiente fosse construído, ajudaria muito na evacuação da Terra em caso de apocalipse iminente. Os evacuados entrariam em cabines no elevador, que deslizariam cabo acima e decolariam para o espaço, atracando em estações espaciais. Lá eles poderiam embarcar em enormes arcas espaciais que os levariam a outros mundos.

A essa altura, a pergunta seria aonde ir. Talvez os colonos se estabelecessem em comunidades fechadas na Lua. Entretanto, a menos que as condições na Terra fossem absolutamente insuportáveis, é difícil imaginar a vida na Lua como mais agradável. De algum modo seria necessário gerar ar respirável e fornecer água suficiente para consumo e plantações. Há alguma chance de que as crateras da Lua em suas regiões polares contenham cristais de gelo levados para lá ao longo de eras pelo bombardeamento de cometas. Esses cristais poderiam estar espalhados em finas camadas ou misturados com o solo lunar, tornando a extração de água uma tarefa difícil. Se a água e minerais lunares viabilizassem o cultivo de plantas – talvez espécies dos desertos da Terra, para garantir que suportem condições de seca –, a vegetação, por sua vez, produziria oxigênio para sustentar os humanos e qualquer vida animal na colônia. Esse ecossistema precisaria ser excepcionalmente bem ajustado, com pouco espaço para desperdício.

Uma solução melhor em longo prazo seria estabelecer condições semelhantes às da Terra na superfície de um outro planeta, mais provavelmente Marte. Além da Terra, Marte é o planeta do Sistema Solar que tem condições mais favoráveis. Os quatro mundos nas órbitas mais externas, como Júpiter e Saturno, são enormes bolas de gás com pressão atmosférica esmagadora. Eles talvez nem tenham superfície onde aterrissar.

Os dois planetas em órbitas mais internas também não são melhores. Mercúrio, tão perto do Sol, tem uma temperatura diurna quente demais. Vênus, embora semelhante em tamanho à Terra, possui uma atmosfera densa e venenosa com um efeito estufa fora de controle. Nuvens densas aprisionam o calor, tornando a superfície ressequida. Se os colonos do futuro quiserem escapar dos efeitos do aquecimento global, Vênus não seria o lugar para ir. Marte, pelo menos, tem temperaturas razoáveis, uma superfície sólida e uma gravidade, embora menor que a da Terra, à qual os colonos poderiam facilmente se ajustar. É verdade que, com sua escassa atmosfera, vendavais e falta de água líquida, o planeta não é nenhum paraíso, mas talvez, com um pouco de engenharia, ele possa ficar mais parecido com nossa Terra. Em comparação com Vênus ou Mercúrio, as condições de Marte são suportáveis.

A terraformação, o processo de tornar um planeta similar à Terra, é um assunto altamente controvertido que coloca os defensores da colonização espacial humana contra aqueles que advogam a preservação das condições nativas a todo custo. De alguma forma, essa questão lembra discussões sobre desenvolvimento *versus* preservação. Se fizermos um deserto florescer por meio da irrigação, o deserto não é mais um deserto. Se demolirmos um velho bairro histórico e o substituirmos por habitações modernas, ele deixa de ser histórico. Os benefícios e custos devem ser cuidadosamente pesados.

Por exemplo, suponha que um grupo de investidores de Shelbyville quisesse reconstruir Springfield, transformando-a em uma comunidade-modelo. Eles poderiam comprar as terras, derrubar a taverna do Moe, vender as escolas para consórcios privados e substituir a usina nuclear por uma unidade de geração de energia eólica de alta tecnologia e ultraeficiente. Os rios poderiam ser limpos e reabastecidos com peixes normais de dois olhos. Todos os operários e técnicos incompetentes seriam substituídos por especialistas. Lojas elegantes com caros artigos europeus poderiam ocupar uma galeria reluzente no terreno do velho Kwik-E-Mart. Novos cinemas e salas para concertos seriam construídos. (Springfield uma vez tentou construir uma delas, mas o comparecimento foi pífio e a sala acabou fechada; dessa vez membros mais cultos da sociedade poderiam comparecer.) Em resumo, Springfield poderia se tornar um modelo de sofisticação urbana. Mas onde estaria o charme? Onde ficaria a história? O que aconteceria com seus infelizes desempregados? E o que aconteceria com o pobre Blinky, o peixe de três olhos? Ele seria forçado a passar seus últimos anos em algum aquário decrépito nos arredores da cidade ou nadando livremente em puras águas resplandecentes?

A terraformação envolveria uma troca. Se Marte, por exemplo, fosse recriado para se parecer com a Terra, sua paisagem original se perderia e quaisquer formas de vida nativas – supondo quem existam em alguns nichos não explorados – seriam potencialmente exterminadas. Ainda não se descobriu vida em Marte, mas considerando que organismos vivos da Terra conseguem se desenvolver em condições extremas (como os micróbios extremófilos que vivem em fendas subterrâneas, gerando energia com processos químicos), os astrônomos ainda esperam que ela exista em algum lugar. Uma transformação radical do meio ambiente marciano poderia reduzir essa chance a zero.

Contudo, se a Terra não fosse mais um refúgio seguro ou se algum dia se tornasse superpovoada, a terraformação de Marte seria a única opção realista, especialmente se as viagens interestelares ainda não estivessem desenvolvidas. Alguns pesquisadores, como o engenheiro aeroespacial Robert Zubrin, da Pioneer Astronautics, o astrobiólogo Christopher McKay, do Nasa Ames Laboratory, e o antes-dentista-hoje-escritor Martyn Fogg têm diversas propostas para tornar o planeta vermelho mais parecido com um lar. Entre suas ideias estão a colocação de espelhos com mais de 150 quilômetros de diâmetro sobre as calotas polares marcianas para refletir a luz do Sol sobre a superfície, vaporizar seu dióxido de carbono, gerar uma atmosfera mais espessa e produzir gases de halocarbono para capturar energia e criar um efeito estufa. Isso poderia elevar a temperatura acima do ponto de congelamento da água durante grande parte do ano marciano, possibilitando que rios e ribeirões corressem pela superfície, dando sustento à vida animal e vegetal. Muitos cientistas acreditam que havia água líquida no solo marciano; talvez ela volte a correr algum dia.

A transformação de Marte em um planeta totalmente habitável seria um processo gradual, que levaria muitos séculos. Embora, a princípio, a atmosfera fosse irrespirável, exigindo que os colonos usassem trajes especiais o tempo todo ou vivessem em domos fechados, as plantas acabariam por converter quantidades suficientes de dióxido de carbono em oxigênio para possibilitar que as pessoas respirassem à vontade ao ar livre. As condições talvez nunca sejam tão agradáveis quanto na Terra, mas pelo menos a crônica humana teria continuidade.

É fácil imaginar uma mulher forte e determinada como Marge como uma das primeiras colonizadoras de Marte. Ela se mostrou habilidosa com ferramentas, construindo todo tipo de estruturas e móveis no episódio “Please Homer don’t Hammer Them”. Em “Os Braços Fortes da Mamãe”, ela se torna levantadora de peso e mostra como pode ser poderosa. Além do mais, apesar de ter um marido inepto, ela é capaz de criar e proteger uma família e manter um lar bem administrado. Ela se esforça para ser honesta e justa e raramente perde sua perspectiva equilibrada. Como diria Jebediah Springfield, seu espírito nobre engrandece o mais humilde colonizador marciano. Quem desejaria um pioneiro mais adequado?

Assim, se um outro erro de computador em grande escala, um cometa, um desastre nuclear ou outro cenário apocalíptico ameaçar a cidade de Springfield, uma missão para Marte liderada por Marge, com Lisa como oficial de ciências, seria algo muito apropriado. Quando a sobrevivência está em jogo, conquistar um outro planeta faz muito sentido. Mas se o planeta capturado for o nosso, e os conquistadores forem uma raça alienígena de um mundo orbitando um sol distante? Seríamos tão fãs da transformação planetária se quem estivesse tentando nos recriar fossem extraterrestres babões?

24

Tolos terráqueos

Por duas décadas, imagens de *Os Simpsons* foram transmitidas regularmente para o espaço. Até agora, as estripulias de Homer e sua família provavelmente alcançaram alguns planetas a 20 anos-luz da Terra. Os três planetas próximos à estrela-anã vermelha Gleise 876, por exemplo, a aproximadamente 15 anos-luz de distância, podem ter captado a primeira temporada vários anos atrás, não muito tempo depois de ter sido lançada em DVD. Se existem seres inteligentes em qualquer desses mundos com capacidade de perceber e decifrar transmissões de rádio e televisão, eles podem ter rido, chorado ou se indignado com os programas. Então, por que a raça humana não recebeu nenhuma carta de fã? Não faria mal se os extraterrestres nos mandassem pelo menos um bilhetinho.

É verdade que, para chegar até nós, uma resposta a nossas transmissões levaria a mesma quantidade de tempo que o programa levou para chegar a eles. Consequentemente, talvez devamos ter paciência para saber o que os alienígenas acham do retrato que os programas fazem da vida extraterrestre. Contudo, houve outros seriados de televisão sobre alienígenas mais antigos: *Meu Marciano Favorito* (década de 1960), *Mork e Mindy* (década de 1970) e incontáveis outros programas de televisão, muitos transmitidos para o espaço há mais de 60 anos, tempo suficiente para ir mais longe que os sinais de *Os Simpsons.* A famosa transmissão de rádio de Orson Welles de *A Guerra dos Mundos,* que provocou um pânico em massa tão grande, aconteceu em 1938. Nas sete décadas seguintes, os sinais podem ter chegado a planetas a mais de 30 anos-luz de distância. Se houver uma civilização avançada o bastante para detectar esses sinais e determinar que eles vêm de uma fonte inteligente, eles já podem ter respondido. Mas nós não ouvimos nada.

Desde os anos 1960, o programa de procura por vida inteligente extraterrestre (*Search for Extraterrestrial Intelligence* – Seti) tem vasculhado os céus à procura de sinais de rádio que transmitam mensagens de civilizações alienígenas, usando telescópios como o gigantesco radiotelescópio de Arecibo, Porto Rico. No entanto, apesar de décadas tentando discernir, em meio ao ruído, padrões que indiquem comunicações avançadas, nenhuma elocução significativa foi encontrada – nem mesmo um *d'oh* interestelar! Em várias ocasiões foram avistados objetos voadores não-identificados (Ovnis), que um certo segmento da população tem anunciado como evidência de que os extraterrestres já estão aqui. Até mesmo o ex-presidente americano e prêmio Nobel da Paz Jimmy Carter uma vez relatou ter visto um Ovni. Contudo, muitos desses eventos foram posteriormente explicados como fenômenos meteorológicos, balões meteorológicos, aeronaves militares experimentais e assim por diante. Em suma, mesmo com tanta investigação e relatos de observações estranhas, não há absolutamente nenhuma evidência de que exista inteligência extraterrestre. Dado o vasto número de estrelas e planetas na Via Láctea, com um certo percentual apresentando as condições necessárias para existência de vida (pelo menos estatisticamente), essa falta de contato é surpreendente. Como a indagação famosa do grande físico ítalo-americano Enrico Fermi: "Cadê todo mundo?".

Alguns pesquisadores tentaram oferecer soluções intuitivas à pergunta de Fermi. Cientistas notáveis, como Michael H. Hart, do National Center for Atmospheric Research [Centro Nacional de Pesquisa Atmosférica], e Frank Tipler, da Universidade de Tulane, garantiram que devemos ser os únicos habitantes de nossa galáxia com uma civilização avançada. Segundo Hart, sendo a comunicação por rádio um processo tão direto, se houvesse alienígenas inteligentes em algum lugar por aí, eles já teriam enviado sinais. Tipler vai mais além, sugerindo que quaisquer seres inteligentes poderiam ter conquistado a galáxia; e já teriam feito isso a essa altura, talvez por meio de "robôs dublês" que se reproduzem e se espalham pelas estrelas como exércitos teleguiados.

Portanto, nesse universo em que o cachorro morde o próprio rabo, nenhum vira-lata marcou seu território; ele é todo nosso.

Outros cientistas são bem mais otimistas quanto às perspectivas de haver outros seres inteligentes no espaço. O falecido astrônomo Carl Sagan, por exemplo, argumentava que, embora os grandes vazios do espaço tornassem desafiador o contato interestelar direto, é apenas uma questão de tempo para que isso aconteça. Seu romance *Contato,* com suas viagens por buracos de minhoca, representa sua profunda esperança de que os formidáveis abismos interestelares poderiam ser transpostos, e laços amistosos poderiam ser estabelecidos com civilizações distantes muitos anos-luz. Ele respondeu à indagação de Fermi com um pedido de paciência e determinação.

A pergunta de Fermi não precisa ser feita em *Os Simpsons,* já que a resposta é óbvia. As visitas de alienígenas a Springfield são bem documentadas nos episódios anuais de Halloween ("A Casa da Árvore dos Horrores"). A partir da segunda temporada, Kang e Kodos, as criaturas babonas de um olho só, que mais tarde ficamos sabendo serem irmão e irmã, foram mostrados em papéis-título e outras pequenas participações. Embora seu desdém altivo pelos terráqueos seja claro, e seu desejo de abduzir ou subjugar os pobres seres humanos continue uma constante, sua motivação exata é frequentemente vaga. Eles nos veem como rivais perigosos, como deliciosas guloseimas ou como imbecis inofensivos que precisam ser colocados sob seus tentáculos e tutelados? Talvez essa ambiguidade seja um reflexo das atitudes igualmente ambíguas que as pessoas têm com relação a espécies animais "inferiores", vendo-as em contextos variados como perigo, fonte de alimento ou animais de estimação.

No episódio "Famintos Como os Aliens", Kang e Kodos marcam sua primeira aparição no seriado ao raptar a família Simpson em um clássico disco voador. A partir do momento que Homer e os seus estão a bordo, os alienígenas começam a alimentá-los com o máximo que eles aguentam comer. Enquanto os outros se empanturram e manifestam grande reconhecimento pela hospitalidade dos alienígenas, Lisa começa a suspeitar de que seus anfitriões babões têm uma sinistra motivação oculta. Ela descobre que, depois que chegarem ao planeta dos alienígenas, Rigel IV, serão convidados de honra em um suntuoso banquete para o qual seus anfitriões estão reservando seus apetites. Suas suspeitas aumentam quando ela vê um monstro com tentáculos preparando uma panela, procurando os temperos adequados e lendo um livro de culinária que parece ser intitulado *How to Cook Humans* [Como Cozinhar Humanos]. Alarmada, ela agarra o livro de culinária e corre para a família, explicando que eles estão condenados a ser o prato principal. Enquanto a família protesta, Kodos sopra a poeira da capa do livro, revelando o título *How to Cook for Humans* [Como Cozinhar para Humanos]. Lisa sopra mais poeira, mostrando um título que aparentemente diz *How to Cook Forty Humans* [Como Cozinhar Quarenta Humanos]. Finalmente, Kodos remove o restante da poeira, revelando o verdadeiro título do livro de culinária: *How to Cook for Forty Humans* [Como Cozinhar para Quarenta Humanos]. Os alienígenas repreendem os Simpsons por suas falsas suspeitas e explicam que se eles tivessem mais confiança poderiam ter conhecido o paraíso. Lisa humildemente admite que estava errada sobre as intenções dos alienígenas.

Episódios posteriores revelam diversas conspirações de Kang e Kodos para dominar a Terra, embora quase sempre não fique claro por que eles se importam com isso, dados seus poderes imensamente superiores. Por exemplo, em "Citizen Kang" [Cidadão Kang], de "A Árvore dos Horrores VII", as duas criaturas raptam dois importantes políticos americanos, o presidente Bill Clinton e o senador Bob Dole, que se enfrentaram como candidatos à eleição presidencial de 1996. Kang e Kodos, assumindo a aparência dos candidatos, concorrem eles mesmos à presidência. Depois que Homer revela ao público que eles são alienígenas disfarçados, Kang e Kodos explicam que o sistema bipartidário força os cidadãos americanos a escolher um dos dois. Os eleitores escolhem Kang, que obriga os escravos humanos, incluindo os Simpsons, a construírem uma enorme pistola de raios *laser* a ser apontada para um planeta sem nome.

"A Árvore dos Horrores XVII" inclui o episódio "The Day the Earth Looked Stupid" [O Dia em que a Terra Pareceu Estúpida]. Embora seu título faça referência ao clássico filme dos anos 1950 *O Dia em que a Terra Parou,* seu tema de invasão alienígena baseia-se em grande parte em *A Guerra dos Mundos.* A primeira parte do episódio mostra como a Springfield de 1938 reage em pânico à famosa transmissão de rádio de Orson Welles. Isso leva a um ceticismo geral, habilmente explorado por Kang e Kodos, que começam uma invasão de verdade. Apesar de seu ataque inicial ser rápido, a resistência e a ocupação se arrastam por muitos anos. Kang e Kodos finalmente explicam que precisavam invadir a Terra, porque os humanos estavam construindo "armas de desintegração em massa".

Embora as motivações de Kang e Kodos não sejam muitas vezes claras, pelo menos eles têm a mesma língua dos Simpsons. Por mera coincidência, a língua rigeliana é idêntica ao inglês. A confusão linguística surge principalmente quando as frases que eles usam são imprecisas. Assim, quando em "Famintos Como os Aliens" Kodos usa a expressão "*chew the fat*", surge a ambiguidade sobre se ela planeja "bater um papo" ou "morder e mastigar", por causa da conhecida distinção entre os significados literal e figurativo dessa expressão em inglês. Esse mal-entendido causado por jogos de palavras – abundante em comédias de Shakespeare, Oscar Wilde e outros – é relativamente pequeno comparado às dificuldades que poderiam surgir se a humanidade se encontrasse com uma raça de extraterrestres de verdade.

Na verdade, os extraterrestres quase certamente se comunicariam por meio de línguas sem nada em comum com os idiomas da Terra. Assim como as línguas terrestres foram moldadas pelas experiências singulares de povos variados, a comunicação extraterrestre seria moldada pela anatomia, história e condições de vida de cada raça alienígena. Portanto, qualquer diálogo significativo com seres extraterrestres provavelmente requereria a superação de tremendas barreiras de comunicação.

Em 1953, o escritor G. R. Shipman publicou um artigo intitulado *How to Talk to a Martian* [Como Conversar com um Marciano], imaginando o processo pelo qual antropólogos linguistas poderiam decifrar idiomas alienígenas. Menosprezando histórias que imaginam que extraterrestres conseguem aprender línguas terrestres instantaneamente por meio de dispositivos tradutores ou pela telepatia, ele convocou outros escritores a investigar métodos reais usados para desvendar línguas desconhecidas. Shipman explicou como os linguistas trabalham com informantes humanos que falam línguas não familiares para identificar aspectos comuns de referência que possam ser usados como pontos de apoio para um completo entendimento mútuo. Ele imaginou que as mesmas técnicas poderiam ser aplicadas a línguas extraterrestres. "Se os habitantes de outros planetas usam os sons da fala como o fazemos", explicou, "sua linguagem deve comportar análise por nossos métodos tão facilmente quanto qualquer idioma da Terra. O mesmo seria verdade se eles usassem qualquer combinação de outros tipos de sinas visuais, audíveis ou táteis".[1]

Ah, se fosse assim tão simples! A linguagem humana, como Noam Chomsky e outros observaram, é adquirida por meio de funções cerebrais específicas que determinam o processo pelo qual a gramática de cada língua é construída. Assim, todas as línguas conhecidas são fundamentalmente moldadas por um componente biológico produzido pela evolução humana. Como não podemos supor que a evolução de seres extraterrestres tenha ocorrido de forma similar, não há razão para achar que a comunicação alienígena será parecida com os padrões gramaticais que relacionamos à linguagem humana. Em outras palavras, não apenas seria extremamente improvável que Kang e Kodos na vida real falassem inglês, como seria altamente improvável que a estrutura de sua gramática tivesse algo em comum com línguas conhecidas.

Como, então, poderíamos compreender o que pensam nossos colegas de outros mundos? No programa Seti, muito da esperança de interceptar e interpretar comunicações alienígenas reside em encontrar sinais com características mensuráveis baseadas em propriedades matemáticas ou físicas universais. Por exemplo, em 1959, Giuseppe Cocconi e Philip Morrison, da Cornell University, sugeriram em seu influente artigo *Searching for Interstellar Communications* [Procurando Comunicações Interestelares] que uma frequência chamada de "linha do hidrogênio" (1.420 megahertz ou 1.420 milhões de vibrações de onda por segundo) seria um local promissor no espectro de rádio para procurar por sinais extraterrestres.[2] A linha do hidrogênio é uma frequência de emissão de rádio facilmente observável associada ao hidrogênio neutro, que é comumente usado como *benchmark** astronômico. Ela foi detectada pela primeira vez pelos pesquisadores Harold Ewen e Edward Purcell, de Harvard, em 1951. Em 1960, Frank Drake, do National Radio Astronomy Observatory [Observatório Nacional de Radioastronomia], em Green Bank, Virgínia Ocidental, iniciou o Projeto Ozma, o primeiro a buscar sinais de inteligência extraterrestre concentrando-se, es-

* Na comunidade científica, termo usado para qualquer instrumento de medida que possibilite a comparação de uma nova medida a uma medida-padrão. Muitas vezes, o termo é usado (como no texto) para designar diretamente uma determinada medida (neste caso as linhas do hidrogênio) como padrão (N. do R. T.).

pecificamente, na linha de hidrogênio. Desde então, algumas outras missões Seti se concentraram na mesma região do espectro.

A ideia é que seres avançados, mesmo se possuíssem fisiologia e funcionamento cerebral totalmente diferentes dos nossos, ainda saberiam que o hidrogênio é o elemento mais básico, comum em todo o universo, e que tem certas linhas espectrais distintas. Além disso, os alienígenas perceberiam que a região de frequência em torno da linha do hidrogênio é "silenciosa para rádio", isto é, relativamente livre de ruído causado por outros efeitos. Eles também iriam inferir que outros seres inteligentes chegariam a conclusões similares. Portanto, veriam a linha de hidrogênio como a principal zona de radiotransmissão.

Como os pesquisadores do Seti perceberam, também em termos de conteúdo, as espécies alienígenas poderiam tentar incluir referências a eventos matemáticos ou científicos comuns. Por exemplo, eles poderiam enviar pulsos espaçados de acordo com os números primos, a sequência de Fibonacci (cada número em sequência é a soma dos dois anteriores), os dígitos de ϖ ou outros padrões fundamentais. A menos que os seres tenham dez dedos, esses padrões não seriam provavelmente enviados em notação decimal, mas em forma binária (0s e 1s) ou em outro sistema numérico. Os cientistas do Seti jogaram uma espécie de jogo de adivinhação tentando analisar sinais para a ampla gama de possibilidades.

Nas décadas de busca, houve apenas uns poucos eventos que fizeram corações acelerar na expectativa de uma possível descoberta. Um desses incidentes ocorreu em 1977, quando Jerry Ehman, na época um voluntário no Big Ear Radio Observatory [Observatório de Rádio Grande Orelha], descobriu um sinal na região da linha do hidrogênio muito mais forte que o ruído de fundo. Era como se estivesse em uma caverna silenciosa e subitamente ouvisse um grito; a gente pensaria que mais alguém estaria ali. Ehman ficou tão surpreso que escreveu "Uau!" na página; daí ter ficado conhecido como "o sinal uau!". Em todos os anos desde então, ninguém foi capaz de reproduzir aquele estranho grito no escuro. Assim, ou foi uma raça extraterrestre que somente fez uma transmissão por um breve intervalo ou, mais provavelmente, foi um sinal da Terra que de alguma forma voltou rebatido (talvez de algum tipo de destroço espacial, como Ehman sugeriu) e interferiu com as observações.

Suponha que algum dia nós recebamos mensagens de uma civilização alienígena distante. Teríamos nós e a outra raça capacidade de nos encontrar fisicamente ou estaríamos condenados a um relacionamento de longa distância? Se as interações entre Kang e Kodos e os moradores de Springfield servirem de parâmetro, talvez o contato remoto seja o caminho a seguir. Contudo, se a raça alienígena certa aparecer por aqui, com perspectivas suficientemente atraentes para um relacionamento caloroso, muitos de nós, como Moe, poderiam esperar que uma mensagem amistosa fosse seguida de um encontro mais íntimo. Quero dizer, um encontro de espíritos, é claro. A questão então seria: em nossa casa ou na deles? E, se fôssemos nós a viajar, como cobrir a distância extraordinária entre nossas espécies?

Uma vez que ainda não colocamos o pé em nenhum outro planeta (a menos que se leve em conta a Lua, considerada um satélite, não um planeta), as viagens interestelares ainda são uma possibilidade distante. No entanto, menos de um século atrás, qualquer forma de viagem espacial existia apenas em ficção científica. Somos uma turma persistente e, com nossa inventividade, descobrimos maneiras de contornar muitos outros impasses tecnológicos. Consequentemente, parece provável que, se nossa raça sobreviver tempo bastante, ela irá desenvolver meios de transporte ultravelozes. Quem sabe para onde nossos sonhos nos levarão?

25

O universo é uma rosquinha?

Algum dia, as espaçonaves talvez sejam potentes o bastante para viajar a velocidades extraordinárias, transpondo os vastos vazios interestelares. Quando as viagens espaciais forem suficientemente rápidas, nossos descendentes poderão estabelecer prósperas colônias extraterrestres, não apenas em planetas próximos, como Marte, mas também em mundos orbitando estrelas distantes. A velocidades próximas da velocidade da luz, a dilatação relativista do tempo entra em ação, possibilitando aos viajantes envelhecer muito mais lentamente que envelheceriam na Terra e permitindo-lhes sobreviver a voos que, do contrário, seriam longos demais. Assim, para espaçonaves movendo-se em grande velocidade, as estrelas mais próximas estariam a apenas alguns meses de distância. Talvez nossos descendentes até aprendam como dominar o tecido do tempo e espaço, construindo buracos de minhoca atravessáveis, que funcionem como atalhos de uma região para outra. A tecnologia do futuro poderia estabelecer as bases para uma imensa civilização galáctica.

Por toda nossa galáxia existem provavelmente numerosos mundos habitáveis maduros para exploração e incontáveis outros planetas que poderiam passar pelo processo de terraformação. Embora os astrônomos ainda não tenham identificado planetas com condições semelhantes às da Terra, na última década eles descobriram centenas de planetas maiores, similares em massa a Júpiter ou Saturno. Apenas um punhado de objetos encontrados até agora se compara em tamanho aos planetas menores de nosso Sistema Solar, e estes têm condições orbitais muito diferentes das da Terra. A razão pela qual os astrônomos ainda não localizaram objetos menos volumosos com condições similares às da Terra tem mais a ver com as limitações das atuais técnicas que com a inexistência deles. À medida que prossegue a caçada aos planetas, numerosos mundos podem ser descobertos. Um estudo recente dos pesquisadores Sean Raymond, da Universidade do Colorado, em Boulder, e Avi Mandell e Steinn Sigurdsson, da Penn State University, indica que mais de um terço dos sistemas com planetas gigantes abrigam mundos parecidos com a Terra,[1] possivelmente com ar respirável e água potável. Mas será que teriam bolo recheado de creme coberto com confeitos de chocolate, servido com canecas geladas de refresco feito com extrato de raízes e com um colarinho de espuma por cima? Infelizmente, há algumas perguntas para as quais a ciência ainda não tem respostas.

Na década de 2010, a Nasa lançará o programa PlanetQuest [Busca de Planeta], parte do Space Interferometry Mission [Missão de Interferometria Espacial], com o objetivo de procurar, nas estrelas mais próximas, planetas semelhantes à Terra em termos de massa, com distâncias orbitais que possibilitem temperaturas moderadas. O programa irá rastrear estrelas conhecidas como Sirius e Alfa Centauro, esperando encontrar sinais de mundos com a mesma circunferência da Terra e a mesma variedade de climas. Poderia a Cão Maior ironicamente estar girando por aí, com um planeta cheio de gente (ou o equivalente) em sua coleira gravitacional? Ou poderia haver um mundo cheio de água e suprimentos que ofereça atrativos para viajantes "homéricos" em futuras odisséias espaciais?

Uma vez que a Via Látea seja explorada, talvez as naves enfrentem as distâncias ainda mais formidáveis entre as galáxias. A civilização humana, se não for desafiada por outros seres nem destruída pela própria tolice, pode se disseminar por todo o cosmos e testar os limites do espaço (se existir algum). Nossa tecnologia pode se desenvolver até nos tornarmos uma sociedade intergaláctica vasta e poderosa, capaz de resolver os dilemas mais profundos já conhecidos. Só então poderemos responder àquela que é definitivamente a pergunta máxima: "O universo tem forma de rosquinha?".

Essa pergunta faz parte de uma idéia atribuída a Homer e mencionada pelo astro convidado Stephen Hawking no episódio "Eles Salvaram a Inteligência de Lisa". No episódio, Lisa entra para a Mensa* de Springfield, de que também fazem parte o professor Frink, o diretor Skinner, o Cara dos Quadrinhos e a empresária Lindsay Neagle. Quando o prefeito Quimby se afasta temporariamente por causa de um escândalo, os membros da Mensa assumem o cargo – a constituição municipal exige que um conselho de cidadãos de grande saber desempenhe as funções do prefeito em sua ausência. Eles decidem tornar Springfield uma sociedade perfeita. A perspectiva de vivenciar uma florescente utopia atrai a atenção de Stephen Hawking, que (em sua primeira aparição no seriado) decide visitar a cidade e ver aquilo por si mesmo.

Como produtor-executivo da série, Al Jean explicou a decisão de convidar Hawking: "Estávamos buscando alguém muito mais inteligente que todos os membros da Mensa e então pensamos nele. Ele pareceu muito interessado em vir imediatamente".[2]

Hawking chega bem a tempo de ver os habitantes da cidade se revoltando contra as novas regras sugeridas por Frink e o Cara dos Quadrinhos, como a proibição de vários esportes e a restrição do acasalamento para uma vez a cada sete anos, como fazem os vulcanos em *Jornada nas Estrelas*. Hawking escapa da confusão e resgata Lisa usando um dispositivo de voo acoplado a sua cadeira de rodas. Por sugestão de Marge, ele e Homer vão para a taverna do Moe relaxar e conversar. Mais tarde, Hawking é visto dizendo a Homer: "Sua teoria de um universo em forma de rosquinha é intrigante... Talvez eu tenha de roubá-la".

Em matemática, a forma da rosquinha é conhecida como toro, a generalização tridimensional de um anel. Um anel localiza-se em um único plano, então, topologicamente falando, existe uma trajetória fechada em torno dele que lhe é externa (um aro em torno do anel). Como um toro tem uma dimensão a mais, é possível deslocar-se por trajetórias fechadas em torno dele em duas direções perpendiculares. Se imaginarmos uma rosquinha sobre um prato, uma delas é um anel maior em torno da periferia, paralelo ao prato, e o outro

* Mensa é uma associação, fundada em 1946 na Inglaterra, que reúne pessoas de alto quociente intelectual (QI). Está espalhada por vários países e tem mais de 100 mil membros. "Mensa" significa "mesa" em latim (N. do E.).

é um anel menor junto à parte interna e distante do prato. A generalização de um toro – qualquer curva fechada que gira em círculo em torno de um eixo – é chamada toróide. Curiosamente, existem teorias científicas sérias segundo as quais o universo é toroidal.

A cosmologia moderna, a ciência do universo, é matematicamente modelada por soluções da teoria da relatividade geral de Einstein. Lembremos que a relatividade geral explica a gravidade por meio de um mecanismo em que a matéria curva o tecido do espaço e tempo. Ela é expressa em termos de uma equação que relaciona a geometria de uma região à sua distribuição de massa e energia. Por exemplo, uma estrela enorme deforma muito mais o espaço–tempo e, portanto, curva muito mais as trajetórias dos objetos em sua vizinhança que o faz um pequeno satélite.

Logo após a publicação da teoria da relatividade geral, alguns teóricos, entre eles o próprio Einstein, buscaram soluções que pudessem descrever o universo em geral, não apenas as estrelas e outros objetos nele contidos. Os pesquisadores descobriram uma infinidade de geometrias e comportamentos diversos, cada um deles uma maneira distinta de caracterizar o cosmos. Alguns desses modelos imaginavam o espaço como semelhante a um plano sem fim, algo como as paisagens planas do Kansas e Nebraska, só que uniformes em três direções, não apenas duas. Duas trajetórias paralelas em um tal cenário espacial continuariam simplesmente na mesma direção, indefinidamente, como trilhos de ferrovias em uma pradaria. Os físicos chamam isso de cosmologia plana. Outras soluções apresentam espaços que se curvam na forma de uma sela, tecnicamente conhecidos como geometrias hiperbólicas, com curvatura negativa. Essa curvatura não poderia ser vista diretamente, a menos que, de alguma maneira, saiamos do próprio espaço tridimensional, mas pode ser inferida pelo comportamento de linhas paralelas e triângulos. Em uma geometria plana (chamada euclidiana), se traçarmos uma linha reta e um ponto fora dela, poderemos construir apenas uma única linha que passe por aquele ponto e que seja paralela à primeira linha. Por contraste, em uma geometria hiperbólica, existe um número infinito de linhas paralelas espalhando-se a partir daquele ponto, como os trilhos de uma grande estação central de trem. Além do mais, embora os triângulos no espaço plano tenham ângulos cuja soma é 180 graus, no espaço hiperbólico a soma dos ângulos é menor que 180 graus.

Entretanto, uma outra possibilidade, chamada de curvatura positiva, assemelha-se à superfície esférica de uma laranja. Como o formato de sela, sua forma só pode ser vista indiretamente, por meio de leis alteradas da geometria. Em geral, geometrias curvas são chamadas não-euclidianas, porque não seguem todos os postulados do matemático grego Euclides. No caso de espaços com curvaturas positivas, não existem linhas paralelas, e os triângulos apresentam ângulos com soma maior que 180 graus.

Para entender essas diferenças, fatie uma laranja ao meio, no sentido da largura, e corte a metade superior em quatro. Pegue uma das fatias e observe a casca. Você verá que ela é limitada por duas bordas que começam aparentemente retilíneas e paralelas (onde foi feito o corte no sentido da largura), mas terminam se encontrando no topo. São como quaisquer duas linhas de longitude da Terra, parecendo paralelas perto do Equador, mas convergindo no polo Norte. Essa demonstração prova que não há duas linhas em uma superfície de curvatura positiva que sejam verdadeiramente paralelas.

E o que dizer das linhas de latitude, ou equivalentes, produzidas ao se cortar uma cebola repetidamente em segmentos no sentido da largura? Elas parecem sempre paralelas, nunca se encontrando. Porém é estranho que, na superfície da Terra, elas não sejam linhas verdadeiras, porque não compreendem a menor distância entre dois pontos, tecnicamente conhecida como geodésica. Se quiser constatar por você mesmo, pegue um voo sem escalas de Vancouver a Paris, ambas as cidades aproximadamente na mesma latitude. O avião provavelmente vai se desviar para o norte, depois para o sul, em vez de manter a latitude inicial, porque minimizar distâncias requer seguir uma trajetória em "fatia de laranja" – uma trajetória geodésica em lugar de uma "em fatia de cebola". São essas geodésicas que sempre se encontram em algum ponto, conforme se vê em mapas de rotas de voos.

Como a geometria, na relatividade geral, influencia a dinâmica, a forma do cosmos afeta enormemente seu destino. A maioria dos astrônomos acredita que o universo, independentemente de sua forma, começou como um ponto ultradenso de tamanho extremamente compacto, talvez infinitesimal, chamado *big bang*, e se expandiu até seu atual e enorme tamanho. A maneira exata como se expandiu, e até onde irá essa expansão, é parcialmente determinada pela geometria que o universo tem. Se a geometria espacial fosse o único determinante, ao saber se o universo possui curvatura negativa, positiva ou zero, é possível prever se ele irá se expandir para sempre (no caso da curvatura negativa ou zero) ou se algum dia irá reverter sua expansão e tornar a se contrair até virar um ponto (no caso de uma curvatura positiva).

A geometria, no entanto, não é a única influência na dinâmica do universo. Outro fator é um termo de antigravidade, a constante cosmológica, sugerida pela primeira vez por Einstein. Esse termo tornou-se foco de atenção em anos recentes com a descoberta de Adam Riess, Saul Perlmutter, Brian Schmidt e seus colegas de que o universo não está apenas se expandindo, mas também acelerando sua atual expansão. A aceleração cósmica não pode ser explicada pela geometria – é preciso um auxílio extra, representado pela constante cosmológica e conhecido como energia escura. Modelos que apresentam constante cosmológica podem ter curvaturas zero, negativas ou positivas, com a geometria específica afetando como e quando a influência da energia escura domina a dinâmica.

Você pode se perguntar por que, nesta discussão, mencionamos formas planas, formas hiperbólicas e formas de laranja, mas não formas de rosquinha. Acontece que tem havido tradicionalmente muito mais interesse em cosmologias de hiperplanos (generalizações de superfícies planas infinitas), hiperbolóides (generalizações de formas de sela) e hiperesferas (generalizações de formas de laranja) que em cosmologias toroidais, em forma de rosquinha. Por que as formas de laranja, por exemplo, são mais favorecidas na literatura que as formas de rosquinha? Olhando para os ingredientes da rosquinha, alguns talvez pensem que esse é um exemplo gritante do movimento contra a gordura trans, combinado a um viés que favorece o ácido ascórbico (vitamina C) encontrado nas laranjas. Com certeza, seria imprudente discriminar modelos de universo simplesmente por causa de sua ligeira semelhança com certas frituras muito gordurosas.

Na verdade, a preferência por hiperplanos, hiperbolóides e hiperesferas tem mais a ver com sua simplicidade matemática que com qualquer outra coisa. Eles representam as superfícies tridimensionais isotrópicas mais básicas (que parecem iguais em todas as direções), possuindo as topologias mais simples. A topologia é diferente da geometria porque se concentra em como as superfícies se conectam ou não em suas formas e tamanhos específicos. Por exemplo, topologicamente falando, bolas sólidas de futebol, beisebol, basquete e até mesmo livros sobre esportes são todos equivalentes, porque não possuem buracos que os atravessem, e teoricamente é possível transformar um em outro (supondo que fossem suficientemente elásticos) sem cortar. Rosquinhas, xícaras de café com asas, pneus e estruturas ocas podem ter buracos únicos e, portanto, compartilhar topologias comuns distintas das topologias dos objetos contínuos. Mesmo que sejam esticados, os buracos continuam ali.

Uma figura geométrica plana bidimensional – digamos, um quadrado – pode ser transformada em um cilindro, identificando-se o lado mais à esquerda e o lado mais à direita e colando-se os dois lados. Se um objeto se desloca para a esquerda o suficiente, ele acaba do lado direito. Algo que se mova continuamente para a esquerda ou direita passará pelo mesmo local repetida e periodicamente, como os *loops* de animação comuns aos desenhos animados dos anos 1960 e 1970. Usados para economizar tempo e esforço, os *loops* de animação ocorrem quando a personagem passa pelas mesmas cenas de fundo repetidas vezes. Por exemplo, quando Fred e Barney de *Os Flintstones* desciam uma rua de carro, eles pareciam estar sempre passando pelos mesmos conjuntos de pedras e árvores. Se pudéssemos explorar um universo cilíndrico, sobrevivendo de alguma forma por dezenas de bilhões de anos enquanto viajamos no que parecia ser uma trajetória retilínea, teríamos a mesma experiência repetitiva. Embora imaginemos que estamos nos movimentando diretamente à frente, acabaremos circunavegando o espaço e passaremos de novo pelas mesmas galáxias, em um *déjà vu* topológico.

O espaço pode ser ainda mais interconectado que isso. Se considerarmos um cilindro vertical e juntarmos suas bases inferior e superior, teremos então um toro. Agora existem dois caminhos perpendiculares que podemos trilhar no espaço: esquerda-direita e subir-descer. Parece um pouco com Pac-Man, o *videogame* de sucesso dos anos 1980 e suas variantes. Quando as criaturinhas coloridas saem do labirinto por qualquer dos portais nos seus limites, elas reaparecem milagrosamente do outro lado. Mostre-lhes a porta dos fundos e elas voltam alegremente pela da frente, querendo mais moedas.

Um arranjo ainda mais intricado liga os extremos de todas as três dimensões espaciais em uma espécie de "super-rosquinha". Imaginemos o espaço como um cubo colossal; essas ligações equivaleriam às faces direita e esquerda, superior e inferior, e anterior e posterior. Um *layout* assim, generalização de um toro com superfície tridimensional, em vez de bidimensional, seria difícil de visualizar. Paradoxalmente, ele funde uma geometria reta e "plana" (no sentido de que linhas retas paralelas continuam retas e paralelas) com uma topologia extraordinariamente complexa.

Imaginemos viver em uma casa em que a escada que sobe para o sótão leva ao porão, a janela da frente dá vista para a mesma cena que a cozinha nos fundos e os vizinhos do lado somos nós mesmos. Se os canos em sua sala de estar começassem a vazar, a água escorreria para todos os andares inferiores, voltaria através dos pisos superiores e arruinaria os móveis de sua sala de estar. Como não haveria nada vindo do mundo exterior, tudo em nossa residência precisaria ser reciclado. Nunca mais poderíamos sair, ficaríamos sempre passando pelas mesmas portas e cômodos. Assim seria a vida em uma habitação toroidal, não recomendada para os claustrofóbicos. (Robert Heinlein descreve maravilhosamente uma situação semelhante em seu conto *And he built a crooked house* [E ele construiu uma casa torta].)

O universo inteiro poderia ter uma topologia assim? Os dados atuais mais confiáveis sobre a forma e configuração do espaço derivam de missões para medir a radiação cósmica de fundo em micro-ondas (CMB, sigla em inglês para *cosmic microwave background*), uma radiação já resfriada, uma relíquia do *big bang*. O universo começou sua vida muito pequeno, muito quente e muito misturado. Partículas de matéria e energia estavam ligadas umas às outras em um sopão borbulhante. Então, aproximadamente 380 mil anos depois da explosão inicial, a sopa resfriou o suficiente para que átomos completos (a maioria de hidrogênio) coagulassem, deixando sobras de fótons (partículas de luz) como uma espécie de caldo. No ponto de separação, conhecido como recombinação, a matéria estava um pouco mais concentrada em alguns lugares que em outros, tornando o caldo de energia ligeiramente desigual em termos de temperatura. Essas diferenças minúsculas de temperatura persistiram ao longo de eras, enquanto a expansão do universo resfriava significativamente o caldo de energia. De milhares de graus Kelvin (acima do zero absoluto) ele foi reduzido a meros 2,73 graus Kelvin. Agora é um fundo frígido de ondas de radiação distribuídas por todo o universo.

A CMB foi descoberta em meados dos anos 1960 pelos pesquisadores Arno Penzias e Robert Wilson, do Bell Labs. Quando concluíam um levantamento de ondas de rádio, sua antena em forma de chifre captou um estranho sibilar. Relataram o resultado ao físico Robert Dicke, de Princeton, e ele calculou sua temperatura, descobrindo que ela coincidia com as previsões da teoria do *big bang*. Essa descoberta confirmou a existência de um início ultraquente do universo. Contudo, não era precisa o bastante para revelar mais detalhes da distribuição inicial de matéria e energia.

Uma análise bem mais minuciosa da CMB aconteceu no início dos anos 1990, graças ao trabalho de John Mather e George Smoot, que lhes valeu o Prêmio Nobel. Usando o satélite Cosmic Background Explorer [Explorador de Radiação Cósmica de Fundo] (Cobe), da Nasa, Mather e sua equipe mapearam a distribuição precisa de frequência da radiação cósmica de fundo em micro-ondas e estabeleceram, sem sombra de dúvida, que ela combinava perfeitamente com o que seria esperado de um universo abrasado que se resfriou ao longo de bilhões de anos. Smoot e seu grupo descobriram um mosaico de flutuações minúsculas de temperatura (chamadas anisotropias) por todo o espaço, apontando para as primeiras diferenças sutis nas densidades das diversas regiões do cosmos. Essas flutuações mostraram como, no universo nascente, existiam "sementes" ligeiramente mais densas que atraíam cada vez mais massa e que acabaram por crescer e se transformar nas estruturas hierárquicas (estrelas, galáxias, agrupamento de galáxias etc.) que hoje observamos.

A missão de mapear as ondulações na CMB com precisão cada vez maior teve prosseguimento durante as últimas duas décadas. De forma única, elas proporcionam uma riqueza de informações sobre o estado do cosmos muitos bilhões de anos atrás. É como uma rara tábua cuneiforme que, com traduções aperfeiçoadas, propicia percepções cada vez mais ricas da história antiga toda vez que é lida.

Em 2001, foi lançada a sonda espacial Wilkinson Microwave Anisotropy Probe [Sonda Wilkinson de Anisotropia de Microondas] (WMAP), que possibilitou um mapeamento extraordinariamente detalhado da CMB. Com esses dados, os astrônomos construíram um retrato ultradefinido da distribuição de matéria e energia no nascimento do cosmos. Essa informação tem propiciado a resolução crítica de enigmas cosmológicos há muito investigados. Por exemplo, nas décadas que antecederam a sonda WMAP havia divergências consideráveis quanto à idade do universo desde o *big bang*. A WMAP determinou esse valor como aproximadamente 13,7 bilhões de anos – uma fantástica realização na história da medição científica.

E a forma do espaço? A WMAP diz muito sobre isso também. Astrônomos têm deduzido a geometria específica do universo examinando como os trechos mais brilhantes da CMB são expandidos ou comprimidos em ângulo em comparação com o que se esperaria de um espaço puramente plano. Enquanto a curvatura positiva expande essas manchas a 1,5 grau e a curvatura negativa os comprime a 0,5 grau, a curvatura zero (plano) deixa-os a 1 grau transversalmente. O terceiro caso parece ser verdade, então, segundo essa prova dos nove, o espaço parece de fato ser plano.

Em 1993, Daniel Stevens, Donald Scott e Joseph Silk, pesquisadores da Universidade de Berkeley, propuseram uma maneira de analisar os dados da CMB para avaliar também a topologia do espaço. Em seu estudo *Microwave Background Anisotropy in a Toroidal Universe* [Anisotropia de Radiação de Fundo em Micro-ondas em um Universo Toroidal], eles demonstraram como um universo de topologia toróide com múltiplas ligações forçaria a radiação a assumir certos padrões de onda detectáveis. Como tais padrões pareciam estar ausentes dos dados da Cobe, os pesquisadores não encontraram sustentação para um cosmos toroidal.

Um trabalho posterior de Neil Cornish, da Case Western, David Spergel, de Princeton, e Glenn Starkman, da Universidade de Maryland, ampliou essa técnica para abranger uma faixa maior de topologias possíveis. Tal método tem sido aplicado aos resultados da sonda WMAP, analisando a possibilidade de que o cosmos tenha uma topologia complexa, não um toróide, mas sim um dodecaedro (um pouquinho parecido com uma bola de futebol, mas com todos os lados de mesmo tamanho e forma). Embora os dados preliminares (analisados em 2003) pareçam descartar esse modelo, análises mais recentes das descobertas da WMAP ressuscitaram a ideia de que, se nos aventurarmos longe o bastante no espaço, retornaremos ao ponto de partida. Assim, a teoria da rosquinha de Homer pode estar polvilhada com pelo menos um pouquinho de verdade: o universo poderia, de fato, ter ciclos.

E se o universo for verdadeiramente cíclico, em torno do que ele realizaria esses ciclos? A superfície bidimensional de uma esfera se curva ao longo de uma terceira dimensão. Assim, as frutas têm caroços, bem como cascas. Então, o que estaria no miolo de um cosmos tridimensional em forma de anel? Poderia haver uma outra dimensão espacial além dos limites da observação?

26

A terceira dimensão de Homer

Os esquemas mais mirabolantes de Homer frequentemente resultam em fracasso – não passam de planos. Muito embora ele se esforce para se aprimorar, muitos o acusam de falta de profundidade. Quando ele foge de um perigo, quase sempre parece que ele é apenas a sombra de um homem. Suas brincadeiras amalucadas são uma caricatura. É possível dizer, de forma absolutamente correta, que a despeito de sua cintura proeminente, ele é completamente chato.

Coloquemos essa personagem em perspectiva. Seus traços não são realmente uma falha sua; ele apenas foi desenhado dessa forma. Não é o que ele faz; é o espaço bidimensional no qual ele faz. Na época em que *Os Simpsons* foram criados, ainda não era viável que uma série semanal apresentasse suas personagens de uma forma tridimensional. Mesmo hoje, nem os desenhos mais sofisticados da televisão seguem nessa direção.

Quando a série começou, no final dos anos 1980, a animação em 3D por computador estava praticamente na infância e era cara. Àquela altura, poucos filmes tinham usado efeitos especiais gerados por computação gráfica – o mais famoso deles um filme de fantasia de 1982, chamado *Tron – Uma Odisséia Eletrônica*, que custou 20 milhões de dólares e foi um fracasso de bilheteria. Um épico sobre um programador que é aspirado pelo computador e fica imerso em uma confusão de imagens geométricas, *Tron* deu início à ideia de explorar reinos virtuais em um longa-metragem. Contudo, apenas cerca de 15 minutos eram sequências puramente geradas por computação gráfica; o restante do filme apresentou efeitos especiais mais tradicionais.

O fracasso de *Tron* em seduzir os críticos e atrair público suficiente para pagar seus custos afastou por um bom tempo os grandes estúdios de longas-metragens que utilizavam computação gráfica. Gradualmente, técnicas de animação computadorizadas em 3D baixaram de custo e melhoraram de qualidade, o bastante para Hollywood voltar a investir nelas. Daí a abundância e a popularidade desses longas-metragens atualmente.

Toda vez que a tecnologia avança, os roteiristas de *Os Simpsons* se esforçam para acompanhar o progresso, criando uma paródia completa. Neste caso, a paródia que eles criaram – o episódio "Homer^3", de "A Árvore dos Horrores VI", que satirizou *Tron*, e o episódio "A Menininha Sumiu", de *Além da Imaginação* – foi absolutamente brilhante. Ao transportar Homer de seu mundo bidimensional, animado de forma tradicional, para o reino tridimensional da computação gráfica, a paródia nos lembrou que nosso próprio mundo pode ter dimensões além de nossa percepção.

A historiadora da arte, Linda Dalrymple Henderson, descreveu o significado desta transformação:

> A transição de Homer de duas para três dimensões, enquanto ele passa por uma parede, fornece uma dramática demonstração do poder da perspectiva linear e da representação *chiaroscuro* com luz e sombra, os dois desenvolvimentos artísticos centrais do Renascimento italiano. Ao mesmo tempo, ela abre a porta para discussões sobre nosso relacionamento com um espaço superior, de quatro dimensões, tornando clara a liberação do potencial de dimensões aumentadas.[1]

Ir além dos limites do espaço comum, e em direção a uma dimensão mais alta, é uma antiga fantasia que data dos grandes avanços da matemática do século XIX. Os matemáticos ingleses Arthur Cayley, James Sylvester e William Clifford e os matemáticos alemães Carl Gauss e Bernhard Rieman, entre outros, desenvolveram métodos que estendem estruturas tridimensionais para entidades com dimensões mais altas. Geometrias com mais de três dimensões espaciais passaram a ser conhecidas como hiperespaço.

Para ajudar os leitores a apreender o conceito de uma dimensão superior, que é real, mas fora da percepção, Edwin Abbot publicou, em 1884, *Planolândia, um Romance de muitas Dimensões*, romance sobre um mundo bidimensional ocupado por uma sociedade de formas geométricas. Um quadrado, o herói da história, vive e se movimenta em um plano, sem perceber o universo se estende além desse plano. Um dia, uma esfera o visita com o objetivo de instruí-lo a respeito da terceira dimensão. O quadrado não consegue perceber sua existência, até que a esfera o põe rapidamente para fora de seu plano e ele toma consciência dela. Perplexo com as visões do interior e do exterior das pessoas, lugares e coisas em sua comunidade, ele volta e tenta convencer seus semelhantes, mas todos o consideram louco. A lição é que nossa inabilidade em perceber uma dimensão não prova sua inexistência.

Com a tênue fronteira entre o real e o irreal que caracteriza *Além da Imaginação*, "A Menininha Sumiu", episódio exibido pela primeira vez em 1962, apresenta uma incursão ainda mais aterradora em uma dimensão superior. Um pai fica alarmado ao descobrir que sua filha pequena desapareceu do quarto. Sua voz parece estar vindo de debaixo da cama, mas ela não está lá. O cachorro da família corre atrás dela e, da mesma forma, desaparece. Consultando um físico, o pai fica sabendo que sua filha e o cachorro de alguma forma atravessaram o portal da quarta dimensão. Com as pernas firmemente seguradas pelo físico, ele mergulha pelo portal e encontra uma confusão bizarra de visões e sons. Milagrosamente, naquele lugar feérico ele consegue localizar a filha e o cachorro e os agarra. Rapidamente o físico puxa todos pelo portal, no último instante, antes de ele se fechar para sempre.

"Homer^3" envolve um portal análogo, que liga o mundo achatado, com perspectiva pobre e menos precisa dos desenhos tradicionais ao mundo mais preciso e de melhor perspectiva da computação gráfica, na linha de *Tron*. Homer encontra esse portal atrás de uma estante de livros em sua casa e pula nele diante do horror de ter de enfrentar suas cunhadas. O buraco faz Homer lembrar, como de "alguma coisa daquela série fantástica". Assim que ele entra pelo portal, adquire uma medida extra de profundidade, que o artista ilustra com o auxílio de sombra, perspectiva e outros recursos tridimensionais. Cercando

Homer estão formas geométricas sólidas e variadas equações de matemática e física. Homer fica absolutamente perplexo – deliciado e petrificado ao mesmo tempo – com o estranho panorama e todas as alterações visuais. Enquanto isso, sua família ouve sua voz sem corpo vindo de várias partes da casa, sem dar indicação de onde ele realmente está.

O episódio mostra as diferenças matemáticas entre Springfield e as imagens geradas pela computação gráfica. Quando o professor Frink tenta explicar que Homer caiu na "terceira dimensão", ninguém tem a menor idéia da direção a qual ele está se referindo. Frink provoca suspiros de perplexidade quando demonstra que um cubo desdobra o quadrado de quatro lados em um objeto de seis faces. É como se estivessem vivendo na Planolândia e alheios ao conceito de espaço.

Na realidade, quase todos os desenhos, tanto tradicionais quanto gerados por computação gráfica, tentam simular três dimensões, de alguma forma, em uma tela plana. ("Tradicional" é um nome um pouco inadequado, porque mesmo a "animação tradicional" hoje em dia faz uso de computação durante certos estágios, e isso significa que a diferença entre ela e a animação gerada por computação se estreitou.) Se Springfield não fosse supostamente tridimensional em alguns aspectos, a sequência de abertura da série – nuvens se dividindo no céu, Bart escrevendo em um quadro-negro vertical visto através de uma janela vertical a alguma distância, Homer atirando uma vareta de combustível pela janela do carro e a família convergindo para a entrada da casa de várias direções diferentes – não faria nenhum sentido. Eles certamente não poderiam voar em aviões e espaçonaves, bem acima da superfície da Terra, como mostrado em alguns episódios. Ao contrário, eles ficariam navegando em um labirinto plano como o Pac-man. Talvez Homer piscasse de vez em quando, ficasse azul e devorasse uma ou duas rosquinhas, do contrário uma versão da série feita para parecer completamente bidimensional seria bastante desinteressante. Felizmente, a série mantém a ilusão de três dimensões por meio do *layout*, dos ângulos de câmera (cenas como se fossem vistas de diferentes pontos de vista), sombras, sombreamento e perspectiva. Então o pulo de Homer através do portal não aumenta realmente sua dimensionalidade, mas sim a maneira que ela é apresentada.

Depois de passar algum tempo no mundo geométrico à moda de *Tron* e acidentalmente produzir um buraco negro, Homer começa a entrar em pânico. Amarrando uma corda na cintura, Bart corre e atravessa o portal para salvar o pai. Apenas a boca voraz do buraco negro separa os dois. Mas, ai ai, quando Homer tenta saltar por sobre o abismo, a distância é muito grande e ele mergulha rumo a seu infortúnio. Mas, que surpresa, o infortúnio de Homer é uma rua de uma cidade deste mundo, no "mundo real" (com o emprego de cenas de uma rua verdadeira). É uma rua bem comum, exceto por sua padaria erótica, aonde o Homer "real" (um ator) acaba indo, colocando um fim a esse agradável episódio.

Objetos poderiam realmente viajar através de portais escondidos rumo a uma dimensão superior? O que uma vez pareceu uma pura abstração matemática, ou mesmo misticismo, agora assumiu o caráter de uma legítima indagação científica. Teorias das cordas e das membranas, desenvolvidas como visões unificadas da natureza por físicos como John Schwarz, da Caltech, Michaelk Green, do Queen Mary College, e Ed Witten, de Princeton (bem como outros muito numerosos para mencionar), imaginam minúsculas vibrações de energia de várias frequências como os tijolos de todas as coisas. Para englobar as quatro interações naturais fundamentais conhecidas – gravidade, eletromagnetismo e as forças fraca e forte –, e por outras razões técnicas, essas minúsculas cordas devem oscilar em um mundo de 10 ou 11 dimensões. Três dessas dimensões representam os modos tradicionais do movimento no espaço, e a quarta é o tempo. Essas são as quatro dimensões físicas que a comunidade científica, mesmo os teóricos que não são da área das cordas, geralmente aceita. Teóricos das cordas sugerem seis dimensões adicionais que estão enroladas tão apertadamente que nunca podem ser observadas de modo direto. É como se, ao se observar uma bola de pelo do Bola de Neve, de um ponto de vista de um quilômetro e meio de altura no Nepal, simplesmente não se pudesse discernir os pelos embolados. Portanto, essas minúsculas dimensões compactadas não contradiriam a clara evidência de que o espaço só tem três dimensões em que se mover.

Além das dez dimensões que a teoria das cordas requer para ser fisicamente realista e englobar as forças naturais, versões recentes da teoria deram lugar a pelo menos uma "dimensão extragrande" – isto é, suficientemente grande para ser medida em laboratório. Essa dimensão extra é uma combinação de vários tipos de teoria das cordas (bem como de membranas) em uma visão unificada chamada teoria-M. A teoria-M inclui tanto dimensões extensas quanto recurvadas. E por que ela é chamada assim? De acordo com Witten, "M" representa mágica, mistério ou matriz. É a mágica teoria do mistério!

Em 1998, Nima Arkani-Hamed, Savas Dimopoulos e Gia Dvali, físicos teóricos de Stanford, sugeriram que essa dimensão não recurvada de aproximadamente um milímetro de tamanho poderia resolver um duradouro mistério da física: por que a gravidade é tão fraca em comparação a outras forças naturais? A ideia de que a gravidade é muito mais fraca que outras forças, como o eletromagnetismo, pode parecer estranha até que se perceba que toda a força gravitacional da Terra não pode impedir que uma tachinha seja erguida no ar por um pequeno ímã caseiro.

A teoria dos pesquisadores de Stanford imagina que o universo observável está localizado em uma membrana flutuando no espaço – para abreviar, "brana". Há uma segunda brana paralela à primeira, separada da outra por uma abertura de um milímetro, chamada de *bulk*,* que se estende junto de uma dimensão superior. Matéria familiar – feita com o que é chamado de cordas abertas – prende-se à primeira brana e não pode atravessar o *bulk*. Partículas transmitindo a força eletromagnética e todas as outras interações, exceto a gravidade, são também aprisionadas. Já os grávitons, os transportadores da força gravitacional, são compostos de cordas fechadas e, desse modo, são capazes de viajar através do *bulk*. Como a gravidade vaza para a dimensão superior, sua força é grandemente diluída em comparação a outras forças que não vazam. Isso explica a discrepância em força entre a gravidade e as outras interações naturais.

Um certo número de experiências para testar a existência de dimensões extragrandes foi realizado, e muitas outras estão sendo planejadas. Experiências conduzidas por Eric Adelberger, da Universidade de Washington, utilizaram um dispositivo delicado, chamado equilíbrio de torsão, para verificar se a

* O vocábulo *bulk*, muitas vezes, é usado como termo técnico para designar um espaço multidimensional onde está inserida uma brana que contém um universo de quatro dimensões. Também é conhecido como "espaço de imersão". (N. do R. T.).

lei da gravidade se desviava de sua forma-padrão newtoniana (a atração gravitacional entre dois objetos é inversamente proporcional à distância de sua separação ao quadrado). Adelberger não encontrou essa distorção até lâminas muito menores que um milímetro, o que parece eliminar pelo menos a versão mais simples da teoria de uma dimensão extragrande.

Outras experiências, ambas feitas no acelerador de partículas do Fermilab, em Illinois, e no Large Hadron Collider (LHC), a ser aberto em breve na Suíça, estão previstas para buscar "pequenos grávitons perdidos": partículas de gravidade que fogem por trilhas de dimensões superiores. Esses projetos envolvem colidir partículas elementares, e, ao examinar o produto da colisão, verificar se a ausência de algum componente do decaimento poderia estar envolvida na produção de um grande gráviton. Como se uma abrupta diminuição dos sinais de obstrução na traquéia de Bart sinalizasse o desaparecimento repentino de Homer, a falta de alguma característica nos perfis de partícula desintegrada talvez seja o sinal do desaparecimento de um gráviton.

Se vivemos em uma brana flutuando no vácuo, e se outras branas existem, e presumindo que elas são de alguma maneira semelhantes as nossas, seria possível haver civilizações nesses universos paralelos. Então talvez pudéssemos enviar sinais gravitacionais modulados e tentar comunicação com esses mundos extrabrana. Da mesma forma que usamos as ondas de rádio em várias amplitudes e frequências para enviar mensagens pelo espaço comum, poderíamos criar ondas gravitacionais com várias características para transmitir informação por meio do *bulk*. Possivelmente, poderíamos até mesmo descobrir maneiras de nos convertermos em pulsos gravitacionais modulados e irradiarmo-nos para uma realidade paralela. Tenho certeza de que pelo menos alguns leitores estão exclamando, a esta altura: "Ô, cara, como se nós não tivéssemos tentado ainda", e outros estão solicitando suas licenças para se tornarem corretores da realidade paralela. Contudo, eu não investiria ainda em propriedade transdimensional; a existência de branas é puramente hipotética.

É chegada a hora de colocarmos um fim nesta discussão extremamente especulativa. Voltemos ao nosso mundo de três dimensões espaciais, onde há maravilhas científicas suficientes para muitas vidas de exploração. Na verdade, há muitos mistérios envolvendo a mente, o corpo e as coisas vivas em geral para estimular qualquer um a explorar questões curiosas. Por exemplo, as engrenagens das máquinas e os segredos da robótica. Se isso não for suficiente, tente os segredos da astronomia. Física, robótica, vida e universo – aí há muita grama para mastigar, mesmo para os apetites intelectuais mais insaciáveis. Hummm, grama. Acrescente um desenho animado cujas tramas inteligentes ilustram os tópicos deste livro, mostrando a interação entre uma família estranha, mas adorável, e seus inesquecíveis patrícios, e aí você tem a ciência por trás de *Os Simpsons.*

Inconclusão

A jornada continua

Usando os episódios de *Os Simpsons* como gancho, fizemos uma maravilhosa viagem desde os fundamentos da vida humana individual até os componentes de nosso cosmos incrivelmente vasto. Explorando temas de biologia, física, robótica, tempo e astronomia, ajudamos a responder à retórica pergunta de Moe: "O que a ciência já fez por nós?". É verdade que perguntas retóricas geralmente não são feitas para serem respondidas, mas que diabo, nós acabamos respondendo – e por conta da casa. Agora Moe está nos devendo um *pretzel* grátis.

Nossas reflexões nos deram base para um otimismo cauteloso acerca do futuro. Mesmo que o gene humano seja defeituoso, talvez nossos descendentes tenham sorte de não herdar essa predisposição genética, como Lisa. E se esses defeitos não puderem ser evitados, talvez a ciência chegue ao ponto em que nossa descendência possa ser substituída por andróides iguaizinhos. Se estes não funcionarem direito, e destruírem a Terra, talvez os humanos remanescentes possam escapar, viajar a outros planetas e estabelecer colônias. Supondo que esses postos avançados sejam invadidos por alienígenas babões com tentáculos, poderíamos elegê-los líderes e esperar que seus ânimos se evaporem sob o peso da burocracia. Então, se houver tecnologia para isso, daríamos uma escapadela para outras galáxias. Se os alienígenas dispararem um raio acelerador, apressando o tempo, e o universo inteiro estiver condenado, com alguma sorte descobriremos um portal para uma nova realidade. Mas e se essa nova realidade não tiver rosquinhas e Kwik-E-Marts abertos 24 horas? Ah, aí está o problema. Foi por isso que eu aconselhei um otimismo *cauteloso.*

No momento em que escrevo estas palavras, em 2007, uma nova era (para a série, pelo menos) está para começar com o lançamento de *Os Simpsons, o filme.* Em um mundo dominado por animação em computação gráfica, o filme foi feito gloriosamente em 2D, como um dos *trailers* observa. Dado que o *trailer* mostrou coelhos, flores, uma rocha, um café e uma bola de demolição oscilando como um pêndulo, os amantes da ciência estão cheios de esperança – até os ornitólogos, para quem a esperança é alguma coisa com penas. Será que o filme vai manter o mesmo nível de sofisticação da série na hora de abordar temas científicos? E o que dizer dos episódios dos próximos anos, e talvez até sequências do filme? A perspectiva de que a série *Os Simpsons* continue a abordar temas da ciência é deliciosa, e este final é *inconclusivo.* Esperamos que a jornada tenha apenas começado.

Agradecimentos

Como um velho fã de Matt Groening, gostaria de agradecer-lhe por sua brilhante contribuição ao humor, desde a tirinha de jornal *Life in Hell* [Vida no Inferno] até *Futurama* e *Os Simpsons.* É incrível como seu trabalho, complementado pelo talento de grandes roteiristas, artistas e atores, continua tão vibrante e engraçado depois de mais de duas décadas (a série começou como um segmento de *The Tracey Ulman Show*). As caracterizações vocais de Dan Castellaneta, Julie Kavner, Nancy Cartwright, Yeardley Smith, Hank Azaria, Harry Shearer e outros da série são verdadeiramente estupendas, ao darem vida a tantas diferentes personalidades.

Obrigado ao meu maravilhoso agente Giles Anderson e à excelente equipe editorial da Wiley, incluindo Eric Nelson, Constance Santisteban e Lisa Burstiner, por sua ajuda e visão para este projeto. O corpo docente e a administração da University of Sciences da Filadélfia, incluindo Philip Gerbino, Barbara Byrne, Reynold Verret e Elisa Eschenazi, foram grandes apoiadores de minha pesquisa e deste livro. Sou profundamente grato a Daniel Marenda e Alison Mostrom por terem lido os capítulos sobre biologia e feito sugestões úteis. Obrigado também a Joe Wolfe, da University of New South Wales, por suas inteligentes contribuições, e a Linda Dalrymple Henderson, por suas pertinentes observações.

Em minha casa temos nosso próprio fã clube de *Os Simpsons.* Entre os membros principais estão meus filhos, Aden e Eli, que foram cuidadosos em buscar a ciência na série. Toda vez que alguém comenta que um episódio começou, há uma grande correria para a frente da televisão. É mais ou menos como a cena do sofá na abertura de cada episódio.

Agradeço o apoio de outros membros da família e de amigos, incluindo meus pais, Stan e Bunny, e meus cunhados, Joe e Arlene. Acima de tudo, gostaria de agradecer a minha mulher, Felicia, por suas observações valiosas, amor e apoio.

Os Simpsons, o filme: um prático checklist científico

Os *Simpsons, o filme* oferece uma oportunidade ideal para praticar o que aprendemos sobre ciência com a série. Para aqueles que planejam pegar seus astrolábios portáteis, encher os bolsos com doces proibidos dos Kwik-E-Marts locais, comprar um ambicionado ingresso e meter-se sub-repticiamente em um episódio (ou para aqueles que o estão vendo em DVD, na TV a cabo, em um implante de unha ou outro formato estranho do futuro), preparei este prático *checklist* científico para seu prazer. Note que, quando escrevia o livro, o filme ainda não tinha sido lançado, e, portanto, estas questões são necessariamente bem gerais. Abaixo estão as perguntas científicas que você deve se fazer enquanto vê o filme:

1. Houve um vazamento radiativo, uma fusão do núcleo ou outro tipo de catástrofe ambiental? Se houve, explicar o que a provocou e o que poderia ter sido feito para evitá-la.
2. Algum animal de Springfield apresenta anomalias? Elas poderiam ser indícios de mutações? Se podem, especular sobre as causas dessas mutações.
3. Ao tentar salvar sua família de uma completa catástrofe, Homer demonstra a genialidade de um Einstein, a persistência de um Edison, a

visão de um Darwin ou o silencioso e subestimado heroísmo de uma barra de carbono?

4. Carl utilizou apropriadamente seu grau de mestre em física nuclear? E a formação em ciência da computação de Apu? Lisa recebeu o há muito merecido crédito pelo seu conhecimento científico, como o precoce título de Ph.D.? Existem outros cientistas capacitados no filme, e eles estão desenvolvendo todo seu potencial?
5. O professor Frink apresentou novas invenções fantásticas? Se apresentou, explicar a base científica de cada uma.
6. O nível de maldade mostrado por Burns, Snake, Sideshow Bob, Tony Gordo, ou qualquer outro personagem sinistro reflete sua natureza ou sua criação?
7. Existem robôs ou alienígenas no filme? Eles são completamente conscientes e alertas (como Homer, por exemplo) ou autômatos irracionais?
8. O tempo no filme é como uma corrente sempre fluindo, levando gentilmente os personagens de uma cena para outra, ou é mais como uma poça estagnada cheia de algas e repugnantes sapos vermelhos pulando para todo lado? O filme sugere que o passado está condenado a repetir-se? Dica: veja o filme algumas vezes antes de chegar a uma conclusão.
9. A pessoa sentada a sua frente na sala de cinema está usando um enorme e irritante chapéu com um enfeite estranho? Se está, explicar o processo de fabricação do chapéu e a psicologia do gosto relacionado às roupas. Se não está, a pessoa a sua frente talvez tenha evitado usar um tal chapéu pelo desejo de se mostrar apropriado? Nesse caso, comente a sociologia do conformismo.
10. No final do filme, depois que os créditos foram exibidos, as personagens estão em um estado de animação suspensa? Compare essa condição ao congelamento criogênico, à morte e a comparecer a seminários sobre administração de imóveis.

Episódios cientificamente relevantes discutidos neste livro (listados por Capítulo)

1. "Lisa, uma Simpson", 9ª temporada, escrito por Ned Goldreyer, dirigido por Susie Dietter.
2. "Homer, o Fazendeiro", 11ª temporada, escrito por Ian Maxtone-Graham, dirigido por Bob Anderson.
3. "O Peixe de Três Olhos", 2ª temporada, escrito por Sam Simon e John Swartzwelder, dirigido por Wesley Archer.
4. "Arquivo S", 8ª temporada, escrito por Reid Harrison, dirigido por Steven Dean Moore.
5. "In the Belly of the Boss", em "A Árvore da Casa dos Horrores XV", 16ª temporada, escrito por Bill Odenkirk, dirigido por David Silverman.
6. "The Genesis Tub", em "A Árvore da Casa dos Horrores VII", 8ª temporada, escrito por Ken Keeler, Dan Greaney, e David X. Cohen, dirigido por Mike B. Anderson.
7. "Lisa, a Cética", 9ª temporada, escrito por David X. Cohen, dirigido por Neil Affleck.
8. "O Mágico de Springfield", 10ª temporada, escrito por John Swartzwelder, dirigido por Mark Kirkland.

9. "A Associação de Pais e Mestres de Banda", 6ª temporada, escrito por Jennifer Crittenden, dirigido por Swinton O. Scott III.
10. "BI: Bartificial Intelligence", em "A Árvore da Casa dos Horrores XVI", 17ª temporada, escrito por Marc Wilmore, dirigido por David Silverman.
11. "Eu, Autômato", 15ª temporada, escrito por Dan Greaney e Allen Grazier, dirigido por Lauren MacMullen.
12. "O Mundo de Comichão e Coçadinha", 6ª temporada, escrito por John Swartzwelder, dirigido por Wesley Archer.
13. "Fly *versus* Fly", em "A Árvore da Casa dos Horrores VIII", 9ª temporada, escrito por Mike Scully, David X. Cohen e Ned Goldreyer, dirigido por Mark Kirkland.
14. "Stop the World, I Want to Goof Off", em "A Árvore da Casa dos Horrores XIV", 15ª temporada, escrito por John Swartzwelder, dirigido por Steven Dean Moore.
15. "Time and Punishment", em "A Árvore da Casa dos Horrores V", 6ª temporada, escrito por David X. Cohen, Greg Daniels, Bob Kushell e Dan McGrath, dirigido por Jim Reardon.
16. "Futuro-drama", 16ª temporada, escrito por Matt Selman, dirigido por Mike B. Anderson.
17. "Eu Quero Ver o Céu", 14ª temporada, escrito por Dan Greaney e Allen Grazier, dirigido por Steven Dean Moore.
18. "Não Tema o Carpinteiro", 16ª temporada, escrito por Kevin Curran, dirigido por Mark Kirkland.
19. "Bart *versus* Austrália", 6ª temporada, escrito por Bill Oakley e Josh Weinstein, dirigido por Wesley Archer.
20. "Esta é a 15ª Temporada", 15ª Temporada, escrito por Michael Price, dirigido por Steven Dean Moore.
21. "O Cometa Bart", 6ª temporada, escrito por John Swartzwelder, dirigido por Bob Anderson.
22. "Homer, o Astronauta", 5ª temporada, escrito por David Mirkin, dirigido por Carlos Baeza.
23. "Life's a Glitch, Then you Die", em "A Árvore da Casa dos Horrores X", 11ª temporada, escrito por Donick Cary, Tim Long e Ron Hauge, dirigido por Pete Michels.

24. "Famintos Como os Aliens", em "A Árvore da Casa dos Horrores", 2ª temporada, escrito por Jay Kogen, Wallace Wolodarsky, John Swartzwelder e Sam Simon, dirigido por Wesley Archer, Rich Moore e David Silverman.
25. "Eles Salvaram a Inteligência de Lisa", 10ª temporada, escrito por Matt Selman, dirigido por Pete Michels.
26. "Homer^3", em "A Árvore da Casa dos Horrores VI", 7ª temporada, escrito por David X. Cohen, John Swartzwelder e Steve Tompkins, dirigido por Bob Anderson.

Notas

Introdução

1. MCKIE, Robin. "Master of the universe", *Observer*, 21 out. 2001, p. C1.
2. GREENWALD, Sarah J. "A futurama math conversation with dr. Jeff Westbrook", *Appalachian State University Report*, 25 ago. 2005. Disponível em: <www.mathsci.appstate.edu/~sjg/futurama/jeffwestbrookinterview.htm>. Último acesso em 25 fev. 2007.

3. Blinky, o peixe de três olhos

1. LEHRER, Tom. "Pollution", *700 Many Songs por Tom Lehrer*. Nova York: Pantheon, 1981.
2. "The cities: the price of optimism", *Time*, 1º de ago. 1969, p. 1.
3. *New York Times*, 16 de outubro de 1927, em GUDGER, E. W. "A three-eyed haddock, with notes on other three-eyed fishes", *American Naturalist* 62, n. 683, nov.-dec., 1928, p. 559-570.
4. MEEK, Alexander. "A three-eyed dab [hippoglossoides limandoides]". Report of the Scientific Investigations Northumberland Sea Fisheries Commission for 1909–1910,1910, p. 44.
5. "Ruminations of a codfish forker", em *The Fishermen's Own Book*, v. 8, Gloucester, MA: Procter Brothers, 1928, p. 28. Em: GUDGER, E. W. "The three-eyed haddock, melanogrammus aeglefinus, a fake", *Annals and Magazine of Natural History*, v. 6, 1930, p. 48.
6. TODD, Anne Marie. "Prime-time rhetoric: the environmental subversion of the Simpsons", *Enviropop: Studies in Environmental Rhetoric and Popular Culture*, Westport, CT: Praeger, 2002, p. 72.

4. O brilho radiante de Burns

1. MACKLIS, Roger M. "The great radium scandal", *Scientific American,* ago. 1993, p. 94.

5. Todos nós vivemos em um submarino do tamanho de uma célula

1. National Academy of Sciences, Commission on Physical Sciences, Mathematics, and Applications, *Size limits of very small microorganisms: proceedings of a workshop.* Washington: National Academies Press, 1999.

6. A receita de Lisa para a vida

1. Jack Szostak, entrevista em RIMAS, Andrew. "His goal: to unravel the origins of life", *Boston Globe,* 25 set. 2006, p. D1.

7. O lar, doce lar, dos anjos

1. MASON, Pete. "Stephen Jay Gould", *Socialism Today,* n. 67, jul.-ago. 2002. Disponível em: <www.socialismtoday.org/67/gould.html>. Último acesso em 25 fev. 2007.
2. DEMBSKI, William A. "An analysis of Homer Simpson and Stephen Jay Gould", *Access Research Network.* Disponível em: <www.arn.org/docs/dembski1129.htm>. Último acesso em 25 fev. 2007.
3. DARWIN, Charles. *On the origin of the species by means of natural selection, or the preservation of pavoured races in the struggle for life.* London: John Murray, 1859, p. 287.

9. Comoção perpétua

1. O'DONNELL, Mark. "The laws of cartoon motion", *Esquire,* jun. 1980. Reimpresso em O'DONNELL, Mark. *Elementary education: an easy alternative to actual learning.* Nova York: Alfred A. Knopf, 1985.

10. Cara, sou um andróide

1. Cynthia Breazeal, entrevista em BHATTACHARYA, Shaoni, "New robot face smiles and sneers", *New Scientist,* 17 fev. 2003, p. 20.
2. TURING, Alan M. "Computing machinery and intelligence", *Mind: A Quarterly Review of Psychology and Philosophy* 59, n. 236, 1950, p. 433.
3. Conversas entre Ned Block, John Sundman e "Jabberwacky" por Rollo Carpenter. Transcrições da Loebner Prize Competition de 2005. Disponível em: <http://loebner.netiPrizef/2005_Contest/Transcripts.html> Último acesso em 25 fev. 2007.

11. Regras para robôs

1. ASIMOV, Isaac. *I, robot.* Greenwich, CT: Fawcet CVrest, 1950, p. 6.

13. Mosca na sopa

1. Anton Zeilinger, entrevista em *Sign and Sight,* 16 fev. 2006, Lucy Powell e John Lambert, traduzido, originalmente em *Die Weltwoche*, 3 jan. 2006.

14. Parando o relógio

1. STRASSMAN, Rick. *DMT: the spirit molecule.* Rochester, VT: Park Street Press, 2001, p. 234.

19. Mergulho terra abaixo

1. Joseph Wolfe, University of New South Wales, comunicado pessoal, 5 set. 2006.

20. Se os astrolábios pudessem falar

1. CHAUCER, Geoffrey. *A treatise on the astrolabe*; dedicado a seu filho Lowys. Londres: N. Trübner for the Chaucer Society, 1872, p. 1.

24. Tolos terráqueos

1. SHIPMAN, G. R. "How to talk to a martian", *Astounding Science Fiction,* out. de 1953, p. 112.
2. COCCONI, Giuseppe; e MORRISON, Philip. "Searching for interstellar communications", *Nature* 184, n. 4.690, 19 set. 1959.

25. O universo é uma rosquinha?

1. RAYMOND, Sean N.; MANDELL Avi M.; e SIGURDSSON, Steinn. "Exotic earths: forming habitable worlds with giant planet migration", *Science* 313, n. 5.792, 8 set. 2006, p. 1413–1416.
2. Al Jean, entrevista a Joshua Roebke em "Meet the geeks", *Seed,* abr.–maio 2006.

26. A terceira dimensão de Homer

1. Linda Dalrymple Henderseon, Universidade do Texas, Austin, comunicado pessoal, 31 dez. 2006.

Índice

Impressão e acabamento: *Orgrafic Gráfica e Editora*